JEAN DES CARS

Né en 1943 à Paris, Jean des Cars est un écrivain et journaliste français. Il a collaboré à *Paris Match*, au *Figaro Magazine* et à *Jours de France*. Historien reconnu, il est passionné par la Russie. Auteur de biographies et de récits historiques de référence — dont notamment *Louis II de Bavière* (Perrin, 2005), *Sissi ou la fatalité* (Perrin, 2005) et *Haussmann, la gloire du second Empire* (Perrin, 2008) —, ses livres ont été traduits en plusieurs langues. Jean des Cars a aussi publié *Le dictionnaire amoureux des trains* (Plon, 2006) et *La véritable histoire des châteaux de la Loire* (Plon, 2009).

LA SAGA DES ROMANOV

JEAN DES CARS

LA SAGA DES ROMANOV

De Pierre le Grand à Nicolas II

PLON

Le papier de cet ouvrage est composé de fibres naturelles, renouvelables, recyclables et fabriquées à partir de bois provenant de forêts plantées et cultivées durablement pour la fabrication du papier.

© Plon, 2008
ISBN : 978-2-266-19165-4

À Hélène Carrère d'Encausse.

« La Russie, c'est un mystère
enveloppé dans une énigme. »

Sir Winston CHURCHILL

« Les larmes coulent aussi à travers l'or. »

Léon TOLSTOÏ

Avant-propos

À la recherche du passé perdu

Le 2 mars 2008, avec son élection présidentielle, la Russie vit des heures décisives. La succession de Vladimir Poutine – qui, par un étonnant tour de passe-passe, ne s'était pas interdit de continuer à exercer le pouvoir en devenant le Premier ministre du pays qu'il avait présidé – est une donnée capitale de l'avenir du monde. Rappelons que le même Vladimir Poutine fut déjà Premier ministre au temps de Boris Eltsine et lui avait succédé comme président le 26 mars 2000 avec 52,52 % des suffrages. À la fin de son second mandat, Vladimir Poutine avait été réélu, en mars 2004, avec 71,22 % des suffrages. Épargné par l'usure du pouvoir, sa popularité connut alors une formidable ascension. Peu importe que le troisième président de la Russie non soviétique ait été élu pour appliquer le plan Poutine. C'est la vision politique qui compte. Or, loin des polémiques agressives, des caricatures médiatiques et des prétendus bons conseils ressassés par les donneurs de leçons qui se mêlent de tout, il faut admettre plusieurs réalités. Il y a une nouvelle Russie, et elle doit beaucoup à l'ancienne. D'abord, l'expansionnisme soviétique a disparu comme le Rideau de fer. Poutine n'est ni Molotov ni Brejnev et pas davantage le fantôme de Staline. Ne nous trompons ni d'époque ni d'ennemi. Un diplomate lucide – et observateur averti de cette métamorphose –, Dominique Souchet, déplorant l'hystérie et les a priori de certaines personnalités françaises qui assurent que Poutine est le diable déguisé en autocrate, note que : « C'est plutôt à Alexandre III qu'il faudrait le comparer. La Russie de 2007 n'est pas un "système néosoviétique". C'est plutôt à la France de 1815 qu'elle fait songer[1]. » La comparaison est pertinente. Autrement dit, c'est un pays en totale reconstruction, mais à une vitesse qui n'a plus rien à voir avec l'ancienne lourdeur de la bureaucratie soviétique ni son volontarisme de propagande.

Quatre-vingt-dix ans sont passés depuis la révolution bolchevique de 1917, presque autant depuis l'assassinat du dernier tsar, de sa famille et de ses proches en 1918, et seize années se sont écoulées depuis l'effondrement de l'URSS. Cette histoire, passionnante, brutale, fascinante et incroyable, est celle du plus grand pays du monde d'un point de vue géographique et qui, en quelques années, a repris sa place d'État essentiel. Il fut un temps, pas si lointain, celui de la guerre froide et du mur de Berlin, où l'URSS était l'un des « géants » qui, selon les opinions, rassurait ou inquiétait. Mais il pesait sur nos vies quotidiennes. L'effondrement soviétique fut un chaos qu'Alexandre Soljenitsyne qualifia de « troisième temps des troubles » après ceux de la fin du XVIe siècle et de 1917. A-t-on pris conscience de

---

1. « France-Russie : le rendez-vous manqué », *Politique Magazine*, novembre 2007. Une remarquable analyse.

l'ampleur du traumatisme subi par les Soviétiques redevenus Russes ? Au bout de soixante-dix ans, le Kremlin, gêné, leur annonça qu'ils étaient victimes de nombreuses « erreurs » ! Lesquelles avaient causé des millions de morts, y compris bien après la fin du national-socialisme hitlérien. Que voyait-on ? Une série de désastres aussi incroyables que pitoyables. Une armée humiliée qui vendait aux touristes ses uniformes et ses médailles dans la rue ; une implacable chute démographique, des générations intermédiaires ayant été fauchées ou condamnées ; une mafia vêtue de noir aux commandes d'une gigantesque économie souterraine, y compris la fabrication et la mise en circulation de cent millions de faux billets de cent dollars pour achever la déstabilisation d'un pays à la dérive ; des ressources pillées par des *novaritch* ou *oligarques*, milliardaires faisant main basse sur les énergies naturelles et refusant de payer la moindre taxe ; une quinzaine de républiques indépendantes voire orphelines en Asie centrale ; l'explosion d'une misère d'un autre temps et, symbole de tous ces maux, un État évanoui, méprisé, inexistant, sans un kopeck… Même le célèbre ballet du Théâtre Bolchoï de Moscou, qui avait servi de référence à l'image de la culture soviétique depuis les années vingt, sombrait dans des productions poussiéreuses, figées et indignes de son prestige, qui faisaient sourire les visiteurs étrangers. Où était donc passé l'exemple de la rigueur à l'emblème du marteau et de la faucille et de l'étoile rouge réunis ?

Après la *glasnost* et la *perestroïka* de Mikhaïl Gorbatchev, syndic de faillite d'un système en place depuis trois quarts de siècle, Boris Eltsine fut le pilleur profitant du déclin ; la mafia régnait au Kremlin. Il y eut la chaotique première Russie officiellement non

13

communiste, neutre en quelque sorte mais affairiste. Et chancelante, comme son président Boris Eltsine, le visage rosi par la vodka, incapable de descendre d'un avion lors d'un sommet avec son homologue américain et qui dansait lourdement, tel un ours pataud, sur un podium un improbable rock and roll… Par pudeur, on parla de « présidence de crise »…

Ce fut une transition que l'on jugea un peu vite pathétique et sans avenir. On se trompait : elle mit, adroitement, sur orbite Vladimir Poutine, un ancien lieutenant-colonel du KGB en poste à Dresde, un *apparatchik* très intelligent, parlant un excellent allemand, un homme de Saint-Pétersbourg qui avait connu Leningrad. Alors, arrivé au sommet, le président Poutine a entamé un travail de titan, à l'échelle de son pays, pour redonner une existence à l'État russe. Et ramener la confiance dans une population désorientée, méfiante, trahie. Il a réussi. On peut parler d'une véritable restauration, voire d'une reconstruction de l'autorité publique. Et elle est soutenue autant par le peuple que par les élites. Le 2 décembre 2007, le parti de Vladimir Poutine, Russie unie, a obtenu 64 % des suffrages. Immédiatement, la presse – française, notamment –, a décidé que ce score, à une pareille date, ne pouvait qu'être un coup d'État ! Or, c'est évidemment faux. Poutine a la jeunesse et les forces actives avec lui. Même le comité des jolies candidates au titre de Miss Russie a voté pour lui. Il est presque vénéré mais, après tout, ce genre d'exaltation appartient à la tradition russe depuis des siècles…

Et quand, en décembre 2007, le magazine américain *Time*, dans toutes ses éditions, décerna à Vladimir Poutine le titre, envié, d'« Homme de l'année », le visage énigmatique du lauréat, évoquant celui d'un dignitaire de l'ancienne Égypte, se répandit partout. Un couronnement !

La vraie question est de se demander les raisons d'une telle présence. Aujourd'hui, après un redressement économique spectaculaire, la Russie de ce début du XXIe siècle est souvent un partenaire, un acheteur, un négociateur, voire un vendeur et même un concurrent, toutes qualités de la Russie à la veille de la Première Guerre mondiale. Que l'on s'en réjouisse ou que l'on s'en soucie, la Russie est de retour sur la scène internationale, au premier plan et sans doute pour longtemps. Elle a même remboursé, par anticipation, ses emprunts auprès du FMI. Plus de dette extérieure ! La croissance est de 7 % par an. En huit ans, les gouvernements russes ont multiplié le pouvoir d'achat moyen par six. Pouvons-nous en dire autant ? Et il ne se passe pas un mois sans qu'une grande entreprise d'Europe occidentale annonce un investissement significatif en Russie. De 2005 à 2007, les sociétés russes ont investi 60 milliards de dollars à l'étranger et leur chiffre d'affaires hors Russie a doublé, pour approcher les 200 milliards de dollars. La Russie s'est hissée au troisième rang des pays émergents qui investissent hors de leurs frontières. Certes, les investissements et prises de participations russes ne sont pas toujours les bienvenus en Europe. Certes, les conflits, querelles et règlements de comptes entre le Kremlin, les oligarques en exil ou pas, l'opposition et les terroristes sont spectaculaires et dramatiques. L'assassinat de la journaliste Anna Politkovskaïa le 7 octobre 2006 fut longtemps inexpliqué, englué dans une enquête paresseuse et le procès de trois hommes soupçonnés d'être impliqués dans le drame a enfin débuté deux ans plus tard, devant le principal tribunal militaire de Moscou. Ces événements font peur et on le comprend. Mais aurait-on oublié la terreur des purges staliniennes à la fin des années 1930 ? Aurait-on oublié l'aveuglement d'intellectuels séduits par Lénine qui les appelait « les idiots utiles », puis par Staline ? Se souvient-on qu'André Gide, dans son journal intime et avant de se rendre à Moscou, se disait prêt à donner sa vie pour l'URSS ? Et que l'indomptable Bernard Shaw tenait absolument à être reçu par Staline ? Il le fut, le 29 juillet 1931, en audience privée. Le célèbre auteur dramatique irlandais, pourfendeur permanent de la bonne société britannique, fut ébloui par un Staline qui affamait l'Ukraine, transformait les hommes en esclaves au goulag et admirait les locomotives à son nom… Bernard Shaw crut bon de préciser au maître du Kremlin qu'il pourrait être « le fils naturel d'un cardinal aristocrate », sans doute parce que Staline avait été, brièvement…, séminariste en Géorgie ! En retour, il convient de préciser que Staline trouva « M. Bernard Shaw assommant » ! Et faut-il rappeler les artistes qui firent des voyages dans les années 1960 pour vanter le paradis soviétique ? Ces grands noms du spectacle, promus agents de ce qu'on n'appelait pas encore la désinformation, ne voyaient que ce qu'ils voulaient voir. Des aveugles volontaires et propagandistes. De Budapest en 1956 à l'Afghanistan des années 1980 en passant par Prague en 1968, la liberté se levait contre la dictature communiste. Parmi les « victimes » de la chute du mur de Berlin, l'URSS ne s'en est pas relevée.

Certes, aujourd'hui, la disparité des revenus et des modes de vie est choquante. On constate, cependant, l'émergence d'une classe moyenne. La Russie ne se résume pas à Moscou et à Saint-Pétersbourg mais ces deux villes sont méconnaissables, ne serait-ce que par leurs embouteillages de véhicules neufs, leurs envahissants éclairages publicitaires, leurs magasins élégants et les supermarchés dans des zones jadis inhabitées. Tout y semble incroyable, exagéré, surréaliste. Hier, les boutiques n'avaient rien à vendre ou si peu. Maintenant, leurs articles sont hors de prix, inaccessibles, sauf à une petite frange très voyante d'hommes portant des montres en or et de superbes filles nageant dans l'opulence et le luxe – et déjà connaisseurs des bonnes choses. Donc, une large partie des Russes ne peut toujours pas faire ses courses, faute de moyens... La misère russe accompagne encore une population, estimée à trente millions de personnes, vivant en dessous du seuil de pauvreté et dont les ressources sont rognées par une inflation de plus de 8 % (fin 2007), après quelques désastreuses faillites bancaires qui ont ruiné une épargne péniblement amassée et sapé la confiance. Jadis, c'est-à-dire avant 1980, personne n'était pauvre puisque personne n'avait quoi que ce soit, sauf la *nomenklatura*, qui vivait fort bien sur le dos d'un peuple admirable mais asservi par la plus pernicieuse des idéologies du XXe siècle. Et comme me le disait un de mes contacts : « Nous faisions semblant de travailler puisque le système faisait semblant de nous payer... » Mais tout de même, que de fantastiques progrès en quelques années ! Surtout si l'on veut bien se souvenir de l'immobilisme et du déterminisme de papier qui accompagnèrent les dernières années du régime soviétique, un régime aux abois qui n'assurait plus l'entretien de ses sous-marins nucléaires, n'avait plus de carburant pour ses avions civils en panne sur l'aéroport d'Irkoutsk et vendait son or sur le marché de Londres. La Russie était moribonde.

Gigantisme et rétrécissement… Grandeur et honte. Sa déliquescence rappelait, en plus rapide, celle de l'Empire ottoman. Aujourd'hui, il faut compter avec les remarquables diplomates russes, champions dans la menace de la force et les subtilités du compromis. La politique étrangère du Kremlin peut paraître brutale aux yeux de démocraties endormies par la confortable et molle vision européenne qui s'est glissée dans les défroques des nationalismes. Moscou défend ses intérêts. On le comprend en examinant une carte de géographie : elle se transforme en leçon de géopolitique. Et l'on peut rappeler, dans la langue du cardinal de Retz, ce conspirateur de la Fronde qui a fini par remplir des missions diplomatiques pour Louis XIV, que : « Les États n'ont pas d'amis. Ils n'ont que des intérêts. » Autre preuve que la Russie est sortie de son coma idéologique : une nouvelle marine est en préparation. « Il n'y a pas d'empire sans marine », assurait Pierre le Grand.

Ces quelques observations concernent la partie la plus visible du retour d'une Russie active. Mais le présent ouvrage étant un récit historique à la lumière de l'actualité, il se propose de parler de ce qui est sans doute moins spectaculaire mais beaucoup plus émouvant et sans doute plus fédérateur. Après la fierté politique et économique retrouvée, ce livre a pour but d'évoquer la fierté historique. Elle aussi est revenue à la mode, et c'est heureux. Après le réveil de l'État, c'est le réveil – plus surprenant – de la mère patrie.

Aux deux mandats du président Poutine, il faut reconnaître un courage rare, voire sans précédent : c'est celui qui consiste à regarder l'histoire en face. En bloc. Le meilleur et le pire. L'admirable et le sordide. Le généreux et le criminel. Les Blancs et les Rouges. Les

Russes et les Soviétiques… Pour ne plus rabâcher cette imposture qui consistait à prétendre que la Russie n'était née qu'en 1917, comme certains persistent à soutenir que la France n'a vu le jour qu'en 1789 ! À l'inverse de ce qui fut trop longtemps professé en France, les autorités russes savent que l'histoire est un tout et qu'elle ne se divise pas en supposés bons morceaux (la gloire, le rayonnement) et supposés déchets (la défaite, l'horreur, le mensonge). Accepter l'ensemble n'est pas facile, mais c'est sain. Et exemplaire. Chaque époque a eu ses réussites et ses échecs. Et ses horreurs.

La Saga des Romanov est consacrée à la dynastie qui a régné sur l'Empire russe pendant trois siècles, de 1613 à 1917. Cette enquête, étayée par de nombreux voyages en Russie, tient compte des découvertes et études récentes, parfois riches en remises en cause ou, au contraire, en révisions, parfois même en réhabilitations. Il s'agit de comprendre dans quel environnement cette histoire de l'ancienne Russie est maintenant racontée, expliquée, comprise. Un politologue, Fedor Loukianov, rédacteur en chef de la revue *Russia in Global Affairs*, estimait il y a peu : « La Russie ne parvient pas à faire face au passé. C'est trop tôt, trop passionnel. » Cette réflexion a de quoi surprendre alors que, manifestement, le pays n'en finit pas de fouiller sa mémoire et de retrouver son passé. Non, d'ailleurs, sans paradoxes ni surprises dérangeantes… Une remarquable guide touristique qui, depuis des années, m'accompagne dans mes périples russes, m'a dit, avec un humour résigné : « Avec ce que nous apprenons et vivons maintenant, notre histoire ne cesse de changer ! » George Orwell l'avait déjà annoncé :

« Rien n'est plus imprévisible que le passé. » En effet, une coexistence impensable il y a seulement quinze ans – et qui semble apaisée malgré quelques convulsions – met désormais en présence des témoignages antinomiques et des hommages longtemps incompatibles. La Russie présidée par Vladimir Poutine n'hésita plus à mêler dans une même ferveur les souvenirs de la Russie d'avant la Révolution et ceux de l'URSS. Depuis l'an 2000, les manuels d'histoire du XXe siècle ne cessent d'être remaniés, ce qui montre combien une version officielle reste le reflet de l'époque à laquelle elle est consignée. Pour faire le grand ménage dans les mensonges, le président russe a exigé, au printemps 2007, que les manuels mis à jour destinés aux enseignants, aux élèves et aux étudiants, « rendent les jeunes fiers de leur pays ».

Car c'est de fierté nationale qu'il s'agit. Tout un pays part à la recherche de son passé perdu. Quel qu'il ait été. Et c'est bien là l'étonnant spectacle de la Russie actuelle, une leçon mesurée mais argumentée où le pays d'aujourd'hui n'a pas honte du pays d'hier. Lénine lui-même avait annoncé, en signant les décrets de nationalisations lors de la prise du palais d'Hiver et afin de protéger le patrimoine de tout vandalisme (à l'inverse de ce qui s'était passé en France lors de notre Révolution) : « Il faut respecter le passé. Le respect n'est pas l'admiration. » Dans cette démarche spectaculaire, le devoir de mémoire est déterminé. Les bonheurs – ils sont rares – et les tragédies – à répétition – sont officiellement passés en revue, sans occultation ni sélection suspecte, en voulant montrer qu'aucune époque n'a le monopole de l'horreur ou des réussites heureuses. On s'adresse à tous les Russes ; on ne veut plus hérisser les uns contre les autres en opposant une nostalgie à des regrets et à des rancœurs.

Le manuel intitulé *Histoire contemporaine de la Russie (1945-2006)* est conforme à la volonté présidentielle de « cesser d'imposer aux Russes un sentiment de culpabilité ». Le ministère russe de l'Éducation a validé son contenu à la rentrée de janvier 2008, rédigé par trois historiens appréciés du Kremlin. On y lit, par exemple, que Staline « était un des dirigeants les plus efficaces de l'URSS ». Efficace, en effet, dans l'horreur, les procès truqués, la déportation, l'asphyxie économique. Ou encore que les sinistres purges auraient permis l'émergence « d'une nouvelle couche administrative adaptée aux objectifs de modernisation du pays ». On en connaît le prix ! Et ceci, qui n'est pas contestable : l'Union des républiques socialistes soviétiques constituait « un point de repère pour des millions de personnes dans le monde ». Elle servit même d'exemple dans divers pays, par exemple à Cuba. Avec les résultats que l'on sait... S'agit-il d'une révision prostalinienne ? Pas exactement. Plutôt d'une mise à plat d'un maximum d'éléments afin d'« aider l'élève à se forger sa propre conception du monde ».

Sur plus de dix mille kilomètres d'est en ouest, de la Neva qui traverse Saint-Pétersbourg à la Sibérie (à elle seule, vingt-cinq fois la France !), les statues de Lénine conduisant le peuple vers le progrès et le bonheur sont encore nombreuses, parfois dans une situation étrange. Prenons le cas de celle érigée devant la gare de Finlande, à Saint-Pétersbourg, symbolisant le retour de l'exilé dans la ville qui s'appelait alors Petrograd, le 16 avril 1917. Aujourd'hui, elle témoigne des chocs historiques et de certaines mises à jour radicales. Depuis septembre 1991, le fantôme en bronze de

Lénine se dresse dans une ville qui ne porte plus son nom. Après un référendum municipal avec 55 % des suffrages, Leningrad a fait place à Saint-Pétersbourg, troisième changement de nom de la cité en deux cent quatre-vingt-huit ans, en comprenant Petrograd de 1914 à 1924. « L'insulte est effacée », m'assura un défenseur de la Russie impériale que, pourtant, il n'avait pas connue. Mais pour les survivants de la résistance héroïque lors du siège peut-être le plus impitoyable de l'histoire (il dura neuf cents jours !), effacer le nom d'une ville qui a tenu en échec les assauts allemands lors de la Seconde Guerre mondiale est une offense. La ville avait été déclarée « héros de l'Union soviétique », et elle porte encore ses glorieuses étoiles rouge et or sur les murs de l'hôtel de ville. Ce courage-là, on le souhaite, ne sera jamais occulté.

En 2007, les exemples des oscillations de la mémoire se sont multipliés. Il faudrait presque une boussole pour s'y retrouver. En mars, une manifestation procommuniste organisait un défilé dans Moscou avec d'immenses portraits de Lénine. En juin, Alexandre Soljenitsyne – l'adversaire emblématique du communisme, l'auteur légendaire de *L'Archipel du goulag* – était décoré par Vladimir Poutine. L'écrivain que Staline avait condamné à huit ans de goulag en 1945 et qui, après un long exil, est revenu en Russie en 1994, ressemblait à Dostoïevski. Même longue barbe, même long visage amaigri, même regard du retour de l'enfer glacé et du bagne sibérien évoqué dans les *Souvenirs de la maison des morts*, un livre qui avait impressionné le pourtant peu sensible Tsar de fer, Nicolas Ier, au milieu du XIXe siècle. En juillet 2007, en présence de son inventeur Mikhaïl Kalachnikov, était célébré le soixantième anniversaire du célèbre fusil d'assaut portant son nom ; à cette occasion, le président russe a déclaré que cette arme était « le symbole du génie créatif de notre peuple ». Les armées du monde entier et les trafiquants ont dû apprécier cet éloge, hommage lointain à la première manufacture d'armes russe créée dans l'Oural par Pierre le Grand. En août 2007, le même Poutine relativisait les pages noires de l'époque soviétique en visant les États-Unis. À l'approche de l'anniversaire des bombardements d'Hiroshima et de Nagasaki, il rappela : « Nous n'avons pas utilisé d'armes nucléaires contre les populations civiles. » Il ne s'agissait pas de réhabiliter le tyran mort en 1953, mais de puiser dans l'héritage soviétique une première forme de légitimité et de continuité. Elle était la plus proche.

Puis, le mardi 30 octobre, le président a participé, pour la première fois, aux cérémonies d'hommage aux victimes de la répression stalinienne. Accompagné du patriarche Alexis II qui portait un bouquet de roses rouges avant de célébrer un office dans la cathédrale des Nouveaux-Martyrs consacrée au mois de mai précédent, Vladimir Poutine s'est rendu au cimetière de Boutovo, au sud de Moscou. C'est là que furent ensevelis les corps des vingt mille condamnés par les purges de 1937 et 1938. Dans son discours, le chef de l'État russe a déclaré : « Nous devons tout faire pour nous en souvenir, pas seulement pour la mémoire mais aussi pour le développement du pays. » À ce souci pédagogique, il ajouta que « ces condamnés politiques n'avaient pas peur d'exprimer leurs opinions. Ils étaient des gens très capables. Ils étaient la fierté de la Nation ». Le 30 octobre a été déclaré jour des Victimes de la répression politique.

On ne saurait ignorer le rôle de la religion dans le réveil russe. Même Staline eut besoin des popes : en

1942, il leur demanda, fermement, d'excommunier tous ceux qui déserteraient ou ne se battraient pas contre l'offensive allemande, l'opération Barbarossa qui avait consacré la rupture du pacte germano-soviétique de 1939. Mille ans de christianisme orthodoxe ne s'effacent pas par un décret du Soviet suprême. Il y eut, comme pendant la Révolution française, des prêtres « jureurs » et des prêtres « réfractaires ». Une bonne partie du clergé collabora avec le communisme ; l'autre fut martyrisée, déportée, exterminée. La situation changea lorsque la mère de Mikhaïl Gorbatchev lui rappela qu'il avait été baptisé. Le dernier président de l'URSS donna l'autorisation de célébrer des offices dans les églises du Kremlin, les premiers depuis 1917, et annonça que la gestion de ces fabuleux édifices (la cathédrale de la Dormition, par exemple) incomberait désormais à l'Église de Russie. On assista donc à l'impensable événement : le retour de l'*opium du peuple*. Rappelons que même du temps des tsars, les souverains étaient couronnés à Moscou et non à Saint-Pétersbourg. Moscou se souvient qu'elle fut « la troisième Rome ». Capitale politique détrônée, Moscou restait la ville du sacre. Aujourd'hui, chaque vendredi, la Garde présidentielle parade devant les églises du Kremlin et non sur la place Rouge...

Le 14 janvier 2008, Vladimir Poutine, encore accompagné du patriarche Alexis II, inaugure un monastère reconstruit dans le nord de la Russie. Transformé en caserne pour l'armée soviétique – c'était une habitude stalinienne, souvent avec piscine et cinéma –, l'édifice blanc et rose a été relevé grâce à des fonds du Kremlin et à ceux du colosse Gazprom. Mais le plus étonnant est de voir Vladimir Poutine offrir une superbe icône, se signer et déclarer : « Nous ferons tout pour réparer ce que l'État a détruit, dans cette religion comme dans les autres » (LCI, « Le Journal du monde » de Vincent Hervouët, 15 janvier 2008).

L'orthodoxie ne cesse de revenir, telle une lame de fond.

Bien sûr, tout n'est pas rose. Ni simple. Il est des vestiges qui échappent à toute révision. À l'automne 2007, peu de temps avant le discret 90e anniversaire de la Révolution bolchevique (qui n'a réuni à Moscou que quelques milliers de sympathisants, drapeaux rouges en tête), et alors que le musée Lénine de Paris fermait ses portes dans l'indifférence générale (Lénine vécut dans un modeste appartement du XIVe arrondissement parisien de 1909 à 1912), je me trouvai, une nouvelle fois, à Oulan-Oude, une cité entre le lac Baïkal et la Mongolie. Au centre de la place des Soviets, une gigantesque tête de Lénine, presque à même le sol, trône toujours, bloc métallique froid aussi glacé que le vent qui lève des tempêtes homériques sur le Baïkal. C'est la quatrième année que je vois ce vestige spectaculaire qui ressemble à une œuvre d'art contemporain. La première fois, j'avais appris que les adultes d'aujourd'hui jouaient, enfants, à l'intérieur de l'immense crâne de l'organisateur de l'insurrection d'octobre 1917. On m'avait expliqué que si les enfants pouvaient faire du toboggan (!), c'est parce que « la tête de Lénine est vide » ! Une révélation ? Pas pour tout le monde. En cet automne 2007, j'ai demandé pourquoi on conservait ici ce sinistre souvenir de l'inventeur des camps de concentration en Europe. « Parce qu'il fait partie de notre histoire et que nous ne pouvons pas tout effacer. »

C'est sans doute pour cette raison que M. Georges Frêche, président de la Région Languedoc-Roussillon, habitué de la provocation et des farces de mauvais goût, annonçait, le 15 janvier 2008, son intention d'acquérir une gigantesque statue de Lénine, trouvée sur la côte ouest des États-Unis, d'un poids de sept tonnes, pour un prix de 250 000 dollars, transport non compris... Raison de cette initiative ? « Il a changé la vie de millions de gens ! » On ne peut le nier. Aujourd'hui, sous les murs du Kremlin, le sommeil de Lénine n'est plus troublé par les deux cent vingt pas que la garde (deux soldats, un sous-officier) lui réservait chaque heure, dans un rite très impressionnant et une progression impeccable. Ses visiteurs sont rares... *Good night, Lenin...*

En Russie, la spectaculaire nouveauté dans l'obsession officielle de réconcilier les citoyens avec leur passé remonte à 1998, lors de l'inhumation des restes identifiés de la famille impériale dans la cathédrale Saint-Pierre-et-Saint-Paul de Saint-Pétersbourg, en présence du président Boris Eltsine. Pour y pénétrer avec son épouse, il attendit que le canon de la forteresse tire, à blanc, à midi comme chaque jour depuis Pierre le Grand, pour indiquer l'heure exacte. Depuis cette cérémonie à laquelle j'ai assisté, en compagnie d'Hélène Carrère d'Encausse – cérémonie inoubliable pour ceux qui l'ont vécue, à la fois hautement symbolique et d'un courage politique admirable –, la mémoire n'a plus honte. De ce jour, il y a dix ans, les tsars, leur famille et leurs partisans ont fait, eux aussi, leur retour dans l'histoire officielle russe. Les Romanov ne sont plus systématiquement honnis, exécrés, haïs, au contraire. On cherche même à les comprendre, à en savoir plus. Au minimum, ils ont droit au respect et à la dignité. La famille de Nicolas II a souffert, elle aussi, c'est maintenant reconnu. Les martyrs ne sont plus d'un seul côté. Et leur souvenir est ressenti comme une seconde forme de légitimité, le retour au vieux berceau de la sainte et éternelle Russie. La clé de ce tango idéologique est dans le patriotisme, une valeur russe essentielle depuis toujours ; il suffit de relire *Guerre et Paix* pour mesurer l'importance de la *terre russe*. Et, pour une partie de l'opinion russe, Staline défendit cette immensité, comme Alexandre Ier l'avait fait lors de l'invasion napoléonienne. Ce n'est pas un hasard si, encore aujourd'hui, on utilise la même expression de *guerre patriotique* pour évoquer aussi bien les souffrances de 1812 que celles de 1941-1945. Face au danger, Russes et Soviétiques ont eu la même attitude. Avec des correspondances. Sait-on que l'ordre d'Alexandre-Nevski, du nom d'un illustre guerrier du XIIIe siècle, canonisé, créé par Pierre le Grand en 1722, devint, sous Staline en 1942, un ordre militaire soviétique du même nom pour stimuler les courages lors des terribles combats de la guerre ? Une distinction du génie russe récupéré par la résistance soviétique.

Une vérité apparut : si l'Union soviétique était un système, la Russie reste une civilisation. Depuis quelques années, les ambassadeurs de Russie rachètent, lorsqu'ils le peuvent, les souvenirs de l'ancienne Russie vendus aux enchères. Le passé impérial, qui n'intéressait officiellement personne, est devenu une valeur sûre. Aujourd'hui, les efforts des uns et des autres visent à refermer la douloureuse parenthèse de l'horreur ouverte en 1917 avec l'effroyable guerre civile et les atrocités qui suivirent. On peut rapprocher cette intelligente démarche de celle de Louis-Philippe, le roi des Français, après 1830. Au château de Versailles, il aménagea le Musée de l'Histoire de France, pour honorer « Toutes les gloires de la France ». La Russie d'aujourd'hui se souvient, elle aussi, de toutes ses gloires, en particulier de celles qui avaient été balayées par l'idéologie marxiste. En 1933, le grand auteur dramatique Jacques Deval fait jouer une de ses plus célèbres pièces, *Tovaritch* (Camarade), qui met en scène des aristocrates démunis exilés face à un commissaire politique. Dialogue entre deux mondes, deux ennemis. Le délégué soviétique Gorotchenko déclare au grand-duc, ancien aide de camp du tsar : « Vous êtes la Russie d'hier. Je suis la Russie d'aujourd'hui. Mais ni vous ni moi ne pouvons dire ce que sera la Russie de demain… » En 1933 !

Le mercredi 1er octobre 2008, après une instruction commencée en 1995, la Cour suprême de Russie a jugé, définitivement, que les répressions et l'exécution de la famille impériale dans la nuit du 17 juillet 1918 étaient « infondées et injustifiées », les prisonniers ayant été victimes de la terreur bolchevique, sur ordre de Lénine. Le tsar Nicolas II, son épouse et leurs cinq enfants, sauvagement assassinés et n'ayant même pas eu droit à un simulacre de procès, sont donc réhabilités. Quatre-vingt-dix ans après ce massacre, les Romanov retrouvent leur honneur.

C'est ce passé perdu mais peu à peu retrouvé que cet ouvrage se propose de raconter, jusqu'à ses mises au jour les plus actuelles qui surprennent bien des Russes. Pour mesurer cette édifiante et amère remarque d'un de mes correspondants : « Nous ne savions pas tout cela. Et nous ne savions pas que vous le saviez… »

1

En attendant Pierre le Grand

En évoquant la Russie impériale et pour désigner ses souverains, on ne mentionne, en général, que le seul nom des Romanov. Or, précédant l'arrivée au pouvoir de cette illustre lignée, c'est-à-dire avant 1613, une autre dynastie s'impose, y compris par la violence, pour contrôler ce territoire immense. Avant les Romanov, pendant près de sept siècles, la Russie forge certaines de ses bases comme la religion orthodoxe, l'alphabet cyrillique, le rôle prééminent de certaines femmes et l'importance d'événements étranges ou surnaturels.

La Russie est, d'abord, un défi à l'espace. Si, comme le soutiendra Napoléon, « en histoire, c'est la géographie qui commande », la Russie en est un parfait exemple. Il faut se représenter une plaine sans fin, séparée par les monts Oural, à moins de deux mille kilomètres de Moscou. La conquête de ces espaces et l'amour de la terre natale seront une forme de liberté et le point d'ancrage d'un futur patriotisme. Une civilisation et du froid et du bois, puisque la forêt couvre les deux tiers du territoire. Pour avoir une idée des distances en Russie, il faut savoir qu'elle représente près de quarante fois la France continentale dont vingt-cinq fois pour la seule Sibérie. La plus grande partie se trouve plus près du cercle polaire que de l'équateur. Dès ces temps lointains, on rencontre ce que les géographes nommeront les « antiressources », c'est-à-dire un accès difficile aux mers, des distances énormes (onze fuseaux horaires !), une répartition disproportionnée de la population : 46 % des habitants actuels sont groupés sur seulement 15 % du pays.

Mille ans avant l'ère chrétienne, des nomades, venus d'Asie, envahissent les steppes. Parmi ces peuples, les Scythes, installés au nord de la mer Noire, apportent une civilisation originale. Les premières tribus slaves s'installent entre deux grands fleuves, la Vistule et le Dniepr. Du IIe au VIIe siècle de notre ère, se succèdent divers envahisseurs, les Goths, les Huns, les Avars, les Khazars, jusqu'à la mer Caspienne. Pour leur résister, les Slaves, qui ne forment pas d'État, engagent des Scandinaves. Ce sont des commerçants armés, en fait des Vikings marchands, apparentés aux Normands qui ravagent alors l'Europe occidentale. On les appelle les Varègues mais on les nomme aussi *Ruotsi*, d'un mot sans doute finnois désignant les peuplades arrivées par le lac Ladoga, au sud de la mer Baltique. Ces mercenaires commerciaux assurent la relative tranquillité d'un axe économique important, celui reliant la Baltique à Byzance.

Ainsi, la Russie sera « le pays des Russes », le pays des Ruotsi, et les Slaves constituent l'ethnie dominante de l'actuelle Fédération de Russie. Une très ancienne chronique rapporte l'arrivée, en 860, d'un certain

Riourik chez les Slaves. Ce prince varègue, aîné de trois frères, est un personnage semi-légendaire. On ne sait rien de ses origines ni de son gouvernement ; on sait seulement qu'il fonde, en 862, la principauté de Novgorod (« Nouvelle ville ») qui est l'embryon du premier État russe, non loin du lac Ladoga et de l'actuel Saint-Pétersbourg. Et le même Riourik est le fondateur de la première dynastie ayant régné sur la Russie, les Rurikovitch. Peu avant sa mort, en 879, Riourik confie son jeune fils Igor à son compagnon d'armes Oleg, surnommé le Sage. Celui-ci se dirige vers le sud, conquiert Kiev (actuelle Ukraine) et proclame cette cité établie sur les deux rives du Dniepr capitale de la Russie unifiée et « mère de toutes les villes russes » en l'an 882. On parle alors de la Russie kiévienne, la plus ancienne Russie…

Deux personnages essentiels de cette époque doivent être évoqués, le prince Igor et son épouse Olga. Pour les Russes et les étrangers, *Le Prince Igor* est la première épopée musicale russe, écrite de 1869 à 1887 par Alexandre Borodine, musicien précoce mais principalement médecin et surtout chimiste. Ce chef-d'œuvre, dont nous connaissons surtout les envoûtantes *Danses polovtsiennes*, raconte, tableau par tableau, par le texte et la partition, le destin d'Igor, ce prince qui collectait des impôts pour la grandeur de Kiev et fut tué par les Drevlanes qui ne supportaient plus sa domination[1].

---

1. L'opéra *Le Prince Igor* ne fut que très partiellement interprété du vivant de Borodine. Le compositeur, qui avait contracté le choléra vers 1882, mourut subitement lors d'un bal costumé à l'Académie

Assassiné en 945, le prince Igor laisse une veuve, Olga. Régente de Kiev de 945 à 964, elle est l'unique femme sur le trône de l'ancienne Russie, mais elle tient bien sa place dans cette histoire souvent tragique. Elle recevra plusieurs surnoms, tous justifiés par ses diverses attitudes. Il y a d'abord Olga la Rusée. Parce qu'après la mort d'Igor, ses meurtriers exigèrent qu'elle épouse leur prince, Mala, et, dans ce but, envoyèrent une ambassade à Kiev. Olga n'hésite pas : fidèle à la mémoire de son mari, elle fait tuer les émissaires. Puis, elle se rend chez eux pour y pleurer Igor et invite les Drevlanes à se joindre à elle. Lors d'un banquet, elle les soûle et les fait tous exécuter… Sa vengeance ne s'arrête pas là : en 946, accompagnée de son jeune fils le prince Sviatoslav Igorevitch, elle poursuit les Drevlanes, incendie une de leurs cités, massacre une partie des habitants et attribue les survivants comme esclaves aux officiers de son armée. Les plus heureux, si l'on peut dire, sont écrasés de lourds impôts. Au nom de Kiev, la première Russie s'étend de la Neva à la mer Noire. Et le principe d'une loi de succession en faveur de l'aîné des princes (chefs guerriers) est posé, sinon respecté.

Ensuite, nous trouvons Olga la Sainte, car elle est la première à adopter la foi chrétienne ; c'est elle qui

---

impériale de médecine, le 28 février 1887. L'œuvre fut terminée par Rimski-Korsakov et Glazounov en 1890. *Le Prince Igor* fut souvent l'un des triomphes de la troupe du Bolchoï. Il est intéressant de noter que cet opéra, qui relate les débuts de la première dynastie russe, a été élaboré pendant dix-huit ans, sous le règne de deux Romanov, les tsars Alexandre II et Alexandre III, dans un souci de connaissance historique des temps lointains. À la même époque est publiée, en 1885, une *Histoire de l'État russe (862-1884)*, à l'initiative d'Alexandre III.

introduit en Russie le christianisme grec. Ou encore Olga la Sage parce qu'elle a « normalisé » les relations avec les tribus conquises, réglementé la levée des contributions et gouverné le pays quand son fils était en campagne. Olga est une maîtresse femme qui prouve combien en Russie l'exercice du pouvoir ne fut pas, pratiquement dès l'origine, une exclusivité masculine. D'elle, on peut voir une peinture sur une voûte du Palais doré de la Tsarine, au Kremlin. Elle est représentée à Constantinople et sera la première sainte canonisée par l'Église orthodoxe.

C'est avec le petit-fils d'Olga que la Russie devient mystique. Né en 980, Vladimir, surnommé Beau Soleil, est « large d'esprit, toujours attentif aux conseils de ses soldats, aimant festoyer avec eux ». Si ses festins deviennent légendaires et se transforment en chansons épiques, Vladimir est surtout l'auteur d'un acte politique dont les conséquences se mesurent toujours aujourd'hui. En l'an 988, il est baptisé dans la religion orthodoxe ; ce n'est qu'à cette condition qu'il peut épouser la sœur des empereurs d'Orient Basile II et Constantin VIII. Cette princesse byzantine est Anne Porphyrogénète. Vladimir impose ce qu'Olga avait introduit, une foi orientale.

Comment expliquer le choix de cette religion venue de l'ancienne Byzance ? À l'époque, plusieurs pays du Nord rejettent le paganisme. Les Russes refusent l'islam parce qu'il interdit l'alcool… Hier comme aujourd'hui, un Russe n'aimant pas boire, même modérément, ne serait pas un Russe ! De même, le judaïsme est rejeté car il est considéré comme la foi d'un peuple vaincu, errant, toujours à la recherche de la Terre promise. Mais il y a une raison plus terre à terre… En effet, Basile II avait demandé à Vladimir son aide pour mater quelques révoltes féodales. Le grand-prince de Kiev avait envoyé six mille mercenaires ; en échange, Anne Porphyrogénète était devenue sa femme. Ils auront treize enfants.

La Russie choisit donc la religion de Constantinople, le nouveau nom de Byzance, au Ve siècle, à la suite de la conversion de l'empereur Constantin. Le choix du prince de Kiev n'est pas seulement spirituel ; il se greffe sur une immémoriale habitude de relations commerciales entre la Baltique et le Bosphore. En 1015, Vladimir confirme l'option orthodoxe pour les peuplades qu'il fédère. Sa religion personnelle sera celle de son État. Il préfère que son pays devienne l'aile orientale de la chrétienté plutôt que le prolongement européen de civilisations non chrétiennes. Des peintures du XIXe siècle représentent *Le Baptême de la Russie* : sous les murailles de Kiev, la foule se baigne dans le Dniepr et reçoit la bénédiction de popes. Le prince adopte rapidement les fastes mystérieux du rite orthodoxe ; le plan des églises sera celui d'une croix grecque, comme à Byzance. Ainsi la basilique Sainte-Sophie est-elle copiée à Kiev, et c'est la plus ancienne de Russie. Achevée en 1037, sa coupole centrale symbolise le Christ ; les douze coupoles qui l'entourent, de moindre importance, représentent les apôtres.

Les conséquences de la conversion à l'orthodoxie sont immenses, même s'il faudra au moins un siècle pour que la majorité des Russes s'en réclament et si certaines tribus slaves ne seront chrétiennes que deux cents ans après cette décision. En effet, la Russie ne reçoit pas sa religion de Rome mais de l'Église d'Orient. Conséquence négative : la Russie ne connaîtra pas le Moyen Âge européen ni l'extraordinaire éclosion intellectuelle et artistique de la Renaissance. Et le Siècle des lumières y sera reçu avec décalage et sous une forme limitée. La Russie impériale aura donc environ deux cents ans de retard sur l'Europe occidentale, et c'est Pierre le Grand qui se chargera de compenser ce déficit. Conséquence positive : ce choix religieux était le meilleur possible à l'époque car cette croyance est simple, proche du peuple, avec suffisamment de décorum et de rituel pour impressionner les fidèles. Des nuances sont établies entre le rite grec et le rite russe : dans celui-ci, le Christ est barbu et porte une longue chevelure ; cet aspect physique officiel servira d'unique parangon aux hommes de Russie... jusqu'à Pierre le Grand.

Vladimir, premier grand-prince de Kiev, doit être considéré comme le fondateur non seulement de la Russie orthodoxe mais d'un État étroitement lié à une religion, y compris par l'instruction. On lui doit la création de nombreuses écoles proches d'églises. Pendant mille ans, l'osmose de la politique avec la confession sera une vérité, une évidence, même si, entre-temps, Pierre le Grand ébranle bien des certitudes et bouscule des usages ! Pendant dix siècles, la religion définit la conscience russe, elle est directement liée à la notion d'État jusqu'à la Révolution. Parmi les manifestations les plus admirables de l'orthodoxie, il y a les icônes. Si l'Europe occidentale ne les découvre qu'au XIXe siècle – elles enchanteront, par exemple, Théophile Gautier –, elles remontent au VIe, lorsque l'Église d'Orient accepte et propage la représentation de la divinité et des saints. Le premier art russe – et le plus spectaculaire – naît de l'art de Byzance. En d'autres termes, la Russie déplace et prolonge l'esprit byzantin.

Peindre des icônes est alors un sacerdoce, comme la messe ; c'est l'œuvre de moines choisis avec soin[1]. Et les premières icônes russes, celles précisément de l'école de Kiev, remontent au XIᵉ siècle, c'est-à-dire au temps de Vladimir. On parlera, ainsi, de la *Vierge de Vladimir*. Puis, on notera l'apparition de l'iconostase, sorte de cloison décorée d'icônes sur quatre, cinq ou six étages, érigée en mur sacré ; elle sépare la nef et les fidèles du sanctuaire où officie le pope. L'iconostase entretient le mystère. Comme un dispositif théâtral – j'ose dire presque une mise en scène –, les portes de vermeil s'ouvrent et se ferment au cours de l'office sanctionné par des voix de basse abyssales, tandis que des vapeurs d'encens et d'innombrables bougies contribuent au recueillement et à la prière et animent des reliefs d'or.

Mais Vladimir est bien le petit-fils d'Olga : quand il le faut, il est cruel, c'est ainsi qu'il fait tuer son frère Iarolpolk. Une atmosphère sombre qui préfigure les tragédies de Shakespeare. Ses qualités de conquérant sont reconnues après qu'il s'est emparé de la Galicie (région de Cracovie, dans l'actuelle Pologne) et de la Chersonèse Taurique (la Crimée, dans l'actuelle Ukraine). Ajoutons son invention d'une assistance sociale organisée et son souci d'accélérer la fusion entre les Slaves

---

1. On peut très bien acheter, aujourd'hui, des portraits de personnages divins, exécutés à notre époque par d'excellents artistes. Mais, je le répète, seule une œuvre peinte par un religieux chargé de cette mission est, *stricto sensu*, une « icône ». Dès le XVIIᵉ siècle, cet art sacré était concurrencé par un art profane. Attention, donc, aux collections de « fausses icônes », y compris anciennes ou prétendument telles ! Une véritable icône ne saurait être réduite à une œuvre d'art. Par essence, elle est objet de culte.

orientaux et les Varègues afin de fortifier la naissance de la nation russe. L'importance du prince sera encore amplifiée lorsque l'Église orthodoxe, dont il fut l'ambassadeur, le canonisera : Vladimir Ier, dit le Grand, meurt en 1015 et devient saint Vladimir. Pour la première fois, le pays qu'il laisse est qualifié d'empire, même si son souverain n'est pas encore un tsar mais seulement le grand-prince de Kiev.

La Russie kiévienne atteint son apogée sous le règne de son fils Iaroslav Vladimirovitch qui sera surnommé le Sage. La succession est d'abord douloureuse. Iaroslav commence par vaincre son frère Sviatopolk puis s'installe à Kiev en 1019, partageant le pouvoir avec son autre frère Mstislav pendant plus de seize années. À la mort de ce dernier, en 1036, il devient l'unique souverain de l'État russe. De Kiev, il fait un centre culturel, artistique et commercial, siège d'un métropolite (archevêché). Parmi ses monuments les plus remarquables, le monastère des Cryptes, le plus ancien de Russie, est surtout connu sous le nom de « laure de Kiev ». Véritable foyer de civilisation, le cloître est célèbre pour ses catacombes. Au milieu du XIe siècle, la ville est si embellie qu'elle rivalise avec Constantinople. Pour certains voyageurs éblouis, Kiev devient même la deuxième capitale du monde européen. En 1037, l'Église russe est rattachée au patriarcat de Constantinople. Vingt ans plus tard, les ambassadeurs accrédités à Kiev remarquent que « le Russe a besoin de croire ».

Et l'alphabet cyrillique, inventé par deux missionnaires byzantins à l'usage des Bulgares convertis, est introduit en Russie.

Iaroslav mériterait un autre surnom. L'histoire lui a refusé celui d'Européen, ce qui est injuste car il est le premier souverain russe ayant étendu son influence un peu partout. Il donne l'exemple par ses noces avec Ingrid de Suède. Ses trois fils épousent une princesse polonaise, une princesse allemande, une princesse byzantine. Et ses filles s'unissent aux rois de Norvège, de Hongrie et de France. Dans ce dernier cas, la princesse Anne de Kiev, âgée de vingt-sept ans, est mariée en 1051 à Henri Ier qui a quarante-trois ans et règne sur la France depuis vingt ans. Le roi est veuf depuis sept ans. Ce mariage avec une princesse aussi lointaine – mais dont la beauté est légendaire… – obéit à une motivation. Pour Iaroslav, cette union, comme celles des frères et sœurs d'Anne, doit permettre d'asseoir l'État russe sur la scène politique européenne et de hâter ses progrès en matière de civilisation. Donc, une première volonté d'ouverture à l'Europe occidentale, préfigurant l'ambition future de Pierre le Grand. Pour le monarque français, fils de Robert le Pieux, épouser la fille d'un prince de Kiev lui évitait d'être accusé par la papauté d'épouser une de ses parentes, comme c'était trop souvent le cas.

En neuf ans, Anne de Kiev donne quatre enfants à Henri Ier, dont le futur Philippe Ier qui, par diverses opérations, augmentera le domaine royal du Gâtinais, du Vexin français et du Berry. En 1060, la reine Anne de Kiev se retrouve veuve. Toujours aussi belle, elle est enlevée par le comte de Crépy, Raoul de Péronne. Il l'épouse, oubliant… qu'il est déjà marié ! Les nouveaux époux sont donc excommuniés. Et l'irrésistible Anne, finalement répudiée, retourne en Russie où elle meurt vers 1075. Pour cette raison, elle est aussi appelée Anne de Russie. Cette femme au destin original et oublié, mère d'un roi de France et grand-mère d'un autre, a donc scellé par le sang la première alliance entre deux pays que tout séparait – y compris la distance –, la France en gestation et la Russie des origines[1].

Au milieu du XIᵉ siècle, l'empire de Kiev apparaît ainsi comme l'un des plus puissants États d'Europe, fort de prestigieuses combinaisons diplomatiques. À l'intérieur, Iaroslav se révèle être le premier législateur des Russes en dictant le premier code de justice du pays. Son code civil et religieux est calqué sur la loi romaine en vigueur à Constantinople. Toutefois, son souci de tout régler, notamment en instaurant un droit des successions, va se révéler catastrophique. En 1054, la sienne plonge le pays dans de continuelles luttes fratricides qui précipitent la dislocation de l'État à peine consolidé... Comme dans toute querelle de cette dimension, une branche émerge du chaos, celle des princes de Souzdal. L'un d'eux, Youri Dolgorouki, avait fondé Moscou. Le danger n'est pas seulement dans les luttes intestines, car les envahisseurs nomades s'abattent sur la Russie. Kiev est pillé en 1169, saccagé en 1203 et détruit par les Mongols de Batou Khan en 1240. Outre des milliers de victimes, d'immenses étendues de terres cultivables sont ravagées. Il faut redire qu'à la suite de cette invasion, sans précédent par sa violence et son

---

1. Philippe Iᵉʳ, qui règne de 1060 à 1108, sera, comme sa mère, excommunié, ce qui l'empêchera de participer à la première croisade.

ampleur puisqu'en un quart de siècle la Russie tombe sous le joug mongol, le pays est pratiquement coupé du reste de l'Europe alors que – répétons-le – la civilisation médiévale vient d'entrer dans sa période la plus brillante. Le centre de gravité de l'État russe – affaibli – se déplace vers le nord du pays, notamment Novgorod et Souzdal.

Morcelée en une multitude d'États vassaux, la Russie est divisée, donc facile à contrôler. Le plus important seigneur est le prince de Novgorod, connu sous le nom d'Alexandre Nevski, c'est-à-dire Alexandre de la Neva, la rivière sur laquelle il bat, en 1240, les Suédois. Cet exploit, qui deviendra un exemple héroïque de la peinture d'histoire au Kremlin, est tellement mythique que, près de cinq siècles plus tard, Pierre le Grand aura comme idée fixe de battre les Suédois qui contrôlent la Baltique. D'une dynastie à l'autre, les considérations géopolitiques et les véritables adversaires demeurent les mêmes. En 1242, Alexandre Nevski amplifie son prestige en écrasant les puissants chevaliers teutoniques à la « bataille de la Glace », sur un lac gelé de Livonie (près de Riga, capitale de l'actuelle Lettonie). On oublie souvent que ce formidable guerrier – dont le nom a été donné à la plus prestigieuse artère de Saint-Pétersbourg – est aussi un habile politique : plus d'une fois, par ses démarches, il sauve la Russie de nouvelles invasions tatares ; alors qu'il est menacé de décapitation, il n'hésite pas à s'agenouiller devant le khan et à implorer sa clémence. Devenu saint, Alexandre Nevski sera peint, au milieu du XVIIe siècle, sur une fresque de la cathédrale de l'Archange-Michel du Kremlin.

Son petit-fils, Ivan Danilovitch Ier, est le troisième prince de Moscou, mais on le considère souvent comme le fondateur de la Moscovie parce qu'il résiste quarante ans à la menace mongole et assure la prospérité économique de la région ; d'ailleurs, son surnom, Kalita, est révélateur : en russe, il signifie « escarcelle » !

En 1453, les Turcs s'emparent de Constantinople. L'événement, considérable et qui scelle la fin du Moyen Âge, a une conséquence positive pour Moscou : la ville acquiert un caractère sacré en devenant le centre mondial de la religion orthodoxe et son ultime rempart. Moscou est « la troisième Rome » ! Il lui reste à devenir une capitale. Le 12 novembre 1480, les Russes battent les Mongols sur la rivière Ougra. Le vainqueur de la Horde d'Or – elle va se convertir à l'islam et se retirer vers l'est – est le grand-prince Ivan Vassilievitch III qui porte, pour la première fois, le titre de grand-prince de Moscou et de toute la Russie ; l'État de Moscou devient l'État russe par sa réunion avec les principautés de Tver, Kazan, Iaroslav et Novgorod. Ivan III est le premier souverain national de la Russie puisqu'il parvient aussi à éliminer les marchands allemands de la Hanse. En 1472, il épouse, en secondes noces, Sophie Paléologue, nièce du dernier empereur de Constantinople. Son règne est long (1462-1505), ce qui lui permet de consolider les assises de son pouvoir. Aux armes de la dynastie et aux siennes, il ajoute un élément dont la portée sera gigantesque : un aigle à deux têtes symbolisant l'union de l'Empire d'Orient et de l'Empire d'Occident. Deux univers réunis en un seul État, la Russie moscovite. C'est donc à tort que l'on réduit l'aigle russe à la dynastie des Romanov puisque cette ambition leur est antérieure d'environ un siècle et demi. Même si la Russie est, spirituellement, imprégnée d'Orient, il faut souligner qu'Ivan III fait appel à des Italiens pour construire les murs du Kremlin de Moscou, premiers artistes étrangers apportant leurs talents à la civilisation russe.

Son fils, le fameux Ivan le Terrible, est beaucoup plus célèbre que lui. Né en 1530, il est formé par le métropolite de Moscou et sacré par ce prélat le 16 janvier 1547. À dix-sept ans, Ivan IV est conscient que sa mission de souverain est divine et décide de régner d'une façon visible. Il prend, pour la première fois, le titre de *tsar* ou *tzar*, contraction de César. Une nouveauté ? Non : le mot désignait aussi bien les empereurs byzantins que les khans mongols. Mais de cette manière, Ivan IV se considère comme l'héritier de toutes les autorités qui se sont exercées sur la Russie depuis sept siècles. En tant qu'unificateur et homme qui gouverne seul, Ivan IV à la fois est un nouveau Louis XI et préfigure le pouvoir absolu de Louis XIV.

Il lutte contre les boyards (seigneurs) dont il rogne les prébendes et crée un conseil privé ; il réunit aussi une sorte d'états généraux ou d'assemblée populaire (*zemski sobor*), publie un code de lois civiles et un autre religieux, crée un embryon d'armée régulière (les *streltsy*). Il prend le contrôle de la Volga et ouvre la route de la Sibérie, tente d'imposer ses navires en mer Baltique mais doit affronter les Suédois, les Lituaniens et les Polonais. Il faudra une médiation du pape pour que les hostilités s'arrêtent, en 1582[1].

D'où vient ce surnom de Terrible ? De son caractère cruel et violent. Ses échecs et difficultés extérieures aggravent son aigreur ; il se met à soupçonner son entourage et voit des trahisons partout. De plus en plus méfiant, il ordonne l'exécution de milliers d'opposants, surtout parmi la petite noblesse qui, pourtant, lui est dévouée. À sa décharge, rappelons que l'existence même de l'État russe est menacée. Ainsi, en 1571, les Tatars de Crimée ont attaqué et mis à sac Moscou. Ivan IV, qui se marie sept fois, mérite son triste surnom lorsqu'en novembre 1581, dans un accès de rage, il tue d'un coup d'épieu son fils aîné. Son second fils, Fedor,

---

1. Le destin d'Ivan le Terrible fascinait Staline qui décida de s'en servir pour stimuler le moral populaire lors de la Deuxième Guerre mondiale. Extraordinaire film-opéra du grand réalisateur Sergueï Mikhaïlovitch Eisenstein, son *Ivan le Terrible* a été réalisé en deux parties : la première en noir et blanc de 1942 à 1944 (durée 1 h 40) et la seconde en 1945-1946, en couleurs (1 h 30). D'une troisième partie prévue, il ne reste que les vingt dernières minutes de la deuxième partie. Dominé par l'interprétation puissante de Nicolas Tcherkassov, le film, tourné au Kazakhstan, en Asie centrale, montre que le tsar proclame la nécessité d'un pouvoir fort pour vaincre les ennemis de la patrie… alors que celle-ci est en danger jusqu'à la bataille de Stalingrad qui marque le tournant de la guerre (25 novembre 1942). « Ma force est la confiance du peuple », assure Ivan. Mais Staline jugea le résultat parfois ambigu. On peut, en effet, y trouver aussi bien une condamnation de la dictature qu'une apologie du pouvoir légitime. Résultat : la censure soviétique interdit la sortie de la deuxième partie jusqu'en août 1958, soit cinq ans après la mort de Staline… En 2009, le réalisateur Pavel Lounguine, qui a beaucoup filmé la Russie contemporaine, a signé un film, *Tsar*, sur Ivan le Terrible, sorti en France en 2010. « La Russie, dit-il, s'est construite sur des mythes dont elle a besoin pour avancer. »

hérite du trône à l'âge de vingt-sept ans. On le dit simple d'esprit, incapable de régner et, sans enfant, il est sous l'influence de sa femme, Irina Godounova, et de son beau-frère, un certain Boris Godounov... Fedor Ier est un homme généreux et d'une foi profonde, qui prie pour l'amélioration de la situation économique. Lorsqu'il meurt en 1598, à l'âge de quarante et un ans, la première dynastie régnante de Russie, celle des Rurikovitch, est éteinte et, de régent, Boris Godounov se proclame tsar. Il est choisi à l'unanimité par le *zemski sobor*. Commence alors une période agitée, le « Temps des doutes », suivi du célèbre « Temps des troubles ». Elle est brève (quinze ans) mais mouvementée.

Le nouveau tsar est un descendant de nobles tatars ayant servi les princes de Moscou dès le XIVe siècle. Intelligent, rusé et intrigant, il est haï des boyards ; il veut, lui aussi, affaiblir leur rôle. « Dans mon royaume, annonce-t-il en septembre 1598 lors de son sacre, il n'y aura ni pauvres ni riches. » Et, tenant le col de sa chemise richement brodée, il ajoute : « Même si c'est la dernière, je la partagerai avec mon peuple ! » Il obtient quelques succès : l'instauration du patriarcat de Moscou lui assure le soutien de l'Église ; il construit des villes le long de la Volga, des bâtiments grandioses à Moscou, remporte une victoire sur les Suédois. Progressiste et soucieux de prospérité, il fonde des écoles pour lesquelles il recrute des maîtres en France et en Allemagne. En retour, il envoie de jeunes nobles russes faire leurs études dans ces mêmes pays. Pour endiguer ce qu'on pourrait appeler une crise sociale, il fixe les paysans à la terre en les privant, pendant plusieurs années, de la possibilité de changer de maître. Mais en dépit de ses efforts, Boris Godounov ne parvient pas à consolider l'État. Et surtout, son nom est lié à de nombreuses morts mystérieuses, à partir de 1604 ; il est soupçonné d'avoir éliminé le fils cadet d'Ivan le Terrible, Dimitri, un demi-frère de Fedor[1].

Le 13 avril 1605, le tsar Boris meurt soudainement. Des événements graves perturbent la vie russe, en particulier de mauvaises récoltes, une famine, des épidémies et des révoltes un peu partout. De nombreux Russes voient dans ces calamités le châtiment infligé à ceux qui ont laissé un usurpateur monter sur le trône de Russie. Ils en sont d'autant plus convaincus que la comète observée dans le ciel russe en 1604 a été interprétée comme un signe de malheurs… tous imputables à Boris Godounov. À la fin du mois de mai, donc un mois et demi après la proclamation de son fils Fedor II, l'agitation gagne Moscou. Fedor II, âgé de seize ans,

---

1. Le plus célèbre poète russe, Alexandre Pouchkine, a écrit un drame consacré à Boris Godounov. S'en inspirant ainsi que d'une *Histoire de l'État russe* parue en 1826, le compositeur Modeste Moussorgski a écrit entre 1868 et 1869 un opéra, considéré comme un chef-d'œuvre de la musique russe. Ce *Boris Godounov*, dont l'action se déroule entre 1598 et 1605 et qui, entre la folie et l'usurpation, illustre les malheurs de la Russie, a d'abord été refusé par le comité de lecture du Théâtre Marinski, l'Opéra impérial de Saint-Pétersbourg. On jugeait l'œuvre musicalement « trop russe » (!) et historiquement « trop polonaise », notamment au troisième acte… Remanié, coupé et déjà connu par des versions de concert partielles, l'opéra est créé au Marinski le 8 février 1874. Le public est enthousiaste, la critique partagée ; en cinq ans, l'œuvre n'est jouée que… vingt-six fois. Dans les années 1890, après la mort de Moussorgski, cet opéra est repris à Moscou, au Bolchoï dans une version réorchestrée par Rimski-Korsakov. Et c'est presque toujours cette version qui est interprétée, notamment à Paris en 1908 avec la troupe de Serge de Diaghilev et la célèbre basse Chaliapine.

est massacré en expiation, et les Moscovites ouvrent les portes du Kremlin à un homme qui se trouve à la tête d'une immense armée. L'inconnu prétend être l'héritier légitime du trône, le tsarévitch Dimitri, qui aurait été « sauvé par miracle » des manœuvres criminelles de Boris Godounov et s'était réfugié en Pologne. En réalité, il s'agit d'un moine défroqué nommé Grigori Otrepiev, ancien serf d'une famille de boyards, les... Romanov. Il s'est enfui du monastère Tchoudov, à Moscou. Ce faux Dimitri, rouquin et disgracieux, est soutenu par les cosaques et une fraction non négligeable de l'aristocratie polonaise et lituanienne. En tout, des milliers d'hommes qui lui assurent une entrée triomphale dans Moscou.

Son règne est de courte durée, un an à peine, parce que deux femmes s'en mêlent. D'une part, le faux Dimitri a épousé une Polonaise orgueilleuse, Marina Mnichek, et elle a fait venir à la Cour de nombreux aristocrates polonais, ce qui exaspère les boyards. D'autre part, la mère du vrai Dimitri, qui avait d'abord feint de reconnaître l'imposteur, dénonce ce dernier aux gardes du Kremlin. Dans la nuit du 26 mai 1606, Dimitri, qui n'a que vingt-neuf ans, est assassiné et remplacé par un membre d'une éminente famille de boyards, Vassili Chouïski.

Son intronisation hâtive ne fait qu'accélérer l'instabilité du pays. En cinq années, les malheurs s'accumulent avec, en particulier, une grave révolte paysanne. Puis, comme dans un opéra, voici que se présente un autre petit-fils supposé d'Ivan le Terrible, qui réclame la Couronne ; il est soutenu par d'importantes forces armées. Puis, à la frontière ouest, nouveau coup de théâtre avec l'apparition... d'un deuxième tsarévitch ! Un deuxième faux Dimitri s'arroge le titre de

tsar ! Et, une fois de plus, la mère du prince défunt...
n'hésite pas à le reconnaître ! La Russie est en pleine
anarchie, un faux tsar s'opposant à un autre faux tsar ;
la confusion dynastique est invraisemblable et les usurpateurs en profitent. Cette situation appelle deux
remarques. D'abord, il est évident que la loi de succession est floue et qu'elle doit être clarifiée et codée.
Ensuite, le peuple, insatisfait et mécontent, est prêt à
croire à tous les subterfuges et à toutes les manipu-
lations entre de prétendus miracles et l'audace
d'opportunistes qui ont pris soin d'être bien entourés.
Et intimident par la force les hésitants ou les incrédules.
Ne pouvant s'emparer de Moscou, le nouveau faux
Dimitri installe sa cour en exil à Touchino, un village
proche où siège même son patriarche, un certain Fedor
Romanov, ancien rival de Boris Godounov qui l'avait
obligé à prendre l'habit religieux sous le nom de Phi-
larète. Plusieurs régions prêtent serment au faux tsar,
surnommé aujourd'hui « le bandit de Touchino ». Ce
schisme politique et religieux, qui rappelle celui qu'a
connu la papauté entre Rome et Avignon mais avec des
conséquences à l'échelle russe, ne fait qu'exciter la
convoitise des pays voisins.

À Moscou, le clan Chouïski est soutenu par les
Suédois, tandis que le clan excentré de Touchino a
l'appui d'une coalition polono-lituanienne et d'une
bonne partie de l'aristocratie moscovite. Vassili
Chouïski n'évite pas le désastre : les Polonais inter-
viennent ouvertement contre lui et les Suédois ; il est
renversé en juillet 1610 alors que le Conseil des sept
boyards acceptait la candidature du fils du roi de
Pologne Sigismond III, le prince Ladislas. À une
condition : qu'il se convertisse à l'orthodoxie. Le roi

refuse que son héritier renonce au catholicisme romain, si cher au cœur des Polonais.

La situation n'a jamais été pire : on peut dire qu'en 1611, la Russie a presque cessé d'exister. Les Suédois l'envahissent et les Polonais tiennent Moscou. Or, les exigences du roi de Pologne finissent par faire l'unanimité contre lui. Il manque un chef pour organiser la révolte et réunir, enfin, les Russes déchirés dans leurs querelles… byzantines. Un patriarche emprisonné par les Polonais, Hermogène, qui a emprunté son nom à des philosophes grecs, fait entendre sa voix. Il est bon orateur, convaincant, et rassemble le clergé qui refuse de se soumettre au catholicisme polonais. Son mot d'ordre : libérer Moscou et, pour y arriver, lever une armée nationale dans les villes du Nord-Est. Une première expédition est un échec. La deuxième est dirigée par un énergique patriote russe de trente-quatre ans, Dimitri Pojarski. C'est un succès : les soldats polonais sont chassés de Moscou en novembre 1612.

Le 21 février 1613, le *zemski sobor* élit un nouveau tsar. C'est un garçon de seize ans, Michel Romanov. Pourquoi lui ? Parce que son grand-père, le boyard Nikita Romanov, était le frère de la première femme d'Ivan le Terrible, Anastasia Romanova. Sa prétention au trône était donc légitime.

Cette procédure de désignation met fin à l'autoproclamation d'héritiers fantaisistes. Sans Pojarski, il est probable que les Romanov n'auraient jamais été portés au pouvoir. Ainsi, le premier tsar Romanov est un tsar élu. Il sera le seul. Un autre élément doit être souligné : lors de son élection, le jeune Romanov ne se trouve pas à Moscou mais à Kostroma, au monastère Ipatiev, avec sa mère, une religieuse prénommée Marfa. Derrière les murs où l'on prie, l'adolescent n'est au courant de rien.

Il quitte le monastère Ipatiev pour être sacré empereur. Ipatiev ? Le même nom que celui d'une maison de l'Oural, à Ekaterinbourg, où le dernier empereur Romanov sera fusillé, en 1918…

Le 11 juillet 1613, après une lente procession à l'intérieur du Kremlin, le cortège très oriental, une véritable procession dorée, entre dans la splendide cathédrale de la Dormition (ou de l'Assomption) érigée sous le règne d'Ivan III, entre 1475 et 1479, par un Italien. C'est sous cette montagne de calcaire que le jeune souverain est sacré tsar. Sous ses cinq coupoles dorées et devant l'extraordinaire icône de la *Vierge de Vladimir*, Michel Romanov poursuit la tradition des tsars couronnés dans ce sanctuaire. Il revêt le chapeau conique et bordé d'or de Vladimir Monomaque, fils du fondateur de Moscou, grand-prince de Kiev au XIe siècle et auteur d'un célèbre *Enseignement* traitant des mœurs et de la philosophie chrétiennes.

Élu à l'unanimité, Michel Romanov ou Michel Ier utilise sa légitimité incontestable pour mettre fin aux désordres, renforcer les pouvoirs du souverain et réussir une urgente tâche de pacification, voire de reconstitution de la Russie en lambeaux. Il consolide l'État, réprime les abus des gouvernements locaux et met de l'ordre dans les finances. Il s'y attache avec sagesse et, dès 1640, la crise économique qui minait en permanence la Russie est résorbée. Informé des richesses du sol et du sous-sol, l'empereur inaugure l'exploitation des minerais et fonde les premières manufactures. Il lance même des explorateurs vers la Sibérie dont on vante déjà les fabuleux trésors, avec l'idée d'une colonisation. Le tsar écarte les boyards mais accroît les pouvoirs des grands propriétaires terriens. L'un des plus grands succès du jeune empereur est de voir qu'en Ukraine, certains Polonais se placent sous la protection de la Russie et donc de la religion orthodoxe.

Michel Romanov se marie deux fois. Sa première épouse, Marie Dolgorouki, apparentée à la famille d'Alexandre Nevski, meurt un an après son mariage. De la seconde, Eudoxie Strechneva, il aura dix enfants. Lorsqu'il disparaît le 13 juillet 1645, à l'âge de quarante-neuf ans, le premier Romanov empereur de Russie laisse un pays en bon état, où l'autorité est restaurée. Son prestige européen lui a même permis de recevoir dignement les ambassadeurs étrangers.

C'est son fils Alexis qui hérite du trône, exactement au même âge que son père (seize ans) et sans la moindre effervescence. Le tsar Alexis Ier Mikhaïlovitch mérite d'être mieux situé dans l'histoire : en effet, il parle plusieurs langues étrangères, connaît à fond la théologie – au point d'organiser un concile à Moscou – et il est très versé dans la musique religieuse. Il est le premier souverain qui rédige et signe lui-même ses *oukases* (décrets impériaux). L'une de ses occupations préférées est la chasse au faucon, à propos de laquelle il écrit un traité. Dans l'armée, il recrute des mercenaires étrangers et tente, timidement, de faire construire une marine pour défendre les voies commerciales transitant par la mer Caspienne. Les expéditions vers la Sibérie s'accompagnent des premières infrastructures avec l'explorateur Khabarov (qui donnera son nom à une cité sur la future ligne du Transsibérien Khabarousk, fondée en 1858). L'arrivée des conquérants au bord de la mer d'Okhotsk, mer intérieure très profonde sur la côte est de la Sibérie, est un exploit car, de novembre à mai, les glaces la rendent inaccessible. La progression russe vers l'est réussit.

En politique extérieure, le tsar réunit ce qu'il appelle alors la « Petite Russie » et qui est en réalité l'Ukraine, à la « Grande Russie ». Ainsi, la Russie agrandit son territoire. En revanche, les opérations en mer Baltique ne sont pas couronnées de succès. Une fois de plus, les Suédois repoussent les Russes. Une fatalité et une solide expérience maritime permettent à la Suède de contrôler la Baltique.

Bienveillant, ouvert, le nouveau tsar a hérité du surnom d'Alexis le Doux. Pourtant, son long règne – trente et un ans –, ne se caractérise pas par une véritable douceur (c'est d'ailleurs plutôt rare en Russie !), car à la révolte du sel (1648, l'année des traités de Westphalie) succèdent celle du pain (1650), puis celle de la monnaie de cuivre qui n'inspirait guère confiance… De même, le tsar Alexis adopte l'*Oulojénié*, un nouveau code légalisant le servage à travers toute la Russie.

Comme son père, Alexis se marie deux fois. Sa première femme, Maria, lui donne… treize enfants ! La seconde, Natalia, ne lui en donne, si l'on peut dire, que trois. Lorsque dans la nuit du 30 janvier 1676, meurt le deuxième tsar Romanov à quarante-sept ans, on décide de l'inhumer comme son père dans la cathédrale de l'Archange-Michel du Kremlin où repose déjà Ivan le Terrible[1]. L'icône du XVe siècle, attribuée au maître

---

1. Compte tenu des troubles, la dépouille de Boris Godounov avait été transférée à Saint-Serge, le Vatican orthodoxe aux environs de Moscou, qui fut appelé Zagorsk à la période soviétique et a retrouvé aujourd'hui son ancien nom.

Andreï Roublev, est un joyau qui montre le saint patron des princes de Moscovie fier, noble et vigilant. Les tsars doivent s'incliner devant ce chef-d'œuvre lors de leur couronnement.

Le trône des Romanov revient au fils aîné qu'Alexis eut de sa première femme, Fedor. Mais celui-ci est maladif et son règne est bref, six ans à peine, puisqu'il meurt au printemps 1682 sans avoir eu le temps de laisser son empreinte dans l'histoire. Son frère, Ivan, âgé de seize ans, se révèle aussi frêle et incapable mais il n'est pas question de remettre en cause la succession, les enfants de la première épouse passant avant ceux de la seconde. Depuis l'élection du premier Romanov, la loi dynastique exclut tout étranger d'une prétention à la Couronne. On croyait qu'ainsi, le Temps des troubles serait définitivement éloigné… Mais qu'en est-il si le successeur se révèle incapable ?

Consciente de la fragilité physique et intellectuelle de l'adolescent, l'assemblée des boyards n'approuve pas cet héritier sans envergure ; elle s'inquiète des influences auxquelles il serait soumis et préfère choisir le dernier fils du tsar défunt et de sa deuxième femme, Natalia Narychkine, qu'il avait épousée le 22 janvier 1671. Ce candidat se prénomme Pierre et il est né à Moscou le 9 juin 1672. Âgé de dix ans, donc mineur, il est très en avance, intelligent, d'une inlassable curiosité, d'un caractère fort et débordant de vie. Quel contraste avec son demi-frère indolent et timoré ! Mais les partisans d'Ivan, furieux, fomentent une agitation et même une révolte pour contester le choix de Pierre. Ainsi, il y a deux tsars : le cauchemar recommence, avec un peuple partagé, otage d'un clan ou de l'autre. Officiellement, le règne de Pierre date du 27 avril 1682. En mai, les soutiens d'Ivan se précipitent à l'intérieur du Kremlin et massacrent de nombreux membres de la famille de Natalia. Par la terreur, ils imposent Ivan V. Moscou et la Russie sombrent-ils, de nouveau, dans une guerre civile dynastique ? Non. Il est décidé que les deux enfants se partageront la souveraineté, sous la régence de leur sœur et demi-sœur, jusqu'à leur majorité.

La première bataille de celui que les siens appellent déjà Pierre Ier consiste à s'imposer à son frère et à sa sœur aînée, très instruite, ambitieuse et intrigante. C'est elle qui a manigancé la révolte, Pierre l'apprend vite et va en tirer de précieuses leçons. Physiquement, Pierre Ier est déjà impressionnant. Quelle allure ! Sa haute taille est inhabituelle ; à tous égards, il domine les garçons de son âge.

L'histoire l'appellera Pierre le Grand.

2

Le tsar Pierre Ier réveille la Russie

Il n'a jamais aimé Moscou et prendra même cette ville en horreur. Pourquoi ? Parce qu'elle est le refuge de ce qu'il nomme « les vieilles habitudes ». Et parmi celles-ci, les complots de famille, les intrigues orientales et les massacres fomentés par les *streltsy* qui ont exterminé le clan Narychkine et obligé sa mère à se retirer dans sa résidence de Preobrajenski. Le paradoxe est que Pierre Ier est contraint à une inaction politique officielle puisque sa demi-sœur, Sophie, et son demi-frère, Ivan V, se sont partagé le pouvoir avec une joie cruelle. Mais Pierre, co-empereur abandonné à lui-même, va profiter de sa mise à l'écart, comme il saura profiter de toutes les situations défavorables. Le seul intérêt de Moscou est d'abriter un quartier des étrangers, et c'est là que Pierre va respirer un air vivifiant, celui de la nouveauté, à l'opposé des remugles suintant des vieux murs de granit du Kremlin, ces hautes murailles qui fascineront Napoléon. Le Genevois Lefort et l'Écossais Gordon l'initient à cette ouverture sur l'Occident en lui inculquant des idées, des notions de sciences et de techniques répandues en

Occident mais ignorées en Moscovie. Adolescent curieux, vif, avide d'action, Pierre se passionne pour les arts militaires et aime organiser des régiments imaginaires qu'il fait manœuvrer. Ses précepteurs n'étant pas toujours à la hauteur de leur mission, son éducation a beaucoup de lacunes. Peu importe : il va trouver lui-même ce qu'on ne sait pas lui apprendre. Impulsif et volontaire, il n'agit qu'à sa guise. La mer, bien que lointaine, le hante. Alors, déjà convaincu qu'il n'y a pas de progrès possible sans débouché maritime, il se contente de la Moskova, la rivière qui traverse Moscou et coule au bas du Kremlin. De ses mains, il construit une embarcation pour naviguer en rêvant d'océans. C'est ainsi que son métier liminaire est celui de charpentier de marine, et que ce canot est considéré comme le premier bâtiment de la marine russe et Pierre le Grand son fondateur[1]. Ainsi naît la réputation d'artisan du jeune tsar ; ses mains sont impatientes de pétrir, tailler, couper, sculpter, coudre, raboter. On a tort de se moquer de ses manies de bricoleur doué. Pierre n'est pas que charpentier. Il se fait menuisier, cordonnier (en se confectionnant fièrement une paire de souliers à sa mesure, petite : il chausse du 39 mais mesurera… 2,04 mètres !). Géomètre, bûcheron : aucun travail manuel ne lui échappe. L'adolescent qui piaffe d'agir a toutes les qualités d'un bâtisseur. C'est avec ses mains, obéissant à un cerveau exceptionnel, qu'il va modeler la nouvelle Russie. Déjà. Sa conviction est pragmatique : pour faire faire, c'est-à-dire commander, il faut

1. Le canot est exposé à Saint-Pétersbourg – ce qui est révélateur ! – dans un petit pavillon en face de la cathédrale Saint-Pierre-et-Saint-Paul.

savoir faire… On va créditer cet obsédé des travaux manuels d'une vingtaine de professions. La plus inattendue est celle de… dentiste ! En cette époque où « mentir comme un arracheur de dents » est une douloureuse réalité, il extrait les dents malades de ses sujets, avec des instruments de son invention. Hélas ! dans sa précipitation, il lui arrive d'arracher des dents saines au lieu des dents gâtées ! Mais quel honneur d'être opéré par un tel homme ! Par le tsar ! Les connaissances de Pierre Ier sont surprenantes, fruit d'un insatiable appétit. Sans arrêt, il pose des questions sur tout et veut des réponses sur tout. On les lui fournit – si on peut ! – avec empressement car il est pressé. Sa rapidité est presque épuisante. D'ailleurs, sa force physique, sans laquelle il n'arriverait à rien, ainsi que son imposante stature, sont de précieux atouts. Quelle énergie ! Personne ne sait quand il dort ni même s'il lui arrive de se reposer.

On ne peut donc être surpris qu'en septembre 1689, exaspéré par la léthargie de sa famille, Pierre élimine brusquement Sophie et Ivan V pour s'emparer d'un pouvoir aussi vermoulu que les rondins d'une isba abandonnée. Il a dix-sept ans. Dès ce moment, une formidable machine d'intelligence et d'exécution est en marche. Rien ni personne ne l'arrêtera. Pour occidentaliser cet empire qui, selon lui, regarde trop vers l'Asie, Pierre Ier va briser l'isolement géographique de son pays. Un seul moyen : la mer. Il lève donc les yeux vers le nord. Selon une expression légendaire, dont Pouchkine s'inspirera dans le premier tiers du XIXe siècle, il va « ouvrir une fenêtre », sur la mer Baltique mais aussi, ne l'oublions pas, sur la mer Noire, ce qui indique l'ampleur de son projet. Il a longuement étudié les cartes avant de s'attaquer aux deux ennemis séculaires des Russes, les Suédois et les Turcs. Ceux-ci sont ses premiers adversaires. Entre 1695 et 1696, il enlève aux Ottomans la mer d'Azov, qui prolonge la mer Noire par le détroit de Kertch ; ce coup de main est une prodigieuse réussite. La prise de la forteresse turque d'Azov n'est pas seulement le premier succès militaire du jeune tsar ; c'est au pied de son rempart qu'il considère servir, pour la première fois, sa patrie. Sa victoire est aussi l'œuvre d'une équipe, et il faut redire combien Pierre Ier a le talent de s'entourer de collaborateurs remarquables ; on les surnommera « les oiselets de la nichée de Pierre », mais ce sont des aigles.

Franz Lefort, l'un de ses mentors moscovites, âgé d'une quarantaine d'années, va participer à toutes ses campagnes. À la fois général et amiral, le Genevois est gai, toujours de bonne humeur, une courtoisie obligatoire dans l'entourage de Pierre Ier. Et il parle plusieurs langues, ce qui fera de lui un diplomate chargé de missions délicates. Il est vraisemblable que c'est Lefort qui souffle au tsar l'idée d'une « grande ambassade » dans les pays européens. Pierre veut s'informer lui-même. Alors, de 1697 à 1698, il entreprend une véritable tournée diplomatique, à ceci près qu'on n'a jamais vu, ni sur le fond ni sur la forme, un pareil cortège. Le tsar veut voyager incognito car il exècre les courtisans. Son but est de comprendre et de voir ce qu'il y a de bien chez les autres. Alors, afin de déjouer les ruses, l'immense gaillard – que fort peu de gens connaissent en Europe occidentale – se fait passer pour... son propre ambassadeur ! Il tient absolument à ce qu'on le prenne pour l'émissaire du tsar de Moscovie. Ayant interdit, sous peine de mort, que quiconque révèle sa véritable identité, il part, ayant mis en place des gens sûrs à Moscou.

La « grande ambassade » porte bien son nom. Elle compte deux cent soixante-dix personnes, quelques nains et... un singe ! Trente-deux lourdes voitures, presque autant de carrosses, quatre énormes fourgons à bagages, les diamants de la Couronne (déjà réputés !), des lettres de change sur chaque capitale ou ville devant être visitée, des fourrures somptueuses, des étoffes de soie et, afin d'être sûr de convaincre les incrédules, deux millions de roubles, une somme considérable pour l'époque. Ainsi s'avance, en direction de la Prusse, de la Hollande et de l'Angleterre, la plus formidable mystification de l'histoire diplomatique, un empereur déguisé en ambassadeur de lui-même ! Sur son sceau, qui identifie ses lettres de créance et ses dépêches, le faux ambassadeur a fait graver une inscription que peu de gens ont comprise à l'époque : « Je suis un élève et je cherche des maîtres. » Le tsar-diplomate part puiser ailleurs que chez lui les talents et les génies qui vont arracher la Russie à son repli sur elle-même.

Le déclencheur lointain de cette gigantesque opération est la vaste réorganisation politique de l'Occident ratifiée par les traités de Westphalie en 1648. La Russie orthodoxe, éloignée et engluée dans son féodalisme byzantin, en était exclue, comme elle était restée à l'écart du courant civilisateur de la Renaissance. Cette date avait aussi marqué les débuts d'un personnage ambitieux sur la scène mondiale, Louis XIV. Enfant, Pierre Ier avait été séduit en apprenant que dès 1661, le monarque, rompant avec l'habitude des Bourbons, avait annoncé qu'il régnerait et gouvernerait par une déclaration au plafond de la galerie des Glaces. Une première influence française chez le quatrième Romanov ; il y en aura beaucoup d'autres. À vingt-cinq ans, le bouillant Pierre Ier ouvre enfin, avec un bon siècle de retard, les temps modernes en Russie.

Lors de ce long périple, le pays qui intéresse le plus l'empereur voyageur est la Hollande. Déjà, dans le village allemand de Moscou, des Hollandais avaient appris au jeune Pierre ce qu'ils savaient faire eux-mêmes et aussi leur langue. Impressionné par les vertus artisanales de ce pays où s'entremêlent l'eau et la terre, le faux ambassadeur s'installe à Zaandam, dans une modeste maisonnette de planches brutes qu'il loue pour quelques jours. Zaandam[1], au nord-ouest d'Amsterdam, est alors très réputé pour ses chantiers. Arrivé incognito avec quelques compagnons, le tsar se fait inscrire sous le nom de Pierre Michaëlof. Rapidement, les autres apprentis l'appellent familièrement « Pieterbass » (maître Pierre). Ils n'ont jamais vu un pareil étranger, parlant leur langue avec un drôle d'accent, buvant volontiers avec eux un vieux genièvre et fumant la longue pipe traditionnelle dans les tavernes. Pierre apprend la construction navale selon les critères hollandais, effectuant un véritable stage. Il veut savoir comment ce peuple de marchands a pu s'assurer la maîtrise commerciale des mers, qui a ruiné les empires coloniaux espagnol et portugais. Pendant ce séjour, Pierre étudie également les mathématiques, la physique et l'anatomie chez le célèbre professeur Ruysch. Mais,

---

1. Aujourd'hui faubourg industriel d'Amsterdam, Zaandam conserve le souvenir du passage de Pierre le Grand. Sur sa place centrale, se dresse une statue. La maisonnette (*Czaar Peterhuisje*), toujours visible dans une rue (*Czaar Peterstraat*) et que l'on visite, a été recouverte d'un coffrage de briques en 1895. Cette protection fut mise en place aux frais du tsar Nicolas II.

à sa grande colère, il est reconnu par John Churchill, général et premier duc de Marlborough que les Français allaient rendre légendaire par une chanson populaire en estropiant son nom. Il est vrai que Pierre, si grand que sa tête – petite ! – heurte le plafond de sa cabane, ne peut passer inaperçu ; sa seule erreur a été de croire à la possibilité de son anonymat.

On se bouscule autour de lui. Contrarié que les curieux viennent le voir travailler et l'empêchent d'apprendre, le tsar quitte Zaandam pour Amsterdam afin de se familiariser avec d'autres chantiers navals, ceux de la prestigieuse Compagnie des Indes orientales. Outre ses dons de charpentier, Pierre Ier surprend par sa tenue : son vêtement est conforme à la mode hollandaise de la fin du XVIIe siècle ; en allant vers l'ouest, le visiteur s'est débarrassé des atours de la société russe qu'il n'a jamais supportés, en particulier les lourds manteaux et la barbe, accessoires de dissimulation et d'hypocrisie. Déjà, son maintien et son aspect n'ont plus rien de russe.

Il n'observe pas seulement le savoir-faire mais s'intéresse aussi aux mœurs et à la vie politique. Ce voyage lui permet d'accumuler une monumentale somme d'informations, y compris sur la construction des canaux et les sciences naturelles. Enthousiasmé par ce qu'on pourrait appeler son apprentissage occidental, il dévoile son but. En quelques mots, il propose à des artisans, des médecins, des chirurgiens, des peintres, des architectes et des savants en tout genre de l'accompagner en Russie. Jamais un souverain ne s'est permis un tel démarchage. En un coup d'œil – très avisé – et deux questions – très précises –, l'étrange tsar choisit ses hommes et ouvre ses coffres. Certes, la tentation est séduisante, mais la Russie est bien loin et on ne sait exactement ce qui s'y passe... Les poings sur les hanches, ses longues jambes écartées, le tsar recruteur achève de convaincre les indécis : le voyage est aux frais de la Couronne, les gages seront confortables et garantis, en or si nécessaire. De plus, Pierre Ier promet la liberté religieuse, ce qui est astucieux car treize ans après la calamiteuse révocation de l'édit de Nantes – la faute majeure de Louis XIV –, laquelle avait provoqué un massif exode de protestants vers l'Europe du Nord et la fuite de nombreux talents, le tsar serait mal inspiré de ne pas profiter de ce précieux apport.

Dans les propositions du monarque, il y a encore plus innovant et même très audacieux : en cas de litige, ce sont des tribunaux particuliers, statuant selon une réglementation réservée aux étrangers, qui examineront leur cas. Du jamais vu ! Pour attirer l'élite européenne qu'il a sélectionnée, pour qu'elle se lance dans un voyage de quelque deux mille kilomètres, Pierre Ier se montre grand et novateur dans ses offres. Près de sept cent cinquante personnes vont partir dans les bagages du colosse russe aux idées nouvelles. Cette insolite expédition constitue la préhistoire de ce qu'on appellera, au XXe siècle, l'exode des cerveaux. Alléchés par une aventure dont ils ignorent tout, séduits par la personnalité de cet homme hors du commun, ces pionniers du développement russe n'ont qu'une certitude : le tsar n'a pas de temps à perdre...

En même temps, le souverain rapporte chez lui une quantité phénoménale de caisses marquées à ses initiales. Elles contiennent des instruments de mesure et d'optique, des métiers à tisser, des outils ; cela se comprend. Mais on y trouve aussi d'incroyables souvenirs, tels que des fœtus d'enfants monstrueux ou difformes conservés dans de l'alcool, un diplôme de docteur honoris causa de l'université d'Oxford, trois cercueils, des bibles et… un crocodile empaillé ! Le pittoresque du cortège de retour l'érige en un véritable spectacle ; la « leçon de choses » n'épargne rien aux Russes stupéfaits. En son temps, au milieu du XIXe siècle, l'historien Michelet jugea que Pierre le Grand n'était qu'un « mendiant ». Il me semble plus exact de dire qu'il était un « acheteur », avec autant de flair que d'arguments. Ses « achats », du moins ceux qui étaient pédagogiques, il les exposera dans un cabinet de curiosités pour instruire le peuple russe, ignare de tant de choses… Pierre Ier s'était fait passer pour son ambassadeur. En réalité, il est celui de l'Europe industrieuse. L'armée de l'intelligence et du savoir dont il a pris la tête va échafauder la première vision globale de la présence étrangère en Russie. En même temps, un bon demi-siècle avant Diderot, le tsar boulimique devance, brutalement, l'esprit de l'*Encyclopédie*. Après un an et demi de prospection, il a retenu ce qu'il y avait de plus utile dans le bilan occidental.

Mais voici d'inquiétantes nouvelles de Moscou. En avril 1698, par un courrier qui a mis un mois à l'atteindre, l'empereur itinérant est informé d'une grave affaire : cent soixante-quinze officiers déserteurs (des *streltsy*, bien sûr) ont tenté de remettre sur le trône Sophie, la demi-sœur du tsar, qu'il avait lui-même évincée. Un complot ! Encore un ! Décidément, tout ce qu'on sait faire à Moscou est de conspirer ! À marche forcée, le tsar, furieux, regagne sa capitale, la maudissant de plus en plus. Il n'a pu achever sa moisson et, par exemple, se rendre à Venise dont il comptait étudier la tradition maritime. Évidemment, Pierre Ier est absent depuis plusieurs mois et, sous les coupoles dorées du

Kremlin, la jalousie s'est transformée en subversion. Dans cette forfaiture, Sophie a été aidée par l'épouse du tsar, Eudoxie. Une circonstance aggravante car le monarque est très malheureux dans sa vie privée.

Sur les instances de sa mère, il avait épousé, le 27 mai 1689, Eudoxie Lopoukhina, fille d'un grand officier de la Couronne. Ce mariage est un échec complet, mais trois enfants sont nés dont seul a survécu, le fils aîné, Alexis, qui exécrera son père. Avec sa rapidité coutumière, Pierre divorce et contraint Eudoxie à prendre le voile sous le prénom d'Elena, dans un couvent à Souzdal. Le monastère de l'Intercession de la Vierge, fondé en 1364, a déjà eu le privilège d'être la résidence forcée des épouses répudiées. Au XVIe siècle, ses admirables églises, qui paraissent sculptées dans l'ivoire, ont accueilli Solomonia Sabourova, première épouse de Vassili III. Un lieu bien choisi pour méditer sur le danger des complots avortés... Sophie, la régente qui n'avait pas su se rendre populaire mais avait conspiré à plusieurs reprises contre son terrible demi-frère, est également condamnée à la réclusion. Pour sa demi-sœur, Pierre Ier choisit le couvent moscovite de Novodievitchi, qui est aussi une forteresse. Ce splendide ensemble monastique – l'un des plus beaux de Russie – a été le théâtre de bien des drames. Fondé par Vassili III dans le premier tiers du XVIe siècle, cet avant-poste destiné à protéger la capitale contre les envahisseurs avait accueilli Boris Godounov pour une retraite simulée... Le tsar Pierre Ier est raffiné dans sa vengeance puisque c'est Sophie elle-même, vingt ans plus tôt, qui avait fait édifier l'église-réfectoire, le clocher aux volumes tantôt ajourés, tantôt pleins, et la collégiale. Après avoir vu pendre sous ses yeux les *streltsy* qui s'étaient ralliés à sa cause, Sophie est assignée à résidence dans un palais, à droite de l'entrée du monastère, où elle mourra en 1704[1].

Pierre Ier est dans une colère à sa mesure. Il devient Pierre l'Implacable : trois cent quarante et un conjurés sont entendus, torturés et jugés. Le knout s'abat sur les corps nus striés de raies sanglantes, et des tisons sont enfoncés dans les chairs. Pendant un mois, jour et nuit, le tsar vit dans les prisons, pour crever l'abcès. Le sol n'est qu'une effroyable mare de sang ; les murs étouffent mal les cris des suppliciés et une âcre odeur de peau humaine brûlée incommode même les geôliers. Cette féroce répression contre des régiments rebelles – la première dans l'histoire russe moderne – sera suivie de pendaisons ou de déportations en Sibérie ; dans ce domaine, cet univers lointain a déjà sa sinistre réputation. Avant d'y être expédiés, une centaine de jeunes gens, âgés de quinze à vingt ans, sont marqués au fer rouge, à la joue droite. La cicatrice de la trahison.

Tortionnaire, Pierre le Grand ? On l'a amplement soutenu mais aujourd'hui, des documents attestent que lui-même, s'il ordonnait une justice sans aucune pitié, y compris sur les serviteurs des deux femmes l'ayant trahi, n'a pas personnellement porté le fer dans les plaies ni fendu l'air d'un fouet coupant comme une hache. La Russie, il le sait et il le prouve, ne peut être

---

1. En 1922, Lénine transforma le couvent en musée. Les deux conspiratrices, Eudoxie et Sophie, sont enterrées dans le cimetière adossé à la partie sud-ouest. À l'époque soviétique, cette nécropole ne pouvait être visitée que sur autorisation de la mairie de Moscou. De nombreuses célébrités y reposent : Nicolas Gogol, Anton Tchekhov, Serguei Eisenstein, Nikita Khrouchtchev, Mstislav Rostropovitch, Boris Eltsine...

construite et dirigée que par un pouvoir fort. Enfin, pour l'exemple, le tsar fait exposer à la vue des foules les corps brisés des félons. Les gibets sont délicatement érigés le long de la Moskova…

Maintenant, cet homme pressé a les mains libres pour entreprendre une série de réformes spectaculaires destinées à transformer la Russie, ses institutions et ses habitudes. Les premières mesures d'occidentalisation forcée concernent la vie quotidienne, car les plus grandes révolutions ne s'imposent pas obligatoirement par des émeutes ou des spasmes. Il en est qui tiennent, en apparence, à des détails mais dont la portée est considérable. Par oukase, le souverain interdit définitivement le port de la barbe. Sacrilège ! Les patriarches s'émeuvent, les popes crient au blasphème car, pour les officiants qui obéissent à un rituel aussi complexe qu'interminable, la barbe est d'inspiration biblique et symbole d'un pouvoir sacré. Molière lui-même écrira, d'un ton profane, que « la puissance est dans la barbe ». Contraindre le clergé à se raser, c'est rompre avec Dieu et aussi grave que d'offenser une icône. Pourtant, le tsar ne cède pas : la barbe est un attribut trop ancré dans le passé. Et, pour donner l'exemple, son visage n'arbore qu'une fine moustache ; il n'a plus rien de l'ancienne Russie. Puis, il complète la métamorphose en ordonnant que les vêtements des citadins soient coupés comme on les porte à Versailles, à Amsterdam ou à Berlin. Les lourds manteaux – de vraies chasubles – sont rangés dans les coffres et des tailleurs surgissent, prêts à prendre des mesures et des commandes. Comme par magie, ces marchands font partie de l'université ambulante qui a suivi le monarque. Il a tout prévu ! Quelle différence, déjà, avec la Moscovie du siècle passé qui semblait immuable ! Lorsqu'on regarde les portraits du premier tsar occidental, l'empreinte d'un spectacle figé, sortie d'un opéra comme *Boris Godounov*, est effacée. Le tsar vit tête nue, en cuirasse légère – comme on verra Louis XV –, glabre, la chevelure libre ou seulement recouverte d'une perruque courte. La botte haute, il porte des culottes qu'on définira « à la française ». En bref, Pierre le Réformateur lance, autoritairement, la mode du XVIIIe siècle en Moscovie, ce qui rapproche la région de l'Europe dite civilisée. D'un trait de plume et en quelques coups de ciseaux, le monarque a durablement modifié huit siècles d'apparences.

Ce n'est qu'un début. Ensuite, il se dote d'une marine et de fantassins organisés sur un modèle qui allait faire ses preuves, l'exemple prussien. Afin de briser la suprématie suédoise en mer Baltique, Pierre Ier s'allie, en 1700, à la Pologne et au Danemark pour déclencher la Grande Guerre du Nord, un conflit qui durera vingt et un ans. Cette initiative est tout autant une astuce diplomatique qu'une prétention militaire. En effet, d'un côté, en signant cette triple alliance avec Auguste II le Polonais et Frédéric IV le Danois, Pierre Ier de Russie introduit son pays dans le jeu européen. Désormais, il faudra compter avec les gens de Moscovie. De l'autre côté, les bateaux et les troupes du tsar, parfaitement en ordre sur le papier, sont dépassés par l'adversaire. Il faut préciser que le roi Charles XII de Suède est un fabuleux stratège, un génie de la guerre de mouvement dont Voltaire, toujours prêt à chanter les louanges d'un éventuel mécène, sera le biographe ébloui… Le 30 novembre 1700, le souverain de Suède inflige une humiliante défaite à la Russie : à Narva, en Estonie, neuf mille Suédois, bien entraînés et bien commandés, battent… soixante mille Russes désordonnés. À l'évidence, les réformes ne sont pas toutes bien assimilées !

Il faut du génie pour utiliser une défaite et muer un désastre en avantage. Tout en préparant, officiellement, sa revanche, Pierre le Vaincu saisit l'occasion : le vainqueur suédois se retournant contre les Polonais, l'étau qui étouffe les Russes se desserre. Vite, au travail ! Sous prétexte de travaux de défense, le 16 mai 1703, Pierre le Rusé pose la première planche de la future forteresse Pierre-et-Paul le long de la Neva, un court fleuve (environ soixante-douze kilomètres) qui descend du lac Ladoga vers la Baltique. Pour l'histoire, le 16 mai 1703 est la date de la fondation d'une nouvelle ville, Saint-Pétersbourg. Lorsqu'ils l'apprennent, les habitants de Moscou sont mécontents et inquiets. Pourquoi le tsar a-t-il choisi un endroit aussi éloigné, à six cents verstes au nord, près de ces maudits Suédois qui narguent la vieille Moscovie[1] ? Et pourquoi s'intéresser à cette région ingrate, envahie par les marécages, d'une monotonie angoissante, à peine égayée par les vagues courtes qui meurent au fond du golfe de Finlande ? Quel climat ! Moscou colporte une incroyable rumeur : l'eau salée – oui, l'eau salée ! – y gèle en quelques instants, de novembre à avril ! Les vagues se hérissent en miroirs d'écume. C'est la vérité. Mais peu importe : à des temps nouveaux, il faut un cadre neuf. En organisant un dispositif militaire prévu sur une île appelée l'île aux Lièvres, le souverain aménage, en réalité, le cœur d'une ville qui naîtra autour.

1. Une verste correspond à 1 067 mètres.

Quelle ambition ! Souvenons-nous que si Paris, Londres ou Berlin ont été forgées par une longue histoire, des siècles de travaux et des générations, Pierre Ier ne s'accorde que quelques années – peut-être dix – pour ériger cette nouvelle ville dont on murmure qu'il veut faire sa capitale.

Une fois encore, il donne l'exemple. Ayant abattu un cytise, un arbuste à genêts hérissé de grappes d'or, il commence la construction de la première maison de sa future cité. Selon une tradition héroïque, ce petit bâtiment est élevé en... trois jours et ressemble beaucoup à celle qu'il avait louée en Hollande. C'est ce qu'on appelle « la maisonnette de Pierre le Grand » et qu'il faut absolument visiter car cette formidable aventure est partie de là, derrière ces rondins. Un comble, puisque cette cabane est encore très russe et que le tsar y prépare une ville qui n'aura rien de russe...

Bien qu'un peu agrandie en 1784, restaurée en 1844 et protégée par une enceinte (comme celle de Zaandam), la maisonnette, érigée en musée sur ordre de Staline en 1930, est un exemple de vitalité concrète. Les planches de sapin qui caractérisent les vénérables isbas reçoivent la forme de tuiles tandis que les murs et les plafonds sont grossièrement enduits de chaux. L'immense tsar n'aime pas les pièces trop vastes, et tant pis s'il ne cesse de se cogner la tête partout, elle est dure ! Bien qu'étroites, les fenêtres sont nombreuses afin de surveiller les travaux et les mouvements sur le fleuve. Dans ce cabanon-atelier, qui ne mesure que douze mètres de long, tout est simple, pratique, et l'influence hollandaise y est tangible. Le bureau se couvre d'instruments et de relevés tandis qu'au mur, est piquée une carte de l'Europe ; un point y est indiqué pour situer la future ville et Moscou est nettement en dessous, bien loin de la mer… Maniant une panoplie de haches, de scies et de rabots, le tsar artisan œuvre jour et nuit dans sa cabane, véritable quartier général entouré d'un bourbier à perte de vue. Souvent, le général en chef bondit dans une chaloupe à quatre rames qu'il a fabriquée et se mue en maître d'ouvrage autoritaire et incroyablement organisé. Pour les premiers témoins, ce défi technique et humain s'apparente à la construction des pyramides d'Égypte. Quatre mois après l'ouverture du chantier, fin septembre 1703, près de vingt mille hommes peinent, englués dans la tourbe, soulevant des tonnes de terre humide et charriant des forêts entières, car il faut encore sacrifier à la phase initiale du bois avant de tout refaçonner en pierre. Et de son regard vif, le pharaon du septentrion ne quitte guère un plan où sont tracés des centaines de canaux. Une nouvelle Venise ? Une autre Amsterdam ? Mieux : une ville qui s'en inspirera mais qui sera unique, la « Ville sainte de Pierre », « Sankt-Pieter Burgh ». Le monde, stupéfait et curieux, apprendra vite le nom de Saint-Pétersbourg.

On ne peut qu'être admiratif devant une telle rapidité, car Pierre Ier ne se contente pas d'activer ce gigantesque chantier. Parallèlement, il réforme l'administration, les finances, le commerce et diverses activités quasi industrielles. Il est certain que le tsar n'impressionne pas ses contemporains par sa seule haute taille. Ses manières simples, son mépris de l'élégance vestimentaire, sa capacité à travailler et sa santé vigoureuse l'aident à s'imposer dans le peuple. Il passe des heures avec des marins, des forgerons, des inventeurs de machines (il aime les sciences exactes et tout ce qui peut avoir une application pratique) ; sa seule détente est encore une démarche artisanale : il construit sans cesse des bateaux, vérifie leurs voiles et ses connaissances de navigateur. Sans doute, vivre avec lui ou près de lui est difficile. Toujours dynamique, il est imprévisible, impatient, avec de brusques sautes d'humeur. Un tic fait trembler sa main et son visage lorsqu'il va se mettre en colère. Et parfois, il manie un bâton, vite redouté, pour punir les courtisans, les flatteurs, les serviteurs trop obséquieux. En fait, Pierre l'Animateur est méfiant. Toutefois, son entourage souligne que si cet homme aux gestes convulsifs s'amuse à porter des souliers usés pour avoir le plaisir de s'en confectionner une nouvelle paire, son intelligence, ses opinions et ses raisonnements sont aussi justes que raffinés. Lui qui peut être emporté et violent sait devenir patient, presque docile, lorsqu'il s'agit de défendre les intérêts de la Russie. Sans cesse en mouvement, il a la sagesse d'un grand politique.

Chez lui, il y a une réelle capacité, prénapoléonienne, à conduire plusieurs opérations en même temps, comme si ce qui n'est pas fait sur-le-champ ne devait jamais l'être. Selon lui, la paresse serait un vice russe ; son obsession du travail vite achevé – même s'il est surhumain – est une doctrine politique imposée aux Russes et aux étrangers sur les chantiers. Elle est à l'origine de la réputation des bâtisseurs en Russie, que le XIXe siècle (avec, par exemple, la construction du Transsibérien), puis le communisme au XXe, amplifieront. La Russie, quel que soit son régime, lancera des défis mondiaux au nom du gigantesque et du monumental, sans se soucier du prix humain de telles entreprises…

En août 1703, donc trois mois après la fondation de la forteresse et par conséquent de la ville, le tsar fait imprimer un journal officiel. *Vedomosti* est le premier journal russe, imprimé à Moscou. Il annonce que le port servira d'entrepôt aux marchandises transitant par la Baltique ou circulant en Russie. Organisateur-né, le souverain fait connaître ses instructions : les illettrés, innombrables, écoutent, ébahis, ceux qui savent lire. On apprend aussi l'arrivée d'artistes étrangers, subtils, inspirés et surtout novateurs. Le tsar avait prié ses ambassadeurs (les vrais !) de débaucher les talents qu'il n'avait pu séduire. Un Tessinois, Domenico Trezzini, déniché au Danemark, est nommé, en février 1704, « maître d'œuvre des bâtiments, fabriques et fortifications ». Le 1er mars, Pierre Ier mobilise – il s'agit bien d'une mobilisation – une nouvelle main-d'œuvre arrachée à de lointaines provinces, soit quarante mille hommes. Ils n'ont pas eu le choix de refuser ; on leur a promis le gîte et le couvert (très sommaires !), un petit pécule et, surtout, la chance de participer à une aventure exceptionnelle, la construction d'une nouvelle capitale. Cette fois, il n'y a plus aucun doute : l'avenir de la Russie sera forgé à Saint-Pétersbourg et non à Moscou… Inutile de dire qu'au Kremlin, l'émigration forcée vers le cloaque nordique sème la terreur. On parle de folie. On en appelle aux saintes icônes… Et lorsqu'on apprend que le plan de la ville a été confié au Français Leblond, certains sont accablés : cette ville, on le sent, n'aura plus rien de russe. Certes… mais Jean-François Leblond, un Parisien d'une quarantaine d'années, est un excellent élève de Le Nôtre et de Blondel auquel on doit, à Paris, le bel hôtel de Clermont en bordure de Seine. Et quand il se murmure que tout voleur aura la main tranchée par le tsar lui-même, la consternation vire à la peur.

En 1705, Pierre le Bâtisseur pose la première pierre de l'Amirauté, sur la rive gauche de la Neva. Sur le modèle anglo-hollandais, elle comprendra cinq chantiers navals très actifs mais aussi des dépôts et des services régissant l'activité maritime, y compris commerciale. L'Amirauté sera couronnée d'une haute tour avec une horloge, car le tsar veut que ses sujets aient l'heure exacte. La flèche de la tour (soixante-douze mètres de haut, en référence à la longueur de la Neva) est surmontée d'une enseigne en forme de caravelle qui est devenue l'un des deux symboles de Saint-Pétersbourg. Bien visible, le bâtiment fermera la célèbre perspective Nevski. Avec son port, la ville doit assurer le désenclavement de la Russie ; ses navires sont bloqués au fond de la Baltique de deux manières, soit par les glaces pendant au moins quatre mois, soit par l'hostilité suédoise qui permet une forte activité marchande au vainqueur de Narva. Or, tout en vivifiant son chantier de sa présence autoritaire, Pierre Ier a préparé sa revanche. Que la Baltique soit un lac suédois l'insupporte. L'année 1709 est celle de sa revanche ; le 8 juillet, à Poltava, cité d'Ukraine sur un affluent du Dniepr, il tient en échec Charles XII de Suède qui assiégeait la place depuis trois mois. Ici, le Russe fait preuve d'un réel sens tactique. Et le roi de Suède est obligé de demander asile au sultan ottoman Ahmed III, une humiliation… Cette défaite met fin à l'hégémonie suédoise dans la Baltique, puisque la Russie s'empare de ports importants et accède au rang de grande puissance européenne. Mais pour les Russes, la déroute de l'armée suédoise – elle a battu en retraite – prend une autre dimension : c'est à partir de ce jour que, véritablement, Pierre Ier reçoit le surnom de Pierre le Grand. Ce sont ses officiers et ses soldats qui le lui octroient, conscients qu'en écrasant leur ennemi héréditaire, il a aussi élargi les frontières de son État.

Revenu glorieux de cette campagne aux immenses conséquences en Europe, le tsar affronte l'ennemi imprévisible de sa future ville, les crues de la Neva. Des milliers de terrassiers, travaillant dans l'eau à mi-corps, sont engloutis ; des millions de pilotis sont emportés par ce petit fleuve au mauvais caractère, très large à l'endroit choisi par Pierre Ier. Le tsar a beau se précipiter dans l'eau pour secourir, étayer, soutenir, des semaines de travaux sont perdues et une épidémie de choléra ainsi que des milliards de moustiques frappent les survivants. Les morts sont remplacés par des condamnés de droit commun. Sans cesse, des contingents de nouveaux ouvriers arrivent. Les uns sont subjugués par le tsar, les autres terrorisés. Mais tous entendent son ordre : cette ville sera « son paradis » et leur enfer, souvent leur cimetière. Le gel l'hiver, le marécage au printemps et à l'automne, souvent brefs, l'inondation possible en toute saison... Le monarque défie les éléments dans cette région hostile en inventant les travaux forcés municipaux. Une estimation, circulant vers 1710, situera à quelque cent cinquante mille le nombre de victimes de la fièvre bâtisseuse, mais le chiffre est invérifiable.

Face à l'adversité, il faut une élite solide. L'état-major de Pierre le Moderne est remarquable. Et varié. À leurs qualités intellectuelles et politiques, ces hommes doivent parfois en ajouter une, plus insolite : le tsar, tout en jambes, marche si vite qu'on a peine à le suivre ! Il faut du souffle pour être son conseiller ! Le plus proche de ses compagnons est Alexandre Menchikov, qui a un an de moins que Pierre. Il débute comme simple ordonnance du souverain, mais ses dons exceptionnels sont exactement ceux qu'apprécie le maître. Fidèle, assidu aux études pour trouver des solutions à tous les problèmes, infatigable travailleur, courageux à la bataille, complaisant quand il le faut et sachant ne jamais être offensé, attitude parfois délicate à tenir ! Son premier exploit date de 1702, lorsque, à l'automne, il monte à l'assaut de la forteresse suédoise de Nötebourg. Il la prend, la rebaptise Schlüsselbourg et l'administre avec soin. C'est à ce chef militaire que le tsar a confié la direction effective des travaux de Saint-Pétersbourg. Un autre personnage est plus inattendu puisqu'il est un descendant... des rois d'Écosse. Yacov Bruce est à la fois un ingénieur qui réforme l'artillerie russe en mettant au point de nouvelles pièces qui se feront entendre en Europe, un diplomate brillant et un magicien-alchimiste qui distrait les foules par des divertissements pour se détendre. On remarque aussi Andrei Ostermann, seulement âgé de quatorze ans en 1700. Ce fils d'un pasteur de Rhénanie, qui avait étudié à Iéna, en Thuringe, a dû s'enfuir après une rixe où il a tué un de ses camarades, en 1703. Réfugié en Hollande puis en Russie, il gagne sa vie comme traducteur. À la bataille de Poltava, il commande la cavalerie russe. Impressionné, le tsar lui confie des missions diplomatiques. Autre homme de caractère ferme, Boris Cheremetiev, qui a vingt ans de plus que le tsar, est un militaire de métier qui prend part à toutes les campagnes de Pierre dès les années 1680. Au début de la Grande Guerre du Nord, il est le commandant en chef. Malgré l'échec militaire, Pierre Ier l'estime beaucoup, car il est l'un des premiers à adopter les traditions et les costumes européens. Gavril Golovkine, âgé de quarante ans en 1700, a l'avantage de n'avoir aucun ennemi, d'être prudent et d'être respecté de tous ; il sera le premier chancelier de Russie, dirigeant les Affaires étrangères jusqu'à la fin de sa vie, même après la mort du tsar. Enfin, l'amiral Fedor Apraxine, né en 1661, est selon le tsar « un fidèle serviteur de la patrie », dirigeant la flotte russe pendant vingt-cinq ans malgré l'implication personnelle du monarque dans la conduite de la marine de guerre.

Tous ces compagnons de la formidable aventure exerceront les plus hautes fonctions ; certains connaîtront plus tard la disgrâce, voire une condamnation à mort ou l'exil après avoir été compromis dans des affaires douteuses ; d'autres, innocents ou avisés, échapperont à la vindicte impériale. Leur point commun est d'avoir compris, dès le début de son règne, que Pierre Ier voulait rattraper le temps perdu.

L'euphorie de la victoire sur les Suédois l'incite à repousser les Turcs une nouvelle fois. Grave imprudence ! En 1711, s'étant avancé jusqu'au Pruth, un affluent du Danube séparant la Moldavie de la Bessarabie, le tsar est encerclé. Il n'échappe au désastre qu'en restituant aux vainqueurs la forteresse d'Azov qu'il leur avait prise quinze ans plus tôt. Son retour est moins glorieux, mais Pierre l'Entêté compensera cette perte en élargissant sa « fenêtre » sur la Baltique : il occupera les provinces suédoises de Carélie, d'Estonie et de Livonie avant qu'elles ne deviennent définitivement russes par un traité conclu ultérieurement, à la fin de sa vie. Les succès dans le Nord n'effacent pas les défaites dans le Sud mais Saint-Pétersbourg sera une capitale nordique, qui doit donc logiquement être protégée, ce qui sera l'un des rôles de la forteresse de Kronstadt établie sur l'île de Kotline, en avant-poste de la nouvelle ville.

D'autres réformes internes sont lancées. Les mesures sont parfois incohérentes, souvent hâtives, mais assez radicales pour inaugurer une ère nouvelle. Ainsi, cette même année 1711, l'ancien Conseil des boyards est remplacé par un Sénat de neuf membres nommés par le tsar. Ils sont chargés d'élaborer les lois et de gouverner en l'absence du souverain qui ne tient pas en place. Sous le nom de « collèges », des ministères sont mis en place. De même, est renforcée une mesure prise en 1708 qui a divisé la Russie en douze provinces dirigées par un gouverneur. Et la noblesse est avertie qu'elle est désormais tenue au service de l'État ; elle sera complétée par une nouvelle aristocratie active, celle des fonctionnaires anoblis.

Si Pierre l'Administrateur a pris le soin de prévoir, au moins provisoirement et pendant qu'il voyage ou fait la guerre, que le Sénat remplace « la personne de Sa Majesté », c'est parce que sa succession l'inquiète. De son épouse Eudoxie, il a eu un fils, Alexis, né en 1690. On parle pour la première fois de ce garçon en l'appelant le tsarévitch. L'enfant, arraché à sa mère cloîtrée quand il avait neuf ans, a grandi loin d'elle et ne cache pas son aversion pour les bouleversements que conduit son père ni pour ses convictions, notamment spirituelles. Pis : l'héritier de la Couronne n'est pas intéressé par le trône et n'y prétend pas. Son entourage, borné et fanatique, l'entretient dans cet esprit rebelle. Alexis craint la violence de son père. Pour le souverain, déçu et peut-être vexé, ce fils est apeuré, lâche et de petite santé. Une malédiction ! À quarante et un ans, le tsar est donc soucieux, craignant un nouveau chaos s'il disparaissait. Les fortes résistances provinciales qu'il connaît, d'inspiration religieuse, traditionaliste et xénophobe, se vengeraient.

Et la Russie sombrerait, à nouveau, dans l'anarchie et l'immobilisme…

D'innombrables soucis compromettent l'avancée des travaux de Saint-Pétersbourg, par exemple l'incendie du 18 juillet 1706 qui épargne miraculeusement les poudrières de la citadelle. Le risque prouve que le bois qui brûle trop facilement doit définitivement être remplacé par la pierre. Chaque futur habitant devra fournir cent blocs par an, sous peine d'amende. Les soldats apprennent, eux aussi, plusieurs métiers ; au lieu de boire, ils deviennent maçons, et les prisonniers n'échappent pas à cette reconversion. Le chantier ne tolère aucun déserteur. Fin août 1708, il faut arrêter les travaux car les troupes suédoises ne sont qu'à une trentaine de kilomètres, et organiser la résistance. Le roi de Suède avait eu cette réflexion : « Laissons le tsar de Russie construire une belle ville, nous aurons le plaisir de la lui enlever », mais cela restera un vœu pieux : la cité ne tombera jamais aux mains d'un ennemi, à aucune époque. Comme pour entériner le choix de Pierre Ier, les circonstances viennent à son secours. Le 1er mai 1712, Moscou est en flammes, presque un siècle avant l'incendie allumé pour se protéger de l'invasion napoléonienne. Sur cinquante mille habitations, quinze mille sont détruites et cinq mille familles se retrouvent sinistrées. Le souverain invite alors les membres de celles qui redoutaient d'avoir à s'exiler au nord à quitter au plus vite les ruines fumantes et pourries de Moscou. Aurait-il lui-même fait mettre le feu à ce labyrinthe de bois que le tsar n'aurait pas été mieux servi dans son dessein. Mais l'aristocratie et les marchands renâclent. Des rumeurs font état de mauvais traitements appliqués aux étrangers – rumeurs infondées – et des plaintes des ambassadeurs, furieux d'avoir à déménager… Pierre l'Inflexible les dispense de réfléchir en signant un oukase transférant la capitale à Saint-Pétersbourg. L'acte le plus spectaculaire de son règne est aussi le plus audacieux puisque cette capitale existe à peine. Deux ans plus tard, une nouvelle fournée de Moscovites désemparés (douze mille foyers) reçoit l'ordre de se fixer sur les rives de la Neva qui commencent à se border de larges quais. Les protestations s'amplifient car, comme il n'y a rien, sinon un dédale de chantiers, tout est cher, très cher. Tant pis ! Le tsar calcule la hauteur des maisons et fixe le nombre des fenêtres. Pierre l'Autocrate est aussi urbaniste, soucieux de perspectives et d'alignements. Il faut voir large et grand, car ce n'est pas la place qui manque. Ceux qui n'ont pas compris ses « recommandations » vont vite regretter leur erreur : la résidence édifiée en infraction est démolie par un régiment qui assure la police de l'esthétique, et le contrevenant doit payer mille roubles, une somme énorme.

Les relations entre Pierre le Grand et son fils ne s'améliorent pas. On marie l'héritier à une princesse allemande – inaugurant une longue tradition chez les Romanov –, Charlotte de Brunswick, de quatre ans sa cadette. L'épouse ne s'est pas hâtée de venir en Russie, est restée étrangère à sa nouvelle patrie, ne parle pas russe et refuse de se convertir à l'orthodoxie. Alexis la trouve laide. Il lui préfère sa maîtresse, Aphrossina, une Finnoise vulgaire, rousse, grasse mais sensuelle. Cependant, en 1714, Charlotte donne une fille, Natalia, à son mari, puis retombe enceinte en 1715. Dans un accès de rage, Alexis la bat à mort ; Charlotte n'a que le temps d'accoucher d'un fils, Pierre, avant d'expirer… Ce drame épouvantable se transforme en une rumeur : Charlotte, blessée, se serait enfuie, laissant la place à une servante de son âge morte la veille ! Une légende comme il y en aura tant dans le destin des Romanov. En revanche, ce qui est bien réel est la nouvelle paternité de Pierre le Grand qui s'est remarié avec Catherine Alexeïevna, promue tsarine en 1711 : au moment même où le tsar a un petit-fils, il a aussi un fils, également prénommé Pierre ! Un nouvel imbroglio dynastique !

Le fossé se creuse entre le monarque et Alexis. Pierre le Grand est maladroit, Alexis aussi ; l'un comme l'autre sont entêtés. Si le tsar l'admoneste pour sa conduite, Alexis lui répond – par lettre ! – qu'il entend… se faire moine. En réalité, Alexis est de plus en plus terrorisé et s'enfuit avec sa maîtresse en Autriche où il est repéré par des agents russes. Ceux-ci le persuadent de rentrer en Russie en lui montrant une lettre de son père qui lui promet la vie sauve. C'est faux : le tsar ne lui a pas pardonné. Le tsarévitch, qui n'aime pas sa belle-mère dont il est le parrain (!), accepte et regagne Saint-Pétersbourg le 11 février 1718. En mars, il renonce à ses droits sur le trône – ce qu'il avait toujours annoncé –, mais Pierre le Grand se méfie de sa soumission de façade, certain que son fils conspire contre lui. L'attitude d'Alexis, outre sa nature sournoise, peut sans doute s'expliquer par la jalousie qui a aggravé son isolement. En effet, Catherine a déjà donné à Pierre le Grand deux filles, Anna, née en 1708 et Élisabeth, née en 1709. Il les adore, n'oublie jamais de leur écrire pendant ses voyages et leur rapporte sans cesse des cadeaux. La joie de ce père éclate quand les deux princesses sont assez grandes pour répondre à ses lettres. De plus, les deux sœurs s'entendent à merveille et ne se séparent jamais bien qu'elles soient fort différentes : Anna est brune, raisonnable, timide et d'un caractère égal tandis qu'Élisabeth, blonde, rit facilement et se montre vive et toujours gaie. Cette harmonie entre ses demi-sœurs ne peut qu'aviver la rancœur du pauvre Alexis ; avec lui, la nature a été injuste, et il a toujours été un mal-aimé.

Et le pire arrive. La scène est effroyable. Arrêté, celui qui n'est plus le tsarévitch est accusé de désertion, interrogé personnellement par son père qui exige le nom de ses complices. Pierre le Juge préside un véritable tribunal composé de cent quarante-quatre membres. Torturé – en présence de son père ! –, le fils est reconnu coupable de crime contre l'État le 24 juin 1718 et condamné à être fouetté jusqu'à ce que mort s'ensuive, un châtiment particulièrement abominable. Deux jours plus tard, sur ordre du tsar, le malheureux est secrètement tué, étranglé selon les uns, empoisonné selon les autres. Cette exécution a lieu dans la forteresse Pierre-et-Paul, dans une cellule que l'on peut voir à gauche, en entrant. Pierre le Grand a fait mourir son héritier légitime. De quoi était donc coupable Alexis ? Il est difficile de l'établir. Sa vraie faute était, sans doute, d'avoir déçu son père. Intraitable, le tsar n'a voulu défendre que l'État russe. Il avait, en effet, décidé que les agents publics jureraient de servir l'État et non plus le tsar, inventant en Russie la notion de service public.

Cette insupportable tragédie, que n'aurait pas désavouée Shakespeare, s'est déroulée au retour du second grand voyage de Pierre le Grand. À Versailles, dont il a voulu s'inspirer pour son palais de Peterhof (Petrovoretz), sur la Baltique, le tsar est arrivé après la mort de Louis XIV, sous la Régence. À Paris, en l'hôtel de Lesdiguières, le 10 mai 1717, il a soulevé le jeune Louis XV dans ses bras avec ces mots : « Sire, ce n'est pas le baiser de Judas ! » En observant le petit roi, âgé de sept ans, le visiteur eut l'idée de le marier avec sa fille cadette, Élisabeth. Comme on le sait, cette union ne se fera pas, mais on peut y voir les prémices d'une volonté d'alliance franco-russe... La cour du Régent, brillante et raffinée, fut étonnée, voire déçue, de la modeste mise du souverain. S'il est habillé à la mode française, c'est sans éclat, alors que le chambellan du Régent, Philippe d'Orléans, ne cessa de se changer et de se couvrir somptueusement, arborant une éclatante collection de rubans. Avec un humour cinglant, Pierre le Voyageur en conclut que, pour apparaître sans cesse dans de nouveaux atours, le chambellan... devait être bien mécontent de son tailleur !

En octobre 1717, le tsar repartit pour la Russie avec quatre superbes tapisseries des Gobelins, des bagages impressionnants et tout de même un traité signé avec la France. À quelques jeunes femmes vénales du quartier du Palais-Royal, il laissa le souvenir d'étreintes brutales et chichement payées ! Deux écus pour une nuit d'amour, c'est sordide ! Sa Majesté n'était pas au courant des tarifs parisiens ! Le lendemain, il s'était endormi à l'Opéra...

La mort d'Alexis ne pouvait que servir les intérêts de sa belle-mère, la tsarine Catherine, puisque son fils, Pierre, peut à présent revendiquer la Couronne. Qui est donc la seconde épouse du tsar ? Une héroïne de conte de fées. Lituanienne de basse origine, de son vrai nom Maria Skavronskaïa et lavandière de son état, elle avait été capturée par les Russes en août 1702, lors de l'assaut lancé contre la forteresse de Marienbourg, en Livonie (actuelles Estonie et Lituanie). Pierre Ier la rencontra parmi la maisonnée de son ami Menchikov, ce compagnon d'armes avec lequel il partageait divers plaisirs et qu'il nomma premier gouverneur de Saint-Pétersbourg. La jeune femme, née le 5 avril 1684, fut rebaptisée Catherine dans la foi orthodoxe. Aimée de Menchikov, elle parvint à attirer et à retenir l'attention du tsar. Il en tomba amoureux, et elle devint sa maîtresse favorite. Elle était modeste, simple, généreuse, gaie et bonne ménagère. Le bonheur. Une gravure russe, anonyme, montre comment le prince Menchikov « céda » Catherine au tsar… Le 1er octobre 1711, elle était avec lui lors de la pendaison de crémaillère du palais Menchikov, la somptueuse résidence du gouverneur, dont l'intérieur aurait pu être celui d'une belle demeure d'Amsterdam. Le tsar s'y rendait souvent, comme en 1712 pour les mariages de ses compagnons Cheremetiev et Dolgorouki. Le palais était déjà réputé pour ses fêtes, et Catherine y revenait volontiers. Dans l'un des tout premiers ouvrages décrivant la nouvelle capitale, on pouvait lire que « la maison du prince Menchikov est la plus grande et la plus importante de l'île Vassilievski[1]. Elle est en briques, haute de deux étages, dans le style italien. À l'intérieur, il y a beaucoup d'appartements richement meublés et décorés ».

Comme on l'a dit, Catherine eut deux filles de Pierre Ier, Anna et Élisabeth, mais ne se maria que

---

1. En français l'île Basile, où Pierre le Grand avait aussi aménagé son extraordinaire cabinet de curiosités rapportées de son premier voyage pour l'éducation du peuple russe. Magnifiquement restauré et aménagé, le palais Menchikov rappelle l'importance du voyage du tsar et de ses proches en Hollande.

quand elles avaient respectivement quatre et trois ans, le 19 février 1712, ayant été proclamée tsarine depuis onze mois. En vérité, dès qu'elle avait connu le tsar, elle était tombée enceinte, mais presque tous ses enfants étaient morts en bas âge.

Doit-on voir dans un nouveau drame – naturel, celui-là et fort courant à l'époque – une manifestation de la justice divine punissant Pierre le Grand de son infanticide ? En avril 1719, le petit Pierre, âgé de quatre ans, frère d'Anna et d'Élisabeth et nouveau tsarévitch, meurt. Ses parents l'appelaient « petite pomme de pin ». Ils sont accablés. Pierre le Grand, qui a maintenant quarante-sept ans, avait tué son fils aîné au nom de l'espoir qu'il avait dans le second... et ce sinistre calcul était déjoué par la fatalité. Alors, le tsar vieillissant – selon les critères du temps – reporte ses ambitions successorales sur Catherine qu'il appelle son « amie de cœur ». Ayant une totale confiance en elle, il la déclare impératrice le 23 décembre 1721 et la couronne le 7 mai 1724. L'ancienne lavandière va régner sur la Russie ; le trône des Romanov a désormais une héritière, la première de la dynastie, si l'on excepte la régence de Sophie, la turbulente demi-sœur du tsar, de 1682 à 1689. Catherine, Pierre n'en doute pas, saura tenir l'État d'une main ferme.

Satisfait d'avoir enfin pu mettre en ordre l'avenir de son empire, Pierre le Grand souffre d'une santé terriblement altérée. Ses maux sont multiples comme si, pour atteindre un tel homme, la maladie devait attaquer sur plusieurs fronts : la gravelle (maladie de la pierre dans les reins, comme Montaigne), l'asthme, un brûlant souvenir vénérien et d'effroyables plaies suppurantes sur tout son immense corps... Cependant, ce travailleur acharné semble recouvrer ses forces. Ses médecins parlent de miracle. Alors, repris par ses vieux démons, il recommence ses beuveries et autres banquets. Sur l'île de Kronstadt, lors de la consécration d'une église, le tsar et sa bruyante suite vident trois mille bouteilles !

Pierre le Grand est un visionnaire… qui ne voit pas que Catherine, qu'il adore, le trompe avec son grand chambellan, William Mons ! C'est cinq mois après avoir couronné sa femme qu'il découvre sa trahison, en novembre 1724, par un rapport, embarrassé, de sa chancellerie secrète. Comme tous les maris, l'homme le plus puissant et le mieux informé de Russie ignorait son infortune. Furieux, atteint dans son honneur, le tsar déchire l'oukase, le décret contenant son testament, par lequel il avait désigné celle qui devait lui succéder. Évidemment, son rival est jeune et beau. William Mons est aussi le frère d'une ancienne maîtresse de Pierre, une certaine Anna. En état de choc, le tsar s'enferme dans un silence plus inquiétant que ses colères ; pendant quinze jours, il ne dit rien, ni à son entourage ni à Catherine ; l'infidèle ne se doute pas qu'elle a été démasquée. Un soir, ayant soupé avec les coupables, le tsar bafoué fait arrêter l'amant et ordonne à Catherine de se retirer dans ses appartements. Le 28 novembre, Mons, formellement accusé de corruption, est décapité à la hache.

Aussitôt, Pierre le Vengeur oblige son épouse à l'accompagner dans une inattendue promenade en traîneau. Comme par hasard, l'équipage passe devant l'échafaud. Le corps supplicié de Mons y est exposé. Une vision insoutenable… que Catherine soutient. Elle est incroyablement calme, sourit et ne bronche pas. Le soir même, sur une de ses cheminées, elle trouve un délicat présent de son mari offensé : la tête de William Mons dans un bocal de vodka, ses yeux exorbités semblant la fixer ! Toujours maîtresse d'elle-même, Catherine ne s'émeut pas, comprenant que Pierre la met à l'épreuve, poussant sa résistance nerveuse à bout. Elle tient. Ni cris, ni évanouissement ; elle reste de marbre, comme le manteau de la cheminée. Cette stupéfiante attitude a le don d'exaspérer le tsar. Il n'en peut plus, il explose. Ivre de rage, il brise une magnifique glace de Venise et lance à Catherine, toujours impassible :

— Je vous briserai aussi, toi et les tiens !

Stoïque, son épouse se contente d'une remarque :

— Vous venez de détruire l'un des plus beaux ornements de votre palais… En êtes-vous plus heureux ?

Cependant, en dépit de sa sérénité apparente, cette femme, très intelligente, sait qu'elle est perdue. Elle livre une guerre d'usure contre son mari malade et furieux qui peut, à tout instant, la faire périr avec les plus atroces raffinements. C'est alors qu'un incroyable hasard va la sauver. L'événement vient de France : le Régent est mort, et on reparle d'un possible mariage entre le jeune Louis XV (il a maintenant quinze ans) et la princesse Élisabeth Romanov, âgée de seize ans. Le vieux rêve du tsar. Les pourparlers franco-russes sont bien engagés et les conseillers du souverain lui font remarquer que l'exécution, pour adultère, de la future belle-mère du roi de France anéantirait tout espoir d'union et nuirait gravement à la réputation de la Russie et à sa dynastie. Avec un désarmant sourire, Catherine continue de jouer sa tête, mais l'intérêt diplomatique est sa meilleure garantie de survie.

Pierre le Grand, très atteint par cette situation qu'il ne maîtrise plus, persiste à s'occuper des affaires publiques. Son entourage est, comme d'habitude, stupéfait de sa résistance faite d'une énergie désordonnée et surhumaine. Mais si le monarque travaille, l'homme rumine la suite de sa vengeance, hésitant entre les divers châtiments qu'il pourrait infliger à sa maudite femme. Le plus classique, précisément réservé à l'épouse adultère, consiste à l'enterrer vivante jusqu'au cou, sans eau ni nourriture ; l'abominable supplice provoqué par la paralysie des cuisses et des jambes (un symbole !) dure entre cinq et six jours… Le 16 janvier 1725, les ambassadeurs ont gain de cause ; la tsarine fait acte de contrition et d'allégeance envers son époux qui, les médecins sont formels, livre son dernier combat, contre la mort. L'entretien dure trois heures. Ensuite, d'après un témoin, « on soupa ensemble puis on se sépara ». Cette réconciliation, amplement officialisée – nous pourrions presque dire médiatisée –, est immédiatement portée à la connaissance des cours étrangères, en général réservées sur la brutale et surprenante Russie. Non, Pierre le Grand n'est pas un nouvel Henry VIII. Non, Catherine ne sera pas une nouvelle Ann Boleyn.

Toutefois, pour son entourage, il semble que le tsar n'ait toujours pas désigné son successeur. On apprendra, plus tard, que six jours après ce qui ressemblait à un pardon, l'empereur cocufié signait le contrat de mariage de sa fille aînée Anne avec un prince allemand, Charles-Frédéric de Holstein. L'infidèle Catherine n'avait donc pas été pardonnée ; elle est même brusquement évincée au profit de son petit-fils… à naître ! Le tsar a précisé que le premier garçon né de ce mariage serait élevé à la cour de Russie et aurait donc le rang de futur héritier. Le 27 janvier, dans la soirée, Pierre Ier est au plus mal. La conscience lourde du meurtre de son fils, il se confesse et communie trois fois. À deux heures du matin, il réclame de quoi écrire. Péniblement, d'une plume tremblante, il parvient à tracer trois mots : « Rendez tout à... » Un ordre, le dernier. Mais comment savoir quoi rendre et à qui ? La plume a glissé de sa main fébrile. Le lendemain, 28 janvier 1725, le tsar qui a réveillé la Russie s'endort définitivement. Ses ultimes instants conscients furent, comme d'habitude, consacrés à la Russie et surtout à son avenir. Miné par plusieurs maladies, épuisé par d'atroces souffrances, son organisme puissant lui fit croire qu'il allait se rétablir pour désigner lui-même son successeur puisqu'il n'avait pas encore de petit-fils[1]. Il s'éteint dans le premier palais d'Hiver ; il l'avait fait élever entre 1711 et 1717, bien entendu sur les bords de la Neva. Ce bâtiment – qui n'avait rien à voir avec celui, ultérieur, que nous connaissons et qui abrite aujourd'hui le musée de l'Ermitage – n'avait qu'un seul étage, surmonté d'une mansarde. Son palais d'Été, jaune et vert – il existe toujours –, œuvre très simple de Domenico Trezzini, date des années 1710 à 1714.

Pierre le Grand quitte la scène à cinquante-trois ans, après un règne de quarante-trois années, ce qui est déjà un exploit. Dans l'interminable nuit nordique, son cher Saint-Pétersbourg, figé par la neige et le gel, est secoué de salves d'artillerie. Depuis la forteresse, cent un coups de canon annoncent la mort de l'empereur. Le glas vole de clocher en clocher, tous effilés et pointus,

---

1. Celui-ci, le futur Pierre III, naîtra trois ans plus tard, en février 1728.

à l'opposé de la tradition des bulbes ventrus. Le canon de Saint-Pétersbourg servait, chaque jour, à indiquer l'heure, à midi précis, selon un ordre destiné à informer le peuple[1].

Le bilan de ce grand règne est spectaculaire, parfois bizarre ou incohérent. Pierre le Grand a systématiquement imité l'Occident avec des méthodes empiriques et un véritable génie de l'improvisation qui a impressionné l'Europe, tout en terrorisant sa famille et ses sujets. Mais – et cela constitue une nouveauté dans la mentalité politique russe – son seul souci fut ce que nous appellerions le bien public, en étouffant les intérêts particuliers. Dans la correspondance de l'empereur, on lit cette réflexion fort sage : « Un souverain doit se distinguer de ses sujets non par l'élégance de son extérieur et encore moins par le luxe, mais en portant constamment dans son âme le lourd fardeau du bien-être de l'État et du soulagement de ses sujets. »

La suppression du patriarcat de Moscou, en 1721, et son remplacement par un saint-synode ont subordonné l'Église à l'État, ce qui constituait une révolution. La hiérarchie orthodoxe s'était étranglée dans ses barbes lorsque le tsar, ayant consulté des mathématiciens, avait modifié le calendrier et fait partir l'année en janvier au lieu de septembre. « Il vole du temps à

1. La tradition est respectée : tous les jours, un officier consulte sa montre et fait tirer, à midi, un coup à blanc depuis un bastion de la citadelle. Longtemps, outre la mort du souverain ou la naissance d'un héritier, le canon servit aussi à annoncer l'évasion d'un prisonnier (comme le fameux « Tonnerre de Brest », à l'origine un juron de marin) ou l'ouverture d'un chenal dans la Neva prise par les glaces.

Dieu ! » s'exclamèrent les popes et métropolites[1]. De retour de son voyage en Hollande, il avait conseillé aux femmes de fumer la pipe à la manière des pêcheurs. Si le tsar a pris des mesures en faveur de l'enseignement, elles concernent surtout les disciplines techniques avec la création d'une Académie navale, d'une École de chirurgiens, d'une École d'ingénieurs ; il a préparé, avec Leibniz en 1724, l'ébauche d'une future Académie des sciences. Il encouragea des manufactures privées telles que la fonderie Demidov, dans l'Oural, et soutint la prospection minière. Il faut enfin rappeler que le gigantisme de ses travaux s'est aussi appliqué au creusement de canaux reliant la Volga au Don et au golfe de Finlande.

Mais bousculer un tel pays en moins de trente ans ne pouvait donner partout des résultats efficaces et harmonieux. Certaines contradictions paraissent ridicules et incompréhensibles. Exemple : un système universitaire est créé, mais l'enseignement primaire et secondaire a été oublié. Exemple : le peuple fabrique des articles et des produits dont il n'a pas besoin et ne sait que faire, tandis que le poids du servage s'est accru. La tâche du tsar était surhumaine, à sa dimension. Ses réformes touchent surtout les classes élevées, dirigeantes, ouvertes aux initiatives, les citadins, c'est-à-dire encore très peu de gens. Le peuple des campagnes est resté à l'écart. Il faudra du temps pour que l'occidentalisation progresse,

1. Le calendrier julien, adopté par la Russie jusqu'en 1918, est en retard sur le calendrier grégorien, établi en 1582. Le décalage, variable, peut atteindre quinze jours. Ainsi, par exemple, le tsar est décédé le 28 janvier 1725 selon un système, le 8 février selon l'autre. Et, comme on le sait, la révolution dite d'Octobre éclata en novembre 1917.

par une lente perfusion. Saint-Pétersbourg en est le symbole puisque, par oukase, pendant vingt-cinq ans, la construction en pierre est réservée à la capitale et qu'aucun détournement de matériau n'est toléré ; en revanche, le bois demeure autorisé pour les environs, les villages. À la mort de son créateur, la ville compte déjà soixante-quinze mille habitants ; Moscou, à tous égards, est supplantée. La ville de Pierre est large, sans dédale, aérée, bien dessinée. Elle aligne ses premiers palais, encore modestes, des entrepôts, des canaux, un port et déjà une magnifique artère de trois kilomètres de long, la perspective Nevski, qui irrigue la ville d'un sang neuf, d'une boucle de la Neva à une autre. Issue du néant en moins de quinze ans (des demi-années, en fait, compte tenu des redoutables hivers), la cité est tellement originale et déconcertante qu'elle a suscité des méfiances, des réticences, des soupçons, mais aussi quelques émerveillements. Ils seront de plus en plus nombreux. Quelque cent dix ans plus tard, l'écrivain Nicolas Gogol écrira, précisément dans son livre *La Perspective Nevski*, que « Saint-Pétersbourg est une ville étrangère à son pays ». C'est un très bel hommage à Pierre le Grand et un paradoxe, comme toute son existence : la capitale de la Russie n'est pas russe ! Peu lui importait. En dérangeant son empire, il a étonné l'Europe. C'était voulu. Ce n'était qu'un début. De sa main de fer, il a saisi la Russie à bras-le-corps pour la faire passer de l'obscurantisme aux Lumières. Parmi les symboles de son règne, il en est un, curieux, demeuré, en place jusqu'en 2008 : le tsar avait confectionné des « portianki », un carré de tissu enveloppant les pieds du fantassin russe, très astucieux parce que, à la différence des chaussettes, les « portianki » sèchent vite, ne compriment pas les pieds et peuvent s'ajuster à une botte trop haute. Chaussés de « portianki », les fantassins russes étaient arrivés jusqu'à Paris, en 1814. L'ancienne Armée rouge, qui se réforme dans la douleur, a fini par reconnaître l'avantage des chaussettes. Pierre le Grand a fait marcher les Russes près de trois siècles !

Hélas ! le mélange de folie et de sagesse que fut sa vie laisse une situation bien fragile. En ce début 1725, à cause d'une épouse infidèle ayant gâché sa fin et ses prévisions, la Russie n'a pas d'héritier officiel. On peut donc craindre le pire.

Qui aura la tâche, écrasante, de succéder à ce géant de l'histoire[1] ?

---

1. En 2010, parmi les manifestations de l'année France-Russie, une grande exposition, « Sainte Russie. L'art russe, des origines à Pierre le Grand », a été présentée au musée du Louvre, du 5 mars au 24 mai.

3

Catherine Iʳᵉ ou la transition forcée

Le vide et l'inquiétude. C'est ce que ressentent les dignitaires de l'État russe à la mort du grand tsar. Ses anciens compagnons d'armes, en particulier Alexandre Menchikov, se hâtent, dès le 28 janvier 1725, d'organiser la proclamation de sa veuve en qualité d'impératrice régnante. Mais ils craignent l'arrivée au pouvoir du petit-fils de Pierre, âgé de dix ans, le fils d'Alexis dont ils ont, sans doute, contribué à favoriser l'exécution par son père. Ils redoutent surtout son « vieil entourage » qui paraly-serait la Russie. Les droits de l'enfant sont soutenus par l'ancienne aristocratie et le peuple qui répugnent à accepter les réformes. Les uns comme les autres veulent réhabiliter les traditions bafouées par Pierre le Grand, dont celle d'un héritier mâle. Par précaution, les partisans de Catherine exigent que les régiments de la garde bloquent les accès au premier palais d'Hiver. Et par une sorte de coup d'État, qu'elle accompagne de subsides pour payer des régiments sans solde, cette femme de bon sens réussit un prodige : pour la première fois depuis son accession au trône en 1613, la famille Romanov conserve le pouvoir grâce à une femme. La nouvelle tsarine, qui a quarante et un ans, fait valoir qu'elle avait été couronnée par le tsar un an auparavant afin de mieux assurer la continuité des institutions publiques. C'est exact. Avisée, entourée de conseillers subtils, elle retourne les esprits et se montre à la hauteur du regretté tsar. Sous la contrainte, les dignitaires approuvent l'élection de Catherine Ire, renonçant à considérer que peu de temps avant sa mort, le défunt monarque l'avait écartée de la succession. Il n'est d'ailleurs pas certain qu'à ce moment délicat, tous aient été au courant de cette répudiation dynastique.

Bien en chair, elle apparaît sceptre à la main droite, désignant la couronne impériale de la gauche, coiffée d'un diadème et arborant un grand cordon bleu. Elle ne permet aucun doute, la souveraine, c'est elle… Et à ceux qui lui objectent l'existence d'un tsarévitch, elle répond qu'il n'a que dix ans et qu'une régence est indispensable. N'est-elle pas une régente idéale ? L'ancienne paysanne apparaît, ainsi que l'a présentée Michel de Saint-Pierre, « … comme une personne opulente aux seins généreux, difficilement contenus par le riche corsage d'apparat, offrant un visage sensuel, gourmand, aux lèvres épanouies, au menton déjà empâté, au nez fort, aux sourcils noirs, au regard tout ensemble avide et profond. Le front est vaste, la chevelure abondante et lustrée comme le poil d'une bête bien portante ».

Afin de décourager les sceptiques, cette blonde qui se teint en brune précise qu'elle ne faiblira pas : « J'ai le désir de mener à bonne fin, avec l'aide de Dieu, tout ce que Pierre avait commencé[1]. »

---

1. *Le Drame des Romanov*, Robert Laffont, deux volumes, 1966 et 1969. Réédition en un seul volume chez le même éditeur, 1988.

Le défi de l'impératrice est double. Elle doit d'abord supporter la comparaison avec son illustre mari et ensuite révéler ses propres qualités. L'empreinte du géant disparu est soulignée dans plusieurs pays d'Europe, en particulier en France où deux fins esprits ont observé l'action du tsar réformateur, brutal et pragmatique. L'un est Voltaire qui écrit : « Les Russes possédaient les plus vastes États de l'univers, et tout y était à faire. Enfin, Pierre Ier naquit et la Russie fut formée. » L'autre est Fontenelle, un philosophe poète très versé dans les progrès mécaniques et réputé pour la pertinence de ses pressentiments ; c'est lui qui prononce l'éloge funèbre du tsar devant l'Académie des sciences en affirmant : « Le despotisme est légitime dès qu'il est employé à des vues de progrès. » En somme, ces deux avis englobent la forme et le fond des bouleversements. En imposant une place à son pays, feu le tsar avait aussi irrité beaucoup de monde, ce qui, d'une certaine façon, prouvait sa réussite. À Londres, les négociants boivent à la santé du « diable mort » ! Rappelons, tout de même, que le roi George Ier, un Hanovre qui avait, lui aussi, fait emprisonner sa femme, jugeait le défunt très intéressant. En 1715, il s'était soucié d'envoyer un cadeau approprié à Pierre le Grand ; ce tsar aimant mesurer le temps, un cadran solaire en or, œuvre de son horloger John Rowley, lui avait été remis par Narychkine, un cousin du tsar, de la part du roi d'Angleterre. À Stockholm, à Copenhague et à Varsovie, on pleure de joie. À Berlin, on rappelle que l'empereur y avait un de ses tailleurs favoris. À Moscou la détrônée, les partisans de la vieille Russie se disent soulagés ; ils font circuler une caricature avec cette légende « L'enterrement d'un chat par des souris »...

Le testament le plus tangible de Pierre le Grand est sa ville dont on énumère les réalisations : une centaine de rues, une centaine d'îles, ses cinq cent quatre-vingt-quinze grosses lanternes fonctionnant à l'huile de chanvre qui percent les brumes d'une lueur jaune, fragile et fantomatique. Au moment où Catherine lui succède, un premier pont est jeté sur la Neva. Il a la forme, grossière, de chalands amarrés les uns aux autres, grinçant et craquant. Grâce à ce ponton, le fleuve capricieux devient une immense avenue qui communique avec le monde ; dans ses entrepôts, passe une très large majorité du commerce russe avec le reste de l'Europe. C'est aussi une référence artistique ; la grande Neva (son cours principal) conditionne la dimension des passages, des perspectives et la hauteur uniforme des constructions, préparant un spectacle admirable, digne du pinceau de Canaletto.

Pour sa veuve, qui se prétend l'héritière légitime, ce bilan est écrasant. Que peut-elle avancer ? Un passé amoureux agité, on l'a vu, lié aux affrontements guerriers en Europe du Nord. Livrée tantôt aux uns, tantôt aux autres, elle a vécu de garnisons en lieux de plaisirs. Mais il faut lui reconnaître une fidélité certaine aux hommes de sa vie... avant qu'elle épouse Pierre le Grand. Lors d'une expédition contre les Turcs, elle était parvenue à soudoyer le grand vizir, on ne sait par quels moyens, pour qu'il libère son premier mari, simple soldat du roi de Suède captif depuis dix ans.

Elle se tourne donc vers son ancien amant, Menchikov – aussi, le meilleur ami du tsar –, lui confiant la direction de l'État avec le Conseil suprême secret, créé en février 1726. À cinquante ans passés, Menchikov va connaître l'apogée de sa puissance. Ce prince a un objectif non dévoilé qui est de marier sa fille à celui qu'il reconnaît comme le véritable successeur de Pierre, le tsarévitch. Cette union couronnerait une prodigieuse carrière. Catherine Ire continue de vivre au palais d'Été. Autrefois, le tsar lui réservait le premier étage de cette construction modeste bien qu'entourée d'un parc « versaillais » fermé par de belles grilles. L'impératrice y maintient les réceptions que son mari affectionnait, où les femmes devaient être présentes même si ces assemblées se terminaient, invariablement, en beuveries sonores. Elle ajoute quelques instructions surprenantes pour l'étranger mais pas en Russie : aucune femme ni aucun homme ne doit paraître ivre avant… neuf heures du soir ! Elle-même apprécie le vin de Tokay, ce cru hongrois qu'on avait servi à Louis XIV. On suppose qu'à partir de l'heure indiquée, le vieux passe-temps de l'ivrognerie reprend ses droits. Un de ses familiers s'amuse à dire que l'usage de la boisson doit être réglementé comme la vie d'une garnison ! Très vite, au plafond de la pièce qui fait fonction de salle du trône, la tsarine est peinte juchée sur un char tiré par des aigles, dans une course céleste pour rejoindre une gloire inaccessible. Car Catherine Ire est rapidement consciente des limites de ses capacités. Menchikov agit à sa place ; elle ne s'en sent pas la force et elle lui est reconnaissante de l'avoir élevée au rang de souveraine. Elle avait été sa première maîtresse – déjà mariée –, il est son Premier ministre. C'est une association. L'influence de Menchikov fait beaucoup de jaloux ; il le sait et se méfie surtout d'un ancien proche du tsar, le comte Piotr Tolstoï ; chef de la Chancellerie secrète, ce dernier avait accompli de nombreuses missions occultes pour Pierre le Grand. À quatre-vingt-un ans, cet homme, intelligent et rusé, essaye de minimiser l'emprise de Menchikov sur la tsarine. En vain. Il est arrêté préventivement, exilé, et finira ses jours en prison quatre ans plus tard, dans une des tours du monastère des Solovki.

À ses invités, l'impératrice rappelle combien elle aime la vie simple. Elle évoque son mariage avec Pierre le Grand en 1712 qui avait rompu, lui aussi, avec les traditionnelles cérémonies des souverains russes. Au palais d'Hiver, la fête s'était déroulée sous un immense lustre d'ivoire que le tsar avait ouvragé lui-même. Les mariés étaient assis à une table centrale tandis qu'une immense table en forme de cercle fermé rassemblait des marins, des hommes du peuple avec leurs femmes. Jamais, on s'en doute, elle ne fait la moindre allusion à sa calamiteuse liaison avec Mons. Elle s'efforce d'être digne. Ses efforts sont méritoires car, ne sachant ni lire ni écrire, elle tient à inaugurer, dans le cabinet des curiosités, l'Académie des sciences que le tsar n'avait pu voir achevée. Bien qu'ignare, Catherine Ire rend hommage au formidable butin ethnographique et anthropologique amassé par Pierre le Curieux. Avec ses précieux trésors, il s'agit du premier musée ouvert en Russie[1]. La tsarine fonde aussi une taillerie de pierres, dont de sublimes malachites de l'Oural.

---

1. L'Académie des sciences fut transférée à Moscou en 1934, mais certains instituts demeurèrent à Leningrad / Saint-Pétersbourg. Dans l'esprit de Pierre le Grand, l'ensemble des bâtiments fut enrichi de collections ultérieures, comme les fossiles géants de mammouths trouvés en Sibérie en 1900 et une bibliothèque scientifique de quatorze millions de volumes.

Mais ce règne de bonne volonté est vite brisé. Le 17 mai 1727, l'impératrice Catherine Ire est emportée par une mystérieuse affection qu'on appelle, à l'époque, « fièvre chaude » ; elle n'avait que quarante-trois ans. Si ses deux années ont été sans éclat, à l'inverse de son époux, elle laisse un testament officiel désignant le petit-fils de Pierre comme successeur. À douze ans, il devient Pierre II, soutenu par l'inévitable Menchikov dont le plan grandiose est en passe de réussir puisque, selon ses dernières volontés signées la veille de son trépas, Catherine a cautionné le mariage de Marie Menchikova avec le nouveau tsar. Plus exactement, elle acceptait que le petit-fils de Pierre le Grand règne à condition qu'il épouse la fille de son confident. Nuance ! Une Menchikov unie à un Romanov, c'était son ambition et il aurait dû s'en contenter… Mais il ne se tient plus, se nomme généralissime, multiplie les arrogances contre la dynastie et oblige Pierre II à résider chez lui, le tenant en permanence sous son contrôle. Au cours de l'été, Menchikov tombe gravement malade ; le jeune tsar, lassé de sa tutelle, s'échappe. Immédiatement, les ennemis de Menchikov l'attaquent. C'est la curée. En quatre mois à peine, l'étoile de l'homme le plus puissant de Russie pâlit. Ayant accumulé d'immenses richesses et dilapidé des fonds de l'État, il est qualifié de « plus grand voleur de l'Empire » et arrêté le 8 septembre 1727. Le complot, ourdi par la plus ancienne aristocratie russe avec l'appui de Pierre II lui-même, est celui de l'exaspération. Destitué après un simulacre de procès, l'insupportable nouveau riche qui s'était pris pour le tsar échappe au fouet et à la décapitation grâce à l'indulgence – un peu forcée – de Pierre II et à la restitution – non spontanée ! – de tout ce qu'il avait volé, ayant été pris sur le fait à plusieurs reprises. Sa peine est commuée en déportation sibérienne, avec toute sa famille, en particulier sa fille Marie que devait épouser le tsar… La chute de l'ancien favori de Pierre le Grand est phénoménale ; la princesse Marie – à peine seize ans – est exilée avec son père à Berezovo. Ils y périront un an plus tard, dans la misère.

Le destin d'Alexandre Menchikov qui s'est brûlé au soleil du pouvoir est la parfaite illustration qu'en Russie, un air trop vif balaie les présomptueux, les fanfarons et les voleurs vers la glace et la mort. Deux siècles avant Staline, l'exil sibérien est déjà une « solution » au problème des opposants politiques…

4

Pierre II ou la revanche de Moscou

Enfin, il est libre de régner et son trône est incontesté. Après six mois de pouvoir rogné et espionné par Menchikov, le petit-fils de Pierre le Grand entre en scène d'une manière surprenante : il trahit l'œuvre de son grand-père. En effet, au début de 1728, ce tsar de douze ans signe un oukase transférant la Cour et le gouvernement à… Moscou ! Saint-Pétersbourg n'est plus la capitale de l'Empire russe ! Les vieilles barbes triomphent, répétant que la cité le long de la Neva n'aura été qu'une distraction onéreuse, un caprice sans avenir. On imagine la stupeur embarrassée des ambassadeurs, tel celui de Louis XV, ne sachant plus dans quelle ville présenter leurs lettres de créance ni établir leurs légations ! Faut-il vraiment déménager, transporter familles, suites, domestiques, équipages, mobilier ? Faut-il absolument repartir quelque sept cents kilomètres au sud, sur ces routes gelées, parce qu'un enfant l'a décidé ? Faut-il abandonner cette ville conçue pour développer les échanges avec les étrangers ? Il le faut ! Le chaos est complet et l'impression désastreuse ; entre une tradition sclérosée et un aventurisme fascinant, on ne sait où va la Russie...

Pourquoi cette décision que rien ne laissait deviner ? Parce que les grandes familles, tels les Galitzine, l'ont suggérée au jeune souverain pour qu'il se différencie de son ascendant. Le meilleur ami du tsar est Ivan Dolgorouki, âgé de vingt ans. En 1726, il avait été nommé sous-officier à la cour de Pierre ; depuis l'exil de Menchikov, il a été promu grand chambellan. Simple révolution de palais ? Non. Dolgorouki, chasseur assidu, a persuadé le nouveau tsar que les forêts à l'entour de Moscou étaient bien plus giboyeuses que les marais difficilement domptés des rivages de la Baltique. Un jeu, mais le tsar est le jouet de personnages exploitant son manque de caractère. Pierre II passe donc des heures à chasser le cerf dans les parages moscovites avec, parfois, la vision lointaine des coupoles dorées du Kremlin. Le tsar est un adolescent en bonne santé et précoce. Mais il n'a aucune disposition pour la vie intellectuelle et politique. Les leçons ? Rejetées. L'éducation ? Méprisée. L'État ? Délaissé. La formation du tsarévitch par le vice-chancelier Ostermann a été très médiocre. Orphelin à trois ans, il avait grandi solitaire et renfermé. Adolescent devenu empereur, il se montre despotique et autoritaire, sans doute par revanche sur sa triste enfance. L'ambassadeur du roi d'Espagne écrit qu'il était « de haute taille, un bel homme bien bâti ; son visage était pensif ; massif, son allure était solennelle et sa force exceptionnelle. Avec ses proches, il parlait d'un ton calme mais n'oubliait jamais son rang ». D'autres contemporains sont plus sévères : le tsar est fier, capricieux, méchant et cachottier. Il n'obéit qu'à sa sœur aînée, la grande-duchesse

Natalia avec laquelle, cinq ans plus tôt, il se déguisait, lui en Apollon et elle en Diane.

Natalia, son aînée de un an, est intelligente et aimable ; au début, son frère écoute ses conseils, puis ses appels à la modération l'ennuient ; bientôt, il la fuit, comme un enfant boudeur et pris en faute. Malheureusement, atteinte de « phtisie galopante » (la tuberculose), elle meurt en novembre 1728, à l'âge de quatorze ans. Pierre II tombe alors sous l'influence de toute la famille Dolgorouki, en particulier celle du père, tout-puissant – le prince prétend être le Premier ministre et entre chez l'empereur sans se faire annoncer –, et d'Ivan dont la débauche paralyse la volonté.

Cette période est marquée par l'affaiblissement de la puissance publique et un grave déclin de la politique étrangère. Et Saint-Pétersbourg ? La ville est abandonnée, les chantiers arrêtés ; les architectes, peintres, ébénistes et autres talents sont inquiets ; les administrations fonctionnent plus ou moins et certaines ont été démantelées ; les habitants, dont beaucoup ont été transplantés de Moscou, se sentent orphelins, désemparés, et toute l'Europe s'interroge : le fabuleux rêve de Pierre le Grand est-il condamné ? L'attitude de son petit-fils est paradoxale puisqu'il pose, en 1729, pour un portrait officiel en *Petrus Imperator* dans un costume conforme aux choix de son grand-père : perruque poudrée et habit à la mode européenne, cuirasse légère, manteau de cour simplement jeté sur l'épaule, en bref rien de « russe à l'ancienne » ni d'oriental.

Pierre II est très proche de sa tante Élisabeth, qui a six ans de plus que lui. La future impératrice est belle, rieuse, et passe pour frivole. Ensemble, ils chassent à courre. Un moment, il est question de mariage entre eux, mais Élisabeth tombe amoureuse d'un général. Pour Pierre II, l'épreuve est dure ; se sentant trahi dans sa passion fiévreuse, il se détourne d'elle et la considère désormais avec froideur et dédain.

Le prince Dolgorouki nourrit le même rêve que Menchikov : il espère marier sa fille Catherine à Pierre II. Leurs fiançailles sont célébrées le 30 novembre, et le mariage est fixé au 19 janvier 1730. Mais, une fois de plus, ce mirifique projet échoue, Pierre II ne semble pas destiné au mariage. Le 6 janvier, jour de l'Épiphanie où l'usage veut que le souverain apparaisse sur la Moskova gelée, il reste trop longtemps dehors et prend froid. Trois jours plus tard, son visage se couvre de pustules. La petite vérole ! Autrement dit la variole, celle-là même qui emportera Louis XV et grêlera le visage enfantin de Mozart. Son état s'aggrave et il délire. Les Dolgorouki, qui pressentent l'échec de leur plan, rédigent un faux testament et tentent de faire monter sa fiancée Catherine sur le trône. Mais la manœuvre, grossière, est dévoilée, et le faux document scandalise la Cour. Avant de perdre totalement connaissance, Pierre II appelle son précepteur Ostermann et hurle :

— Attelez les chevaux ! Attelez le traîneau ! Je veux aller chez ma sœur !

Ses dernières paroles. Il meurt le 19 janvier, le jour prévu pour son mariage. On retiendra que le jeune tsar s'éteint dans le palais Lefort, achevé en 1699 et portant le nom du navigateur suisse, compagnon de Pierre le Grand qui l'avait rencontré dans ce qui était, au XVIIe siècle, le quartier des étrangers. Depuis, les Menchikov, qui s'en étaient emparés, avaient agrandi cette résidence où ils avaient été assignés le 8 septembre 1727, avant l'arrestation, le lendemain, du prince corrompu et leur déchéance.

Dans le domaine international, que retenir de ce règne blafard et insignifiant de moins de trois ans, qui a beaucoup nui à la Russie ? La signature, le 21 octobre 1727, du traité de Kiakhta déterminant la frontière russo-chinoise. À l'intérieur, la disparition du petit-fils de Pierre le Grand pose un nouveau problème grave puisque la lignée mâle directe des Romanov est éteinte. L'empire est comme Saint-Pétersbourg, son avenir est incertain. En effet, c'est à Moscou, au Kremlin, sur la place des cathédrales, dans la splendide collégiale de l'Archange-Michel, que Pierre II est inhumé. Son lourd sarcophage, près du pilier nord-est, voisine avec l'icône de saint Michel, la deuxième à droite, attribuée à Andréï Roublev, ce maître du genre au début du XVe siècle comme nous l'avons vu. Le fils du malheureux Alexis rejoint les quarante-sept princes de Moscovie reposant déjà ici, dont Ivan le Terrible et ses fils. Puisque Pierre II a expressément voulu être enterré dans la première nécropole impériale russe à côté du tsar Fedor, le dernier de la dynastie des Riourik, le retour d'un Romanov en ce lieu est lourd de sens. Dans cet environnement pictural exceptionnel où s'étale l'art byzantin, la vieille Russie semble avoir repris tous ses droits… Avant Pierre II, en effet, quatre Romanov, dont le père de Pierre le Grand et ses deux frères, y ont été ensevelis. Théoriquement, depuis la création de Saint-Pétersbourg, cette crypte ne devait plus être utilisée. Jusqu'au bout, Pierre II aura donc piétiné la volonté de son grand-père. Mais n'était-ce pas, avant tout, le règne d'un enfant ?

On assiste à une macabre compétition, rare en histoire, où deux villes se disputent l'honneur d'être la capitale d'un pays et d'y enterrer ses dirigeants. Une ambiguïté que le fondateur de Saint-Pétersbourg n'aurait jamais supportée car, si le passé triomphe, c'est l'avenir de la Russie qui est en jeu. Encore une fois…

5

Anna, la tsarine des bouffons et des nains

On lui a tout appris, elle n'a rien assimilé, elle n'a ni charme ni autorité… Tant pis ! Devant la vacance successorale, le prince Galitzine, membre influent du Grand Conseil suprême, n'a guère le choix : le 19 janvier 1730, au terme d'obscures manigances, il propose d'offrir le trône à la princesse Anna Ivanovna, fille d'Ivan V, le co-empereur et frère de Pierre le Grand. Cette nièce du grand tsar, née le 28 janvier 1693 à Moscou, a connu une existence romanesque et son règne sera riche en curiosités et péripéties cocasses, sans doute parce que son père était un malade mental notoire…

Anna avait passé son enfance à Moscou au domaine d'Izmaïlovo, une résidence d'été où les « vieilles habitudes » dénoncées par son oncle étaient toujours respectées… C'était après la mort de son père. Anna, entourée de sa mère et de ses deux sœurs, était supposée s'instruire. Au programme : l'apprentissage de l'allemand et du français, la danse, et d'une façon générale les bonnes manières. Le résultat fut désastreux. Anna demeurait empotée, maussade, renfrognée et passive. Entre-temps, Pierre le Grand avait élaboré, en 1709, une stratégie de mariages pour servir sa politique extérieure. Ordonnant au quatuor féminin de regagner Saint-Pétersbourg, il demanda à sa belle-sœur Prascovia laquelle de ses filles elle préférerait donner comme épouse au prince de Courlande et duc Frédéric-Guillaume, un neveu du roi de Prusse Frédéric Ier... Prascovia, qui n'avait pas une immense tendresse pour sa fille Anna et n'aimait pas le duc qu'elle n'avait vu qu'une fois, choisit Anna, dix-sept ans. La fiancée n'était pas favorisée par la nature. Selon la comtesse Cheremetiev, «... elle était affreuse à voir et son visage était laid ; elle était si grande que passant parmi ses gentils-hommes, elle les dépassait d'une tête. Elle était aussi très grosse ». D'autres contemporains, également frappés par sa haute taille et son embonpoint, soulignèrent sa peau sombre, sa gaucherie, sa voix masculine et sa mise peu soignée. La princesse n'avait guère de caractères féminins, sinon celui d'être une nièce de Pierre le Grand qui allait s'installer en Courlande, une région de Lettonie vassale de la Pologne et encore soumise à l'influence germanique par l'ancienne empreinte des chevaliers teutoniques mais que le tsar comptait annexer... En somme, elle n'était qu'un pion sur son échiquier diplomatique en mer Baltique.

Déçu par le peu d'attraits de sa nièce, le tsar, préoccupé de la raison d'État, fixa tout de même le mariage au 31 octobre 1710. Il eut lieu dans le palais encore inachevé de l'irremplaçable Menchikov, où le tsar aimait recevoir, notamment les ambassadeurs accrédités auprès de sa personne. Il avait tout organisé. Le festin, grandiose, rendait impossible, selon un invité, de ne pas être ivre ! Le lendemain, une autre fête avait été prévue par le tsar, beaucoup plus saugrenue. En effet, Pierre le Grand avait décidé – étrange idée ! –

de créer en Russie une race de gens de petite taille… Il avait donc préparé, outre l'union politique de sa nièce, celle, génétique, de nains ; il trouvait injuste qu'ils ne puissent se marier entre eux. Sur son ordre, on avait fait venir à Saint-Pétersbourg soixante-dix nains. Et le tsar fit célébrer le mariage de son nain qui le suivait partout (il le suivra en France), Ekim Volkov, avec une naine de la Cour. On se demanda si le tsar n'avait pas, curieusement, un complexe de sa taille peu courante, 2,04 mètres… Les deux noces durèrent plusieurs jours, et on y but largement tous les alcools envisageables et des barriques de vin…

Début 1711, pour servir les intérêts de l'Empire russe, la nouvelle duchesse de Courlande et son mari étaient partis pour leur capitale, alors appelée Mitau[1]. Mais au premier relais de chevaux, à Duderhof, à une quarantaine de kilomètres au nord de Saint-Pétersbourg, le jeune marié s'écroula. Mort. Épuisé par l'excès de boissons et de nourriture ingurgité en prévision de ce voyage hivernal, il avait succombé à une crise d'apoplexie. À dix-huit ans et après seulement deux mois de mariage, la duchesse était veuve. Le tsar décida de faire transporter le corps du duc jusqu'à Mitau pour qu'il soit inhumé dans le caveau familial. Politiquement, c'était essentiel. En larmes, Anna supplia ensuite son oncle de la laisser revenir à Saint-Pétersbourg, mais il refusa. La duchesse devait prendre en main le gouvernement de Courlande à la place de son défunt mari ; la

1. Aujourd'hui en Lettonie. Ielgava est le nom letton, Mitau est le nom allemand, et Mitava sera le nom russe lors de son annexion en 1795. Entre 1798 et 1801, puis de 1804 à 1807, le comte de Provence, frère cadet de Louis XVI et futur Louis XVIII, s'installa dans l'ancienne résidence des ducs de Courlande.

politique étrangère russe, expliqua-t-il, le commandait ; la mer Baltique – on était en pleine Grande Guerre du Nord contre la Suède – devait être russifiée.

Mais Pierre le Grand savait que sa nièce était incompétente, niaise, maladroite. Pis, avec sa voix de stentor, son regard mauvais et ses traits lourds, Anna ne pouvait être aimée. On ne la respectait pas, elle faisait peur, elle irait donc à l'échec. Il la flanqua de son propre grand chambellan, Piotr Mikhaïlovitch Bestoujev-Rioumine. La mission de ce fidèle était triple. D'abord, il devait faire percevoir les maigres impôts de Courlande et les gérer pour assurer le fonctionnement de ce petit duché. Comme ce serait sans doute insuffisant, le tsar alloua quarante mille roubles par an à sa nièce pour l'entretien de sa Cour. C'était peu et, en fait, cette somme ne proviendrait pas du Trésor russe mais des supposés bénéfices du duché, une source beaucoup plus aléatoire… L'émissaire, inquiet, fit remarquer la modicité de la somme « sans laquelle il est difficile de vivre »… La deuxième mission de Rioumine était d'être une sorte d'ambassadeur secret du tsar et de l'informer de tout ce qui se passerait. Il serait, en fait, le véritable détenteur du pouvoir. La troisième tâche était la plus délicate : il devait être, très vite, le favori, donc l'amant, de la jeune duchesse de Courlande, quelles que fussent ses réticences ! En l'apprenant, la mère d'Anna s'indigna. Sa fille, duchesse et veuve, ne saurait avoir un amant ! Pierre le Grand, excédé, rappela alors à sa belle-sœur que lorsqu'elle était très jeune, elle avait accouché d'un enfant dont le père était l'intendant de son domaine, un certain Vassili Youchkov… L'évocation de ce souvenir honteux et caché calma la pudeur offensée de Prascovia qui avait eu, visiblement, une perte de mémoire…

En Courlande, l'existence d'Anna fut pénible ; la noblesse locale lui était hostile. La duchesse – et le duché – étaient pauvres, la Cour manquait d'argent ; par courrier, Anna quémandait sans cesse auprès de son oncle ou de sa femme, Catherine, « la lavandière » selon les commérages. Parfois, en cas d'urgence financière, elle revenait à Saint-Pétersbourg, mais cette situation humiliante la rendait encore plus désagréable qu'avant son mariage. Et elle suppliait les hauts dignitaires de l'aider, tandis que sa mère, à nouveau, s'offusquait de sa liaison, consommée, avec Rioumine. Le contentieux entre les deux femmes fut vif jusqu'à la mort de Prascovia, en 1723, et la situation d'Anna ne changea qu'après la disparition de Pierre le Grand.

En 1726, l'amant d'Anna fut rappelé à Saint-Pétersbourg, peut-être lassé de son rôle de favori dans une atmosphère ingrate. La duchesse se retrouva très seule. Pas longtemps ! En effet, on vit apparaître un aristocrate sans fortune qui avait eu des ennuis : il n'avait pu terminer ses études à la célèbre université de Königsberg, fondée en 1544 en Prusse-Orientale où, un demi-siècle plus tard, allait enseigner Kant[1]. Son départ

1. Königsberg, qui s'était développé autour d'une forteresse fondée par les chevaliers teutoniques, devint la ville du couronnement des rois de Prusse avec Frédéric Ier en 1701. Occupée plus tard par les Russes, puis les Français, bombardée par les Soviétiques en 1944, elle fut attribuée à l'URSS par la conférence de Potsdam en 1945 et renommée, en russe, Kaliningrad en 1946 ; les autorités d'Allemagne de l'Est dynamitèrent son château en 1960, exemple des tensions de la guerre froide. Aujourd'hui, Kaliningrad est une précieuse enclave de la Russie (15 000 km^2, 900 000 habitants) entre la Pologne et la Lituanie.

de Königsberg avait été mouvementé : dans une bagarre de rue, il avait tué un soldat, s'était retrouvé en prison mais venait de s'en échapper... Il portait un nom à consonance française avec des prénoms allemands, Ernst-Johann Biron[1]. Il n'avait pas quarante ans. Anna tomba follement amoureuse de lui et devint sa maîtresse. Il s'installa vite à la place de l'ancien favori ; pour lui, condamné en fuite, c'était une appréciable protection.

Telle est la situation d'Anna, veuve depuis dix-neuf ans, peu intelligente et paresseuse, lorsque le Grand Conseil la reconnaît en qualité d'impératrice au début de 1730. Mais en raison de ses aptitudes limitées, le Conseil, méfiant, décide de réduire ses pouvoirs. Le 25 janvier 1730, à Mitau, Anna reçoit une délégation venue de Moscou. Elle signe les Conditions qui lui permettent de monter sur le trône. Elles sont très restrictives : l'impératrice doit avoir l'autorisation du Grand Conseil pour déclarer la guerre, signer la paix, commander la Garde et les troupes, instaurer des impôts, dépenser l'argent public, offrir des terres, nommer aux grades supérieurs à celui de colonel, condamner à mort et confisquer des terres sans jugement d'un tribunal.

---

1. Il semble que le nom de Biron soit, ici, une prononciation déformée – courante à l'époque – de l'allemand Bühren, en raison de la présence d'immigrés protestants français ayant fui la révocation de l'édit de Nantes et du mélange linguistique. Les Biron de Courlande, comme on dira plus tard pour les différencier d'une illustre famille française, étaient originaires du Mecklembourg, seigneurs du château de Wartenberg en Silésie prussienne ; ils avaient été anoblis en Pologne en 1638.

Pourquoi accepte-t-elle que ses pouvoirs soient tellement rognés ? Parce qu'elle n'a rien à perdre et qu'elle cherche à quitter la Courlande depuis longtemps... Elle part presque immédiatement pour Moscou où elle arrive un mois plus tard, libérée du carcan de son lointain et misérable duché. Maintenant, elle est impératrice de Russie.

C'est alors que se produit un événement inattendu. Le 25 février, les représentants de la noblesse moscovite, qu'on aurait supposés favorables à l'affaiblissement des pouvoirs de la souveraine, lui demandent de ne pas se soumettre aux Conditions qu'elle a signées en Courlande et de gouverner en autocrate ! Anna se lève de son trône. Et dans un geste spectaculaire, elle déchire publiquement le texte des Conditions qui lui avaient été imposées. Puis, par oukase, elle supprime le Grand Conseil, fait arrêter ses membres. Tous sont inculpés de trahison ; certains sont condamnés à mort, d'autres exilés. Comment et pourquoi un tel revirement ? Anna avait feint d'accepter, sachant que l'armée murmurait que le pouvoir absolu, loin d'être supprimé, serait multiplié par dix puisqu'on comptait dix princes au Conseil. À la surprise générale, Anna a déjoué les calculs de ceux qui s'étaient octroyé le contrôle politique total et s'entoure d'hommes non compromis dans le piège des Conditions. De plus, c'est à Moscou, une ville qu'elle n'aime pas, qu'elle s'est imposée, montrant un courage insoupçonné. Aucun doute, son sang est celui de Pierre le Grand. Deux mois plus tard, le 28 avril, elle est couronnée dans la cathédrale de la Dormition (Assomption), au Kremlin. À côté de l'oratoire pyramidal d'Ivan le Terrible, décoré de bas-reliefs du milieu du XVIe siècle, près du pilier nord, un autre oratoire avait été installé au XVIIe, réservé aux tsarines, avec un baldaquin sur lequel sont brodées les armes de l'État russe. La preuve du pouvoir des femmes en Russie. Puis, Anna remplace le Conseil par un cabinet de cinq ministres et confie la direction du gouvernement à son bien-aimé Biron. Hélas ! Biron se rend vite célèbre par ses forfaitures et ses abus de pouvoir. Il fait venir de nombreux Prussiens, nommés à des postes importants, notamment dans l'armée où deux nouveaux régiments sont constitués. La toute-puissance de l'homme adoré de l'impératrice – il sera le véritable amour de sa vie – vaut un surnom à cette période, la *bironovchtina*, littéralement la « bironnerie ». C'est à lui qu'il faut d'abord plaire si l'on cherche la bienveillance de l'impératrice. Inutile de dire qu'il est détesté !

Pendant près de deux ans, Anna ne vit pas à Moscou mais dans un village à l'écart, au milieu de ses chiens. S'occupant peu des affaires de l'État, laissant ses ministres signer la plupart des décisions, elle s'ennuie. Un soir, elle préside un invraisemblable souper à la mesure de son tour de taille. On sert une montagne de caviar et la vodka coule en fontaines ; ces raffinements favorisent les excès de sensualité dont profite le cher, le très cher Biron. Les Moscovites sont choqués. Grâce aux gazettes, toute l'Europe se régalera du récit de ce repas gargantuesque. Anna prend sa revanche sur ses années de gêne financière, elle aime le faste et le montre. Et que devient Saint-Pétersbourg ? Les travaux, privés d'animation, traînent ou sont arrêtés ; ils avancent au rythme de la tsarine, d'une inertie fameuse entrecoupée de caprices bizarres et cruels. On ne sait si c'est par lassitude ou par remords envers la mémoire de son oncle – peut-être les deux raisons –

mais, en janvier 1732, l'impératrice et la Cour regagnent Saint-Pétersbourg. Il y avait eu un signe annonciateur, la fondation du corps des Cadets de la noblesse dans la ville de Pierre le Grand. Après cinq ans d'interruption – une véritable mise en quarantaine –, la nièce rend hommage à l'oncle. La compétition entre les deux villes – les deux capitales – reprend. Les uns saluent ce retour vers l'avenir, les autres déplorent cet abandon des anciennes valeurs russes. Ces curieux déplacements du centre politique d'un empire en extension (les terres des Kazakhs viennent d'être conquises) s'apparentent à ceux d'une cour itinérante à l'époque de la Renaissance.

Sur les bords retrouvés de la Neva, l'impératrice étale une opulence qui surprend même les étrangers habitués aux autres cours d'Europe. Le mauvais goût d'Anna est assez pénible : si elle aime les comédies jouées par des Italiens ou des Allemands, elle raffole des scènes de rixes, de bagarres et de luttes. Et, du théâtre à la Cour, il n'y a que quelques salons. Les spectacles qu'elle a appréciés sont imités par ses nains, ses naines, ses bouffons, ses idiots, ses estropiés et autres victimes de la nature auxquelles se joignent les habituels écornifleurs. Ces divertissements – on joue à saute-mouton sur les magnifiques tapis orientaux – ont lieu le matin dans ce qu'on appelle « la chambre de la tsarine », une tradition de son enfance. Une autre préoccupation de l'impératrice est de marier ses sujets. On parlera longtemps du mariage de son bouffon, Mikhaïl Golitsyne, avec une Kalmouk (Mongole originaire de Sibérie occidentale) nommée Avdotie Boujeninova. En effet, la cérémonie a lieu en plein hiver dans un véritable palais de Glace ; il s'agit d'une construction spécialement taillée dans la glace avec des statues sculptées elles aussi dans la glace, posées sur la Neva ! Le mariage des bouffons frappe tellement l'imagination populaire qu'une gravure circule montrant un défilé d'animaux sur le fleuve gelé, dont… un éléphant ! Parmi les bouffons, se trouve un violoniste doué et très habile tricheur aux cartes, nommé Pedrillo. Anna, qui aime jouer, voit partir à regret ce Napolitain : il a gagné tellement d'argent qu'il repart vers son pays, fortune faite… en toute malhonnêteté !

L'impératrice anime aussi les résidences que son oncle a construites autour de Pétersbourg, tel le magnifique palais de Peterhof[1], sur la Baltique. Elle exige que dans chaque chambre soient toujours pendus des fusils chargés pour chasser par les fenêtres, qu'il s'agisse de gros gibier ou d'oiseaux. Si elle en aperçoit, Anna se précipite sur la première arme et tire. On pourrait en conclure que la souveraine délaisse son pays. Or, bien qu'elle n'ait aucun sens politique, le destin la sert. Elle a de la chance. Entre 1733 et 1739, si elle perd environ cent mille hommes, la Russie est victorieuse d'une guerre contre la Pologne puis contre les Turcs, reprend la forteresse d'Azov et annexe la Moldavie. Pendant son règne, une grande expédition explore la Sibérie jusqu'aux rives de l'océan Arctique et de la presqu'île du Kamtchatka. Et, par une revanche bien préparée, Anna titre Biron duc régnant de Courlande le 13 juillet 1737. L'impératrice est tellement éprise de

---

1. Construit par le tsar de 1714 à 1725, complètement transformé ensuite, ce palais au nom allemand honorait Pierre le Grand. Il s'accompagnait de noms français, ceux des pavillons dispersés dans le parc comme Monplaisir, Marly et l'Ermitage. Aujourd'hui, ce splendide édifice, relevé, comme ses célèbres jardins, des ruines de la Seconde Guerre mondiale, est appelé Petrodvorets.

son amant qu'elle ne le quitte jamais, bien qu'il soit marié... En 1728, Anna a donné naissance à un fils, Charles-Ernst ; la Cour a été priée de considérer cet enfant comme celui de l'épouse du favori, mais il a été élevé dans les appartements de l'impératrice ! Une vraie comédie de mœurs.

D'ailleurs, la passion de la tsarine pour le théâtre est à l'origine d'une remarquable institution, qui apportera à la Russie une réputation internationale, avec la création, en 1738, de la première École de ballet à Saint-Pétersbourg. L'effervescence autour de cette discipline, presque aussi nouvelle que la ville, va donner une impulsion supplémentaire au rêve de Pierre le Grand et faire de la capitale politique une cité chorégraphique légendaire dans la seconde moitié du XIXe siècle.

Son entourage déplore les mesquineries d'Anna, le crédit qu'elle apporte aux ragots. Elle est sûre d'avoir raison même si on ose lui démontrer que ce qu'elle croyait n'était qu'une rumeur infondée. Elle est intraitable avec ses opposants, veillant à ce que sa chancellerie secrète sème la terreur. « Je suis libre d'être bienveillante quand je le veux », dit-elle à ceux qui espèrent son indulgence. Un ministre est assuré de la mauvaise humeur impériale s'il dérange la souveraine pour des affaires insignifiantes ; elle le fait savoir par oukase !

L'âge venant et ses douleurs néphrétiques ne la quittant presque plus, la tsarine prend diverses mesures qui ne la rendent pas populaire. Pour plaire à la noblesse, elle consent à réduire la durée du service à l'armée à... vingt-cinq ans ! De plus en plus méfiante, cruelle et rancunière, elle condamne à mort l'ancien chef du Conseil suprême, le prince Galitzine, ainsi que les princes Dolgorouki exilés depuis huit ans en Sibérie. L'enquête est reprise et en 1739, l'ordre d'exécution est envoyé jusqu'à Tobolsk, à l'est de l'Oural. Ceux qui n'ont pas été déportés ne sont pas forcément épargnés ; ainsi, le ministre Volynski, éminent diplomate, est accusé de trahison. Il n'a pas plu à Biron… En même temps, le servage devient plus strict, les paysans pouvant être vendus sans la terre, comme du bétail ; les impôts sont lourds et le peuple se plaint.

Le 5 octobre 1740, l'impératrice préside un grand dîner. Prise d'un malaise, elle perd connaissance, victime d'une nouvelle affection rénale. Pendant douze jours, elle agonise mais a le temps de désigner comme successeur le fils de sa nièce, Ivan, un bébé de deux mois, et Biron comme régent. Elle meurt le 17 octobre, emportée par une lithiase. Selon sa volonté, la deuxième impératrice Romanov – et le neuvième membre de la dynastie – est enterrée, le 23 décembre, dans la cathédrale Saint-Pierre-et-Saint-Paul. L'empire s'interroge. Biron et ses complices de pillages savent qu'ils sont exécrés. Les règlements de comptes ne tardent pas ; un rival de Biron, le feld-maréchal Munnich, fomente un complot qui renverse Biron le 9 novembre et l'exile. Comme l'avait été, autrefois, Menchikov. Les biens du condamné indélicat sont confisqués « au profit de la Couronne ». À Florence, au temps des Médicis, quand leurs rivaux étaient proscrits, leur patrimoine était intégralement confisqué. Une juteuse justice ! Décidément, les raffinements de la Renaissance n'en finissaient pas d'être imités en Russie…

6

Élisabeth Petrovna, la Vénus autocrate

Depuis la mort de Pierre le Grand, en quinze années et malgré trois règnes, aucun véritable successeur digne du tsar légendaire n'a été trouvé. Et ce n'est pas l'héritier choisi par Anna, fils d'une de ses nièces mariée à un prince allemand, qui risque de combler le vide politique. Le petit Ivan VI, presque un nouveau-né, n'est souverain en titre que pendant treize mois, sous la régence de sa mère. Pour compliquer la situation, sa mère se prénomme aussi Anna ; pour la distinguer de l'impératrice, la nouvelle régente est appelée Anna Leopoldovna, laquelle passe son temps à jouer aux cartes ou à se vautrer dans son lit. Au sommet, le trône est vide…. Après le Balte Biron, grossier, cupide et abhorré des Russes, entre la clique trop germanique réglant ses comptes avec le règne précédent et le danger extérieur puisque la Suède vient de recevoir l'appui financier de la France pour une nouvelle guerre contre la Russie, la stabilisation dynastique est urgente. L'empire n'est pas gouverné ; il est en danger, à l'extérieur comme à l'intérieur. Le peuple et l'armée sont lassés de la tutelle allemande s'exerçant sur les Romanov ; l'exemple venait de haut, le père de la régente était le duc de Mecklembourg-Schwerin et son mari, depuis 1739, est le duc de Brunswick, par ailleurs cousin de Pierre II.

L'oisiveté de la régente et l'état de l'empire sont des conditions idéales pour tenter un coup d'État contre elle. On l'avait prévenue ; mais, considérant que ces informations étaient fantaisistes, Anna Leopoldovna n'y prête aucune attention. De plus en plus inquiets de l'inertie de cette femme blonde de vingt-deux ans, certes jolie et gracieuse mais sans personnalité, inconsciente de la situation et négligente, quelques esprits lucides n'ont plus qu'un espoir. Ils font appel à Élisabeth Petrovna, la fille de Pierre le Grand. Écartée du trône en 1730, exilée en province, elle avait été étroitement surveillée ; ayant la vivacité et la prestance de son père, elle était donc capable de tout, on s'en méfiait... En 1740, semblant s'être détournée de toute préoccupation politique, Élisabeth était devenue très populaire parmi les soldats de la Garde, une unité formée par son père. Elle venait régulièrement leur rendre visite en buvant autant qu'eux, fêtait les anniversaires du régiment et acceptait d'être la marraine de leurs enfants. La Garde la vénérait et s'amusait de sa collection d'amants. Elle était bien la fille de feu le grand tsar !

Que va-t-elle faire ? Un coup d'État ! Encore un ! Dans la nuit du 24 au 25 novembre 1741, avec l'aide de la Garde et de quelques proches, Élisabeth, qui a trente-deux ans, se dirige vers l'état-major des Preobrajenski, un fameux régiment – dont on reparlera – où se trouvent environ trois cents soldats. Elle leur montre sa robe, recouverte d'une cuirasse ; dans sa main droite, elle tient une croix en argent. Levant la croix, elle lance aux soldats :

— Qui voulez-vous servir fidèlement ? Moi, la souveraine naturelle, ou les autres qui ont volé illégalement mon héritage ?

À la lueur des lanternes, tous les soldats présents lui prêtent serment, puis embrassent ses mains et la croix. Et, dans la nuit glacée, vers onze heures, tous se mettent en marche vers le premier palais d'Hiver, celui de Pierre le Grand. Sa fille est sous leur protection. Elle aussi s'avance à pied, « la baïonnette au bout du fusil et des grenades dans les poches ». Comme elle dérape sur la neige, deux sergents l'empoignent et la portent, non sans mal car elle est lourde ! Surgissant dans la chambre d'Anna la régente, au lit avec son époux, Élisabeth lui lance :

— Ma sœur, il est temps de se lever[1] !

Le généralissime prince de Brunswick ne trouve pas d'arme pour se défendre. Stupéfaite, Anna se lève, est arrêtée par l'escorte ainsi que son mari puis, dans ses appartements, le comte de Munnich a droit au même traitement. Cet ancien rival victorieux de Biron allait donner sa démission, pour protester de sa disgrâce. Il n'en eut pas le temps ; on décida pour lui. Les ministres et dignitaires détestés, qu'ils soient russes ou étrangers, en tout cinq personnes, sont conduits à la forteresse Pierre-et-Paul tandis qu'un long traîneau a emmené Anna et son mari vers une maison bien gardée.

Selon la tradition, Élisabeth prend le petit Ivan dans ses bras en disant :

---

1. C'est une formule de courtoisie, très fréquente à l'époque, qui se veut apaisante dans des relations familiales tendues. En réalité, il s'agit de sa petite-nièce.

— Mon pauvre enfant, tu es innocent mais tes parents sont coupables.

Même si Élisabeth et ses fidèles ont eu peur d'être démasqués, le coup d'État se déroule dans un calme absolu et pas une goutte de sang n'est versée, ce qui, en Russie, tient du prodige ! Élisabeth prie devant une icône puis regagne sa résidence, le palais d'Été. Il est une heure du matin.

Dans cette affaire, l'étranger a joué un rôle déterminant, en l'occurrence la France… mais sans le savoir. Depuis des mois, le marquis de La Chétardie, ambassadeur de Louis XV arrivé à Saint-Pétersbourg à l'été 1739, agissait dans l'ombre et sans aucune instruction de Versailles. Très habilement, il avait multiplié les diversions, refusant, par exemple, de présenter ses lettres de créance à la régente car, étant l'ambassadeur du roi de France, il ne pouvait s'adresser qu'au tsar de Russie… même s'il n'était âgé que d'un an ! La Chétardie faisait valoir le péril suédois imminent – c'était exact – et la nécessité d'un monarque efficace devant ce danger, tout en évitant de sortir de sa réserve diplomatique. Il fallait agir d'urgence, profiter de la popularité d'Élisabeth en révélant – ce qui était également vrai – qu'on la menaçait du couvent… Elle fut sommée de choisir « entre le voile et la couronne ». Cette nuit de novembre, La Chétardie avait pris autant de risques qu'Élisabeth car, si on découvrait son double jeu, c'en était fait de sa carrière et de la position française ; Louis XV l'eût désavoué. Élisabeth avait parfaitement joué son rôle et l'ambassadeur fut appelé par les soldats « leur père, leur protecteur et le restaurateur du sang de l'empereur Pierre », cette dernière dénomination étant la plus impressionnante et la plus dangereuse. Selon les souvenirs d'un autre diplomate, le marquis, intrigant doué, fut donc « le principal ressort qui avait fait jouer toutes les machines » en faveur de la fille de Pierre le Grand, l'impératrice que la Russie attendait. Comme il ne saurait y avoir de coup d'État sans argent, La Chétardie en distribua à la Garde ainsi qu'un alcool revigorant ; ce n'était guère prudent, car il prouvait ainsi son implication dans la déposition d'Anna. Depuis son arrivée, l'ambassadeur s'était fait remarquer par un train de vie fastueux et son art de la corruption, inévitable en Russie.

Dans la nuit, en dépit d'un froid vif, la rumeur se répandit. Et au palais d'Été, une foule tenait déjà à féliciter celle qui allait devenir Élisabeth Ire de Russie, « l'autre impératrice », selon l'heureuse expression de Francine-Dominique Liechtenhan dans son excellent livre[1]. Le lendemain matin, l'ambassadeur du roi de France fut, curieusement, le premier à venir féliciter la souveraine… dont on avait déjà entendu parler à Versailles puisque Pierre le Grand, lors de son voyage, était arrivé avec l'intention de la marier à Louis XV.

Quelle femme est, réellement, Élisabeth Petrovna ? Née à Moscou le 18 décembre 1709 quand ses parents, Pierre Ier et Catherine, n'étaient pas encore mariés, elle est une bâtarde. Même si le couple, uni en 1712, a légitimé ses enfants, Élisabeth souffrit longtemps de sa bâtardise. Pour cette raison, la France du Régent avait refusé son mariage avec le futur Bien-Aimé, ce qui avait fortement

---

1. *Élisabeth Ire de Russie, l'autre impératrice*, ouvrage de référence, très complet et comblant une lacune sur une tsarine essentielle, Fayard, 2007.

contrarié Pierre le Grand qui voulait consolider le rang européen de la Russie. Observons également que si cette union avait eu lieu, le sort de la Pologne aurait peut-être été différent… Vexé et courroucé du manque d'enthousiasme français, le tsar avait déclaré, sur le chemin du retour en 1717 : « La civilisation française périra par le luxe puis par la mollesse »… À l'inverse de sa sœur aînée Anna, sans éclat ni caractère, Élisabeth est, selon l'ambassadeur d'Espagne, « très belle, je n'en ai jamais vu de pareille. La couleur de son visage est étonnante, ses yeux comme deux flammes, sa bouche parfaite, son cou d'une blancheur éclatante et un port de déesse. Elle est de haute taille et extrêmement vive. Elle danse très bien et monte à cheval sans la moindre peur. Dans sa conversation, il y a beaucoup d'esprit et de charme ». Elle parle couramment le français, l'italien, l'allemand, le suédois et le finnois, et a eu ce qu'on pourrait appeler une éducation soignée grâce à une gouvernante et un précepteur français, même si la princesse rechignait aux études austères et si le niveau de ses connaissances n'égalait pas celui des princesses occidentales. Elle compensait ses faiblesses par une intuition très sûre, héritée de sa mère. Les relations avec son père – qui l'adorait – étaient d'une intimité presque douteuse. Elle avait sept ans lorsqu'il la fit peindre nue en *Petite Vénus*, ce qui explique peut-être sa sexualité précoce, son grand intérêt, très tôt, pour les garçons et l'art de les séduire avec des diamants dans les cheveux…

Puisqu'elle avait été écartée du trône dont, pourtant, son père l'avait déclarée l'héritière le 23 décembre 1721, elle avait mené une vie frivole et joyeuse. On lui prêta divers prétendants amoureux, le prince George de Hanovre, le futur roi d'Angleterre George Ier, l'infant Manuel de Portugal, le séducteur maréchal de Saxe – qui avait servi

Pierre le Grand – et même le shah de Perse, candidat nettement plus exotique… Elle eut un amour fou pour le jeune duc Karl-August de Holstein, mais il avait succombé à la variole en 1727 (elle-même en avait réchappé par miracle). Toute sa vie, elle garda le souvenir de cette passion malheureuse. Jusqu'à son coup d'État, ses amants remplacèrent le mari qu'elle n'avait pu avoir. On citait le général Boutourline, le grand-maître de la Cour Narychkine, le page Choubine et le chanteur a capella de la Cour, le jeune et beau Alexeï Razoumovski. Ce cosaque ukrainien, très brun, doté de larges épaules, était réputé avoir les « membres nerveux ». On comprend son succès. Gai, il sut plaire à Élisabeth et devint l'homme de sa vie.

En résumé, à trente-deux ans Élisabeth avait grand appétit de tout, aimait la vie, les alcools puissants, la bonne chère, la danse, la mode française, les mascarades qui lui permettaient de se déguiser en homme et d'en surprendre quelques-uns ! Mais, très croyante, visitant les monastères et les lieux de pèlerinage, pointilleuse sur la liturgie, elle s'opposait à la peine capitale, opinion exceptionnelle pour l'époque et d'une audace inouïe. D'ailleurs, la nuit de sa prise de pouvoir, elle avait d'abord juré que si elle reprenait la couronne, jamais elle ne signerait un oukase de condamnation à mort. Très en avance sur son temps comme l'avait été Pierre le Grand, véritable pionnière abolitionniste, elle tint parole, selon son oukase du 23 août 1742. Sous son règne, soit pendant vingt ans, il n'y eut aucune exécution. Une Russie méconnaissable ! Toutefois, les condamnés, dont la peine avait été commuée, restaient marqués, soit par un signe au front pour les voleurs, soit une mutilation, soit les souffrances des travaux forcés. Mais Voltaire salua la bonté de la tsarine qui respectait la vie, ce qui n'avait « point d'exemple dans l'histoire », et jugea qu'elle était un authentique monarque éclairé. Il lui fit une propagande européenne ! En fait, il cherchait un protecteur, son idylle avec le roi de Prusse, Frédéric II, appartenant au passé.

Dès le lendemain de son coup d'État, la gloire du père éclaire le destin de la fille. Expliquant que le règne précédent a ruiné la Russie, elle précise que le peuple russe est opprimé par les ennemis de la foi orthodoxe et que les étrangers – en général luthériens – se sont emparés de la direction du pays dans tous les domaines. Elle rejoint, ainsi, le jugement de son géniteur qui, à la fin de sa vie, considérait que l'ennemi n'était plus le Suédois et qu'il fallait tenir compte, voire se méfier, de l'Allemand. Depuis des années, en raison de mariages, d'alliances et de voisinage nordique, les relations germano-russes (pour simplifier) sont complexes, mêlées de fascination et de ressentiment. Les Allemands représentent la plus forte origine étrangère à tous les échelons de la hiérarchie sociale, des artisans aux précepteurs, des prostituées aux agents de l'État. Cette présence a souvent été – et sera encore ! – la condition du progrès russe. De quoi susciter des jalousies… Immédiatement, les dirigeants les plus impopulaires sont exilés puis, le 25 avril 1742, la nouvelle impératrice se rend à Moscou pour son couronnement dans la cathédrale de la Dormition. Avec autorité, l'ancienne « Petite Vénus » prend des mains du métropolite la couronne – ce qui ne se faisait pas ! – et la pose elle-même sur sa tête. Elle souligne la légitimité de son pouvoir retrouvé, celui des Romanov. Si elle passe par le Kremlin, c'est sans s'y attarder, uniquement pour respecter la tradition religieuse.

Une rumeur courut : après son couronnement, Élisabeth aurait épousé secrètement Razoumovski dans l'église du village de Perovo, près de Moscou. Sans preuve, on ne cessa de le répéter et on parla de mariage morganatique. On peut seulement remarquer que même si l'impératrice, sensuelle et ardente, continua d'avoir des amants, Razoumovski eut droit à une reconnaissance visible et répétée de son impériale maîtresse (ou épouse ?) : elle lui accorda le titre de comte. Lorsqu'il perdit sa superbe voix de basse, elle le fit nommer musicien puis administrateur de ses domaines. Le 17 mars 1756, le jour de son anniversaire, il fut élevé au grade de général-feld-maréchal bien que, selon les contemporains, « il n'eût que de vagues notions des affaires militaires et jamais ne commandât aucune division ». Son champ de bataille était l'intimité d'Élisabeth qui, même mourante, refusa d'avouer son union avec lui.

À ce favori, « jamais ne fut confiée quelque affaire parce que Élisabeth voulait le ménager et émit même un oukase dans lequel il était dit que personne n'avait le droit de lui remettre des placets ou de le charger d'une commission ». L'homme n'était pas ambitieux et il avait beaucoup d'humour. En cadeau d'adieux, l'impératrice lui offre aussi le palais Anitchkov, belle demeure de briques édifiée entre 1741 et 1750 sur le canal de la Fontanka.

On aurait pu penser qu'avec son énergie et son tempérament explosifs, Élisabeth Ire allait prouver elle-même son ambition politique. En réalité, si elle donne l'impulsion, elle délègue beaucoup la conduite des affaires de l'État. Souvent, elle met des mois pour apposer son paraphe sur un document. L'exemple le plus étonnant de sa réflexion (son hésitation, pour ses détracteurs) se situe lors de la guerre de Succession d'Autriche à laquelle la Russie participe. En 1748, lors de la signature d'un traité avec son homologue, l'imposante Marie-Thérèse de Habsbourg-Lorraine, Élisabeth commence à écrire son prénom puis s'arrête, pose sa plume et interrompt cette formalité protocolaire. Elle a peur et n'achèvera sa signature que... six mois plus tard ! C'est sans doute par crainte de perdre son pouvoir que l'impératrice ne dort jamais deux soirs de suite dans la même chambre ; d'ailleurs, dans aucune des résidences et dans aucun des palais, elle n'a de chambre attitrée. La nuit n'a-t-elle pas été la complice de son coup d'État ? Élisabeth avait été directement jusqu'à la chambre de sa petite-cousine Anna Leopoldovna qu'elle allait évincer ; elle veut éviter une répétition du complot à son détriment. La souveraine aime réfléchir, peser les arguments, calculer les risques. Brouillonne, désordonnée, Élisabeth se fie à ce qu'elle nomme son « intuition autocratique ». Pour faire de la nuit son alliée, elle travaille pendant que les autres dorment et ne se couche jamais avant six heures du matin, préférant se reposer dans la journée. Parfois, elle feint un rhumatisme pour ne pas signer un document et s'amuse à regarder la réaction de son entourage. Élisabeth est excessive comme l'était son père, mais sans son souffle ; elle en est le prolongement, ce qui est déjà méritoire. Certes, ses caprices et ses paradoxes font glousser ses ennemis, mais l'historien Kioutchevski note que la tsarine s'efforce d'unir « les nouvelles tendances européennes aux pieuses coutumes des temps passés », exercice d'équilibre délicat. Entre deux prières devant une iconostase, sa Cour est l'une des plus brillantes d'Europe et l'impératrice en est l'âme. Elle signe des oukases – sans s'interrompre ! – fixant le genre de robes qu'il faut porter et la façon d'arborer ses bijoux lors des bals. Aucune femme n'a le droit de se présenter avec une coiffure identique à la sienne. Sa garde-robe est phénoménale. Même si le nombre de ses vêtements n'est pas facile à vérifier, la perte, avouée, de… quatre mille robes (!) dans un incendie fournit une idée de sa richesse. Reconstituée, sa collection comportera à sa mort, en 1762, jusqu'à… quinze mille robes, des milliers de paires de chaussures et autant de bas de soie. Un record mondial. La mode, à Saint-Pétersbourg, était dictée par l'impératrice.

Depuis une quinzaine d'années, la ville, inachevée, est une Belle au bois dormant. Un témoin, diplomate de son état, revenu sur les lieux du rêve, juge sévèrement les terrains spongieux, la triste forêt alentour et, plus grave, la qualité moyenne des matériaux : « L'architecture bâtarde de la capitale tient de la française, de l'italienne et de la hollandaise (…) Les grands de l'Empire russe ont dû venir s'établir ici à contrecœur car Moscou et le Kremlin resteront toujours pour les Russes le centre du pays. » Insistant sur les réticences obstinées qui rendaient Pierre le Grand fou de rage, l'observateur conclut par une remarque d'une vive pertinence : « On voit bien que les palais qui se trouvent sur les bords de la Neva ont été bâtis davantage par obéissance et peur que par goût. Les murs sont déjà crevassés ; on se demande comment ils ne tombent pas. À ce sujet, un ami m'a dit récemment que si, partout ailleurs, les ruines se faisaient d'elles-mêmes, ici on les construisait ! » Le défaut d'entretien, longtemps caractéristique des mœurs russes, a vieilli prématurément la nouvelle Amsterdam, abandonnée. Élisabeth s'y engage : elle va réanimer la cité interrompue. Et par son obstination, elle atteindra les cent mille habitants.

Si un souverain se juge à son entourage et au choix de ses protections, la tsarine est avisée de soutenir l'un des plus extraordinaires personnages de l'histoire russe et même européenne, Mikhaïl Vassilievitch Lomonossov. Sorte de nouveau Léonard de Vinci, ce fils de pêcheur très pauvre a fait des études à l'université allemande de Marburg, en Hesse (au nord de Francfort). Génie universel, poète, historien, grammairien, physicien et aussi brillant chimiste que tragédien, la diversité de ses centres d'intérêt et ses connaissances sont surprenantes : dès son élection en 1741 – il a trente ans –, il apporte à l'Académie des sciences un éclat prodigieux qui enthousiasme Voltaire. À la demande de la tsarine, il fonde l'université de Moscou, qui portera son nom[1]. L'un de ses volumes, écrit en français, est une *Dissertation sur les devoirs des journalistes dans l'exposé des ouvrages qu'ils donnent destinés à maintenir la liberté de philosopher.*

Un ami de Lomonossov, Ivan Chouvalov, retient l'attention de l'impératrice en 1749. Jeune homme parlant plusieurs langues, instruit et bien élevé, il préfère les sciences et les arts à la politique. Physique avenant, bonnes manières et courtoisie lui assurent un avenir mondain ; collectionneur passionné, il possède une galerie de tableaux et l'un des plus beaux ensembles de sculptures en Russie. Il est très recherché dans la haute société. Amoureux de la prin-

1. Le nom de Lomonossov a aussi été donné, en 1948, au domaine d'Oranienbaum car le savant avait habité dans les parages. Avant lui, Menchikov y résida au début du XVIIIᵉ siècle. L'ensemble, à une quarantaine de kilomètres de Saint-Pétersbourg, est en face de la base militaire de Kronstadt et fut l'unique ville des environs de Leningrad restée aux mains des Soviétiques pendant la Deuxème Guerre mondiale, lors du siège de neuf cents jours, de 1941 à 1944.

cesse Anna Gagarina, intelligente, érudite mais beaucoup plus âgée que lui, il compte l'épouser. Mais, comme dans un roman, ce qui devait arriver n'arrive pas. Ses cousins, mus par de sordides intérêts, jugent que ce beau parti serait plus utile s'il devenait... l'amant de l'impératrice, également plus âgée que lui ! Diaboliques, ils provoquent la rupture des fiançailles entre Anna et Ivan, puis organisent la rencontre « fortuite » entre la tsarine et leur candidat. Celle qu'on nomme « la Joyeuse Élisabeth » est immédiatement séduite et le prend à son service en septembre 1749. Il gravit les échelons de la protection amoureuse. D'abord page de chambre à la Cour, il devient chambellan, puis lieutenant, puis aide de camp ; à ses fonctions, s'ajoutent les décorations de chevalier de l'ordre de Saint-Alexandre.

Élisabeth ne le quitte plus. À vingt-deux ans, le comte Chouvalov devient le nouveau favori, calmant l'appétit sexuel de la souveraine et provoquant la jalousie de Razoumosvski, l'amant détrôné à quarante ans. Élisabeth reste, cependant, attachée par des liens exceptionnels à son ancien chanteur.

Selon quelques courtisans qui cherchent à profiter de Chouvalov, les honneurs qui lui sont accordés sont insuffisants. Les hauts dignitaires, zélés, imaginent alors de nouveaux grades et distinctions pour le favori, comme la croix de chevalier de Saint-André, celle de l'Aigle blanc de Pologne, ou des appointements de sénateur. Ils croient satisfaire les ambitions du jeune comte, mais ils se trompent ; son statut de conseiller privé lui suffit. Il est vrai qu'étant le secrétaire de l'impératrice et pouvant entrer où elle se trouve à tout instant, sans demande d'audience, il détient un pouvoir immense. Accéder à la tsarine sans passer par Chouvalov est impossible.

L'entrée en scène du nouveau protégé n'échappe pas à Voltaire : toujours en quête de mécénat et prêt à chanter les louanges d'un bel esprit, le philosophe propose à Chouvalov d'écrire une *Vie de Pierre le Grand*. La démarche est acceptée et… financée. Ce projet contient, dans une lettre de Voltaire en date du 11 juin 1761, une réflexion prémonitoire sur la nécessité d'établir une voie de communication régulière vers l'est, pour atteindre la Sibérie en franchissant un nombre relativement restreint de montagnes. À sa façon, cette correspondance fait de Voltaire un pionnier de l'idée du futur Transsibérien.

La Russie d'Élisabeth Ire se développe rapidement. L'industrie du fer est très sollicitée par d'autres pays d'Europe ; l'abolition de l'octroi, la douane interne, en 1754, anime le commerce, ce qui profite à l'État. L'ancien système de taxes intérieures est remplacé par l'Institut des douanes et des gardes-frontières. La tsarine instaure des banques gouvernementales qui prêtent à l'aristocratie (dont la Banque foncière, dite « de la noblesse ») et aux marchands à un taux de 6 %, de manière à les retenir sur les bords de la Neva.

En 1756, Élisabeth la paillarde au vocabulaire à faire rougir la belle-sœur de Louis XIV, l'impudique princesse Palatine, Élisabeth la gloutonne dont le tour de taille devient monumental, Élisabeth, cavalière forcenée et chasseresse enragée, cautionne de nouvelles activités intellectuelles. La tsarine fait ouvrir une salle de spectacles réguliers, dite « Théâtre public pour la représentation des tragédies et des comédies », devenant ainsi la Mère du théâtre russe. Pour elle, ce qu'on jouera sur scène fournira une précieuse étude de mœurs. En dépit d'un froid diplomatique de dix années avec la France (toujours à cause de la Suède !), la fille de Pierre le Grand se fait peindre par Van Loo, portraitiste de Louis XV, puis soutient la traduction d'ouvrages français en russe et inversement. Ce courant est relayé par le premier journal qui paraît, en français, à Saint-Pétersbourg depuis 1754 sous un titre cocasse, *Le Caméléon littéraire.* De même, l'impératrice commande à la manufacture de Sèvres – alors que celle de Vincennes est délaissée – plusieurs services d'un vert splendide. Cette porcelaine précède en Russie un cortège d'artistes et de professeurs des beaux-arts renommés, tels Blondel et Moreau le Jeune.

Si ces talents entreprennent un aussi long voyage, c'est sans doute parce que la curiosité les attire et que l'Europe des gazettes s'émerveille du nouvel élan observé sur les bords de la Neva où l'impératrice crée l'Académie des beaux-arts en 1757. La tsarine achève ce qui a été interrompu et commence ce qui était prévu. Grâce à son flair, Élisabeth, enfant du baroque, fait venir un maître du genre, Bartolomeo Francesco Rastrelli, fils d'un sculpteur qui travaillait déjà à Saint-Pétersbourg et y est mort. Rastrelli le Jeune, né à Paris, ancien élève de Boffrand et arrivé en Russie à l'âge de treize ans, a le goût des façades majestueuses, bien ordonnées, et de la polychromie. Son inclination l'oriente vers le rococo. Sa devise esthétique : « Des murs d'azur ou d'émeraude dans une volée de colonnes blanches. » Grâce à lui, la ville prend des couleurs, même dans la rare lumière de l'hiver nordique. Gaieté, audace, alliances de tons :

Rastrelli italianise les bords de la Neva en même temps qu'il intègre le bel héritage russe. L'admirable collégiale Smolny, érigée avec ses cinq coupoles à la place d'un entrepôt de goudron dans une boucle de la Neva, en est un splendide exemple.

Élisabeth est bien une bâtisseuse et on se croirait revenu un demi-siècle en arrière, avec une différence essentielle : maintenant, le bois est proscrit, c'est la pierre qui triomphe, notamment sur les quais, élargis et allongés. Rastrelli dispose d'une armée de maçons et de régiments entiers, libérés de trois années de combats contre les Suédois. Son œuvre la plus célèbre est le palais d'Hiver, édifié de 1754 à 1762[1]. Un palais ? Des palais qui retiennent le moindre reflet et alignent une armée de colonnes, ces sentinelles de l'art. En six années, le palais d'Hiver sort des plans et de la boue. Ses façades sont conçues pour être vues – et admirées – des quatre côtés. Selon la directive de Pierre le Grand, si le palais reçoit trois étages surmontés de statues, témoins muets des métamorphoses, les autres demeures restent limitées à deux niveaux. En même temps, la tsarine, foncièrement bonne, veille à ce que les habitants soient mieux vêtus, punit la prostitution et

1. Ce que nous appelons aujourd'hui le palais d'Hiver est, en réalité, le sixième du nom. Le troisième, dû au Tessinois Domenico Trezzini, occupait l'actuel site du théâtre de l'Ermitage. Le palais d'Hiver, qui abrite une partie du musée de l'Ermitage, fut résidence impériale pendant un siècle et demi. Entre les colonnes, toujours blanches, la couleur des murs changeait. Lors de la Révolution de 1917, elle était de couleur sable ; aujourd'hui, elle est verte. L'ensemble monumental est désormais bien éclairé la nuit, grâce au mécénat d'une entreprise française.

l'ivresse, aménage de nouvelles nécropoles hors du centre-ville pour éviter les épidémies, réglemente le trafic fluvial et terrestre. À noter : ces mesures s'appliquent aussi bien à Moscou qu'à Saint-Pétersbourg.

La présence européenne de la Russie se confirme. À plusieurs reprises, on a demandé à l'impératrice sa médiation dans des conflits ; la lettre sollicitant son intervention et envoyée par Louis XV n'a jamais reçu de réponse… Après quinze années de paix, Élisabeth décide, en 1756, de participer à la guerre de Sept Ans en se joignant à l'Autriche contre la Prusse. Elle ose lancer un défi à Frédéric II qu'elle surnomme le « Roi bouillant » tandis que lui, aimablement, l'appelle « la Bête ». Par maréchal interposé, la tsarine remporte la bataille de Kunersdorf, le 30 juillet 1759 ; une tabatière avec le portrait de la souveraine est proposée comme souvenir de ce grand jour où Frédéric II lui-même a subi la défaite. Puis l'impératrice annexe la Prusse-Orientale. Enfin, au début de 1760, les Russes entrent dans Berlin (déjà !), avec les Autrichiens, et le despote éclairé de Potsdam en est mortifié. Son « souci » se prénomme Élisabeth ; elle avait chassé les Allemands de son entourage ; maintenant, elle les humilie chez eux…

Ces conquêtes masquent les inquiétudes autour de la santé de cette femme qui ne s'est jamais ménagée. Après une première attaque cérébrale à l'automne 1756, une deuxième deux ans plus tard à Tsarskoïe Selo – un tableau devant ce palais ne peut cacher qu'elle a encore grossi –, Louis XV lui envoie son médecin personnel… qu'elle ne recevra pas avant huit mois ! D'ailleurs, elle refuse d'absorber le moindre remède. Pour donner l'impression que sa santé est recouvrée, elle se fait maquiller... pendant cinq heures[1] ! Nous dirions aujourd'hui que l'impératrice, qui a du mal à se déplacer, souffre d'œdèmes, de convulsions, d'hémorragies aux jambes, d'hypertension et d'une dépression quasi permanente. Ses évanouissements sont fréquents. Renfermée sur elle-même, de plus en plus irritable, lassée d'avoir à décider, elle interdit que le mot « mort » soit prononcé devant elle. Désespérée, minée par les excès, difforme, horriblement gonflée, aveugle et souffrant atrocement, la tsarine qui ne peut plus parler reçoit l'extrême-onction et s'éteint, sans doute d'une crise d'apoplexie, le mardi 25 décembre 1761 ; elle venait d'avoir cinquante-deux ans. Élisabeth Petrovna avait espéré pouvoir se retirer dans le couvent attenant à l'église Smolny élevée par Rastrelli, à un endroit où elle avait passé son enfance.

Le roi de Prusse, humilié jusque sous ses murs berlinois, peut remercier le ciel de cette disparition espérée. Il est sauvé du déshonneur. Dans deux dépêches diplomatiques, Frédéric II, écrit, en italien : « Morte la Bête, Mort le Venin » !

La fin d'Élisabeth Iʳᵉ ressemble à sa vie, jalonnée de soubresauts, d'outrances, de spasmes, d'inconscience et de bon sens. Elle est enterrée près de son père, à la cathédrale Saint-Pierre-et-Saint-Paul de Saint-Pétersbourg. Aujourd'hui encore, son règne, bien qu'ayant considérablement développé l'empire et assuré son rang, demeure écrasé par ceux de deux

1. Francine-Dominique Liechtenhan, *op. cit.*

géants, Pierre le Grand et Catherine II. C'est injuste : cette femme, très libre, incarne, tous comptes faits et sans réserve, d'immenses avancées dans le destin mouvementé de la Russie impériale. L'Europe entière peut en témoigner.

7

Pierre III, le cauchemar de Catherine

Officiellement, Élisabeth Ire était restée célibataire et sans enfants. Certes, une rumeur, on l'a vu, a longtemps prétendu que son amant Razoumovski serait devenu son mari lors d'une cérémonie secrète en 1741 et qu'ils auraient eu des descendants. L'imagination populaire et l'audace de certains romanciers leur attribuèrent une fille, religieuse cloîtrée toute sa vie sous le nom de sœur Dossiphéa, et d'autres enfants, les Tarakanov. On en resta aux ragots. Avant de disparaître, la fille de Pierre le Grand avait désigné pour lui succéder son neveu Pierre, fils de sa sœur Anna Petrovna et du duc de Holstein. Elle avait trop souffert des ambiguïtés successorales pour ne pas laisser une situation indiscutable. Du moins l'avait-elle souhaité... Elle avait voulu préparer le futur Pierre III à cette tâche écrasante dès qu'elle-même s'était emparée du pouvoir. Cet apprentissage avait été laborieux. Pierre était né le 10 février 1728 à Kiel, dans le germanique et septentrional duché de Holstein-Gottorp dont la baie ouvre sur la Baltique. Sa mère était morte quand il avait trois mois. Son père, qui ne s'était guère intéressé à lui, confiant son éducation à des officiers cruels et ignares, était décédé en 1739 ; Pierre avait onze ans. Quel allait être le sort du petit-fils de Pierre le Grand devenu orphelin ?

L'avenir se présentait d'une façon pénible. Chétif, terrorisé parce qu'il était constamment puni, le jeune duc se mit à détester ce qu'on avait voulu lui inculquer maladroitement, en particulier les sciences. Et, puisqu'on l'avait réprimandé et brimé, il dresserait les gens et serait intraitable. Il annonça qu'il organiserait des parades militaires, boirait comme un cosaque et connaîtrait beaucoup de femmes. Et on était prié de ne pas le déranger lorsqu'il jouait du violon, une passion. En réalité, dès son adolescence, Pierre s'était révélé têtu, d'une intelligence limitée, capricieux et infantile. Son enfance sinistre, spartiate, et le manque d'affection en avaient fait un personnage sournois et dissimulateur. Pour se défendre. À ces circonstances défavorables, s'ajoute le sentiment d'être un étranger. Pierre est né en territoire allemand et son père est allemand. Sa tante, devenue impératrice, l'a fait venir en Russie. Et, de luthérien, il a été obligé de devenir orthodoxe ; rebaptisé Piotr Feodorovitch le 7 novembre 1742, il a été déclaré l'héritier du trône. À Saint-Pétersbourg, il était malheureux, rêvant de retrouver son Holstein natal. Comme il essayait de résister à sa tante mais manquait de courage, il mentait et la contredisait dès que possible ; en réaction, elle le faisait surveiller. L'impératrice voulait savoir si son neveu serait capable de diriger l'empire qu'elle relevait dans le souvenir de son père. Pierre ne s'épanouissait et ne s'animait que lorsqu'il était question d'une affaire ou d'un personnage allemand ; Frédéric II était son idole et il le vénérait avec un respect appliqué. Désespéré de la guerre de Sept Ans opposant la tsarine de Russie au roi de Prusse, il avait pris ouvertement parti pour le despote de Potsdam. Une sympathie très remarquée et qui choquait sa tante. À vingt-huit ans, il était le symbole d'un prince héritier russe littéralement subjugué par l'esprit et l'organisation prussiens, en proie à une admiration teintée de crainte dont on recensera plusieurs exemples. Pour lui, la Russie n'était pas assez germanisée.

La tsarine Élisabeth était la dernière Romanov de pure souche russe ; la lignée suivante, bien que portant le nom des Romanov, sera d'origine germanique, et cela jusqu'en 1917. Lorsqu'il succède à sa tante Élisabeth Ire le 25 décembre 1761, le nouveau tsar Pierre III, qui a trente-trois ans, est autant par le sang que par tempérament ce que l'on pourrait appeler un « Romanov allemand ».

Dès son intronisation, Pierre III se hâte de signer la paix avec son idole Frédéric II et lui restitue la Prusse-Orientale. C'est peu de dire que tous ceux qui avaient combattu sous le drapeau russe et étaient entrés dans Berlin se sentent moralement frustrés et humiliés. Se battre « pour le roi de Prusse » laisse une impression d'épouvantable et inexplicable gâchis. Non seulement le tsar ne retire aucun profit de la victoire de sa tante mais – et c'est pire ! – il l'efface, sans exiger la moindre compensation ni indemnité. De plus, le nouveau monarque signe un oukase d'amnistie en faveur de Biron et de Munnich, ces Allemands qui avaient été bannis de la Cour.

Ces décisions font le plus mauvais effet et, comme on pouvait s'y attendre, la stupeur se mue en colère. Que Pierre III joue à la guerre chez lui en faisant manœuvrer ses soldats à la prussienne et impose une paix ridicule à l'extérieur est aberrant. Ce n'est pas tout : le souverain conclut une soudaine alliance avec la Prusse et le Danemark contre l'Autriche, prémices des futurs partages de la pauvre Pologne. *In extremis* et donc contre toute attente, Frédéric II est sauvé par son nouvel allié, si étrange… À Potsdam, le roi qui se pique de philosophie voltairienne et avait failli perdre son ravissant château de *Sanssouci* (orthographe curieuse mais délibérée de sa part) n'en revient pas. Les Russes non plus ; l'état-major et l'armée pas davantage. Cet invraisemblable revirement suscite une grave inquiétude : l'Empire russe est livré aux incohérences d'un germanophile obsédé. N'a-t-il pas imposé les uniformes prussiens et les ordres en allemand dans l'armée russe, supprimé les coutumes que même Pierre le Grand avait maintenues ? On s'interroge : la défunte impératrice se serait-elle lourdement fourvoyée en choisissant un attardé mental ?

En fait, non. Élisabeth Ire avait prévu, si je puis dire, un garde-fou. Mais qui n'était pas facile à déceler. En effet, depuis longtemps – une bonne quinzaine d'années –, Élisabeth Ire était consciente des multiples défaillances et bizarreries de son neveu exalté. Elle avait cherché une femme qui compenserait ses fragilités. Par l'intermédiaire du baron de Münchhausen, chargé de dénicher l'oiseau rare, Élisabeth avait marié Pierre, le 25 août 1745, à une solide… princesse allemande, née le 21 avril 1729 à Stettin, capitale de la Poméranie occidentale, sur l'Oder[1].

---

1. Colonie germanique dès le XIIe siècle, cédée à la Suède par les traités de Westphalie en 1648, la ville fut reprise par l'Électeur de Brandebourg en 1677, rendue à la Suède en 1679, puis annexée à la Prusse par la paix de Stockholm en 1720. Occupée par les Français de 1806 à 1813, Stettin a été attribuée à la Pologne par la conférence de Potsdam en 1945 et sa population allemande évacuée. Depuis, son nom polonais est Szczcin.

Elle se nomme Sophie Augusta Frédérique d'Anhalt-Zerbst. Son père, général-major de l'armée prussienne, commande un régiment. Sa mère, Johanna Élisabeth, appartient à la maison princière des Holstein-Gottorp. Elle passe pour volage, intrigante, toujours en désaccord avec son mari qui a vingt-deux ans de plus qu'elle. Des commérages assurent que la future Catherine II serait la fille de Frédéric II ou, plus vraisemblablement si l'on met en doute la paternité officielle, celle d'un diplomate russe, Betskoï, dont elle baisait toujours les mains en entrant dans une salle où il se trouvait. Devenue impératrice, elle lui permettra même de s'asseoir en sa présence alors que les hauts dignitaires restaient debout.

Dans sa famille, Sophie Frédérique est surnommée Fiké. Elle reçoit une excellente éducation, parle et écrit très bien le français, peut converser en italien et comprend l'anglais. Intelligente, sachant attirer l'attention quand il le faut, son caractère est fort. On ne lui connaît qu'un défaut : elle n'a pas l'oreille musicale.

Dès le début de son règne, si le tsar avait pris diverses mesures internes, comme la fondation de la Banque d'État de Russie et la suppression de certains monopoles, la noblesse et la Garde se dressent contre lui. L'idée d'un complot (encore un !) agite les esprits, en faveur de son épouse, convertie à l'orthodoxie et désormais connue sous le prénom de Catherine, ce qui était un hommage à la femme de Pierre le Grand, donc à la Russie. On vante son esprit, sa finesse et sa vaste culture ; l'histoire lui reconnaîtra deux autres traits : l'ambition et l'égoïsme, deux qualités si l'on veut s'imposer dans une situation précaire. Et s'y maintenir. Dès le début 1762, il apparaît que la grande-duchesse Ekaterina est nettement plus apte à monter sur le trône rouge et or des Romanov que celui qui, pour des raisons physiques intimes, avait eu le plus grand mal à devenir son mari. La comparaison avec celui-ci est de moins en moins favorable. Pierre III, dans une bague qu'il porte jour et nuit, glisse un minuscule portrait de Frédéric II, son modèle définitif. Les ambassadeurs d'Angleterre et de France envoient des dépêches à leurs ministres soulignant que « ... la passion de Sa Majesté Impériale pour le roi de Prusse dépasse toute expression ». À force de glorifier les Prussiens, le tsar insulte les Russes. L'angoisse fait place à la peur sur les bords de la Neva quand le souverain, agissant comme si la ville était assiégée par un ennemi (ce qui est faux !), plonge Saint-Pétersbourg dans une atmosphère de guerre artificielle en multipliant les fracassantes salves d'artillerie !

Du matin au soir, la cité, qui ne demande qu'à vivre en paix, vibre au fracas de la canonnade. Un habitant, qui en est devenu presque sourd, craint pour sa résidence. Il écrit, en parlant du tsar, que, victime d'un délire ridicule : « Il ordonna un jour qu'on lui fît entendre un seul coup de cent grosses pièces de canon à la fois. Il fallut, pour retenir cette fantaisie, lui représenter qu'il allait faire s'écrouler la ville. »

Dangereux pour les palais, les canaux, les quais et les premiers ponts, Pierre III est aussi menaçant envers son épouse, laquelle veille à se montrer la moins allemande possible, ce qui est un comble. D'ailleurs, la tsarine se montre peu. Lassée de vivre avec un détraqué auquel elle n'inspire aucun désir, Catherine a pris un amant, Grigori Orlov, et attend un enfant de lui. Le mari, qui ne remarque rien, humilie sa femme en s'affichant avec sa maîtresse, Élisabeth Vorontzov, commune et laide. Profitant des lubies du tsar, Catherine cache son embonpoint dans un petit appartement du nouveau palais d'Hiver. Tant qu'elle est grosse, elle ne peut se mêler des affaires publiques mais en est informée avec minutie. Le tsar s'attaque maintenant aux popes en leur interdisant de porter la barbe et en leur imposant d'être des « orthodoxes luthériens » ! Cet étrange clergé rejoint vite la foule des mécontents. Personne ne peut plus douter que l'empereur débile conduise la Russie au chaos, ne respectant même pas les rares anciennes traditions que Pierre le Grand avait épargnées. Même à ses visiteurs ou à ses hôtes, par exemple dans un pavillon de Peterhof, le tsar maniaque impose une réglementation absurde sur l'art et la manière de se coucher dans un lit !

L'accouchement de Catherine tient à la fois du burlesque et de Machiavel. Prise par les douleurs, elle fomente avec son valet Chkourine une audacieuse mise en scène pour détourner l'attention de son mari que les cris d'un nouveau-né risquent d'attirer. Puisque, tel un émule de Néron, Pierre III est excité par les incendies, au soir du 11 avril 1762, le serviteur de la grande-duchesse met le feu à sa propre masure, évidemment en bois, et tout le quartier brûle ! Pierre le Fou et sa maîtresse sont attirés par le sinistre. Quel spectacle fascinant ! Pendant ce temps, Catherine la Rusée donne le jour à un enfant illégitime, évacué vers un lieu sûr par le dévoué valet.

C'est, sans doute, au cours de cette nuit théâtrale que l'épouse du tsar donne la mesure de son habileté et de sa détermination. Un diplomate autrichien dira : « Il est à peine possible que, sous des dehors calmes, elle ne cache pas quelque secrète entreprise. » En effet ! Avec un grand talent de dissimulatrice, elle prépare la déposition de son aberrant mari. Autour d'elle, la grande-duchesse insinue qu'elle est la victime innocente de l'insensé despote. Elle aussi ! Le 9 juin, lors d'un dîner à Oranienbaum (aujourd'hui Lomonossov), le tsar la traite publiquement d'imbécile. Fatale erreur, à tous égards ! L'incident peut être considéré comme le signal de la réaction. Pour l'empire, elle est une question de survie. Mais comme dans toute conspiration et pour convaincre les indécis, il faut de l'argent. Sollicitée, l'Angleterre prête cent mille roubles, par l'intermédiaire d'un marchand heureux de participer à cette œuvre d'assainissement. La France, en revanche, n'accorde aucun appui ; Catherine, devenue l'impératrice Catherine II, s'en souviendra. Il faut agir vite, car Pierre III veut encore déclarer la guerre au Danemark et fait passer en cour martiale un… rat qui a osé bouleverser l'alignement de ses soldats de plomb ! Il en possède une belle collection et une autre en porcelaine de Meissen, la célèbre manufacture de Saxe. Puis, il menace d'épouser sa maîtresse, d'emprisonner sa femme dans un couvent, mais se contente de l'assigner à résidence au pavillon de Monplaisir (en un seul mot), un bijou dans le parc du château de Peterhof, au bord du golfe de Finlande, comme nous l'avons vu.

Au début de l'été, la grande-duchesse Catherine est seule à Peterhof avec ses dames d'honneur pendant que son mari sombre dans l'ivresse à Oranienbaum.

Le vendredi 28 juin, les frères Orlov jouent un rôle déterminant dans le complot. À six heures du matin, Alexeï, le cadet de l'amant de Catherine, surgit dans la chambre de l'épouse du tsar. Il la réveille et lui annonce, calmement :

— Madame, il est temps de vous préparer. Tout est prêt pour votre accession au trône.

Catherine n'hésite pas, ne prend pas le temps de faire sa toilette (elle emploie ce mot français dans ses *Mémoires*), s'habille en hâte et s'engouffre dans la voiture attelée à cinq chevaux qui attendait devant l'entrée des jardins supérieurs. Alexeï l'accompagne à Saint-Pétersbourg où l'attendent des régiments acquis à sa cause. À la caserne Ismaïlovski, près de quatorze mille hommes, dont ceux de la Garde, l'acclament, lui baisent les mains. Un pope la bénit. Tous la réclament comme souveraine. Elle assiste à un *Te Deum* à l'ancienne collégiale Notre-Dame de Kazan où est exposée, depuis 1710, une icône de la Vierge miraculeuse découverte en 1579. Sur les marches, Catherine est acclamée. Puis, elle se proclame impératrice autocrate et se rend au palais d'Hiver. Astucieusement, elle apparaît à une fenêtre tenant son fils légitime, Paul, qui a huit ans. Tous les dignitaires et chefs militaires prêtent serment. Psychologiquement, le coup d'État est une réussite, et le palais d'Hiver entre dans l'histoire par une première prise de pouvoir sans que le sang soit versé. Une révolution de palais ? Non, une révolution subtile dans un palais…

Mais que faire de Pierre III ? Lorsqu'il est arrivé le soir à Peterhof pour faire arrêter sa femme sous les yeux de sa maîtresse, le tsar a compris que Catherine s'était jouée de lui et qu'il était perdu. Paralysé par l'indécision, il finit par retourner à Oranienbaum. Dans la nuit, Catherine, en uniforme de la Garde, y revient à la tête d'un régiment et obtient l'abdication de son mari. Une scène étonnante puisque le souverain détrôné, apeuré, est entouré de mille cinq cents hommes originaires du Holstein, son pays natal. Aucun ne prend sa défense. Tout ce que demande son pitoyable mari est que sa maîtresse reste avec lui. Catherine refuse. Alors, d'un ton pathétique, il supplie qu'on lui laisse son caniche, Mopsy, son serviteur noir, Narcissus, et son violon. L'impératrice accepte.

Doués pour la mise en scène, les quatre frères Orlov organisent alors la seconde entrée de la nouvelle impératrice dans sa capitale. Elle est méconnaissable, telle qu'on la voit sur un célèbre portrait équestre réalisé par le peintre Erichsen. Cheval blanc, selle rouge et argent, pourpoint et culotte verts du régiment Preobrajenski, coiffée d'un tricorne, l'épée à la main, Catherine porte l'uniforme de colonel. Le tableau nourrit la légende de celle qui a marché à la tête de l'armée pour mettre fin au règne démentiel de Pierre III. Pendant une quarantaine d'heures, Catherine n'a rien mangé, rien bu et n'a pas dormi. Le samedi soir, elle se couche enfin, épuisée. Satisfaite.

La seconde phase de l'opération est moins paisible que la première. Le dévoué Alexeï Orlov se charge de conduire le mari à une douzaine de kilomètres de Peterhof, vers la colline du palais de Ropcha où il est enfermé. Le 6 juillet, on apprend, selon la version officielle, que le tsar déchu est mort de « coliques hémorroïdales »... En réalité, vraisemblablement sur ordre de Catherine, il a été étranglé dans sa prison. Alexeï Orlov a participé au meurtre qu'il décrit lui-même dans ses courriers à la tsarine. Plusieurs officiers ont été ses complices.

À trente-neuf ans, Catherine, promue Catherine II, est une souveraine qui n'a pas de remords, seulement des inquiétudes. Elle va déployer de grands efforts pour que ses contemporains et la postérité ne retiennent du bref règne (cent quatre-vingt-six jours) de Pierre III que ses aspects négatifs. Mais, par honnêteté, en marge de ses excentricités, on retiendra aussi quelques actes positifs que, d'ailleurs, sa veuve confirmera, par exemple la renaissance de la flotte russe, l'abrogation de la redoutable Chancellerie des Affaires secrètes qui terrorisait la population et un oukase sur la libération de la noblesse, abrogeant le service militaire obligatoire pour l'aristocratie et lui permettant de porter des armes ainsi que de se rendre à l'étranger. En ces temps incertains, ces mesures pourraient être utiles. On se souvient que sous son règne, Élisabeth Petrovna n'avait ordonné aucune exécution. Moins d'une semaine après sa prise de pouvoir, Catherine II a fait tuer – ou laissé tuer – celui qui avait été, officiellement, son mari pendant dix-sept ans. L'Europe est troublée. L'Europe est inquiète. La plus difficile mission de Catherine II sera de faire oublier qu'elle a endossé un assassinat, et pas n'importe lequel puisqu'il s'agit du père de son fils légitime, le grand-duc Paul. Elle porte le poids de l'Empire russe et d'un terrible soupçon à perpétuité. On ne sait pas encore qu'en éliminant le tsar, la tsarine est devenue Catherine la Grande.

8

Catherine la Grande

Depuis près de dix-huit ans, la grande-duchesse Eka-terina a été tenue à l'écart, mais elle a beaucoup appris. Désormais, elle entend régner et gouverner en faisant appliquer la loi et l'ordre. Le peuple russe compte quelque vingt-cinq millions de sujets désemparés et désorientés par un règne de folie qui, pourtant, n'a duré que six mois. Six mois d'anarchie et de désordre. Six mois perdus… Comment l'épouse d'un demi-fou n'aimant que ses chevaux et ses chiens a-t-elle pu supporter si longtemps ses brutalités ? Elle avouera : « Pour dire la vérité, je crois que la couronne de Russie m'attirait beaucoup plus que sa personne. L'espoir d'une couronne, non point dans le ciel, mais sur cette terre me soutenait l'esprit et le courage. » Son apparente soumission n'était donc qu'une patiente préparation.

Sur le trône des Romanov, celle qui est devenue Catherine II est la cinquième femme et la première qui n'ait pas une goutte de sang slave. Elle va y remédier, d'une manière aussi surprenante qu'originale. Un matin, après une nuit d'insomnie et alors qu'elle reçoit ses médecins, elle les apostrophe :

— Saignez-moi de ma dernière goutte de sang allemand pour que je n'aie plus que du sang russe dans les veines !

Les chirurgiens opèrent. C'est une véritable transfusion politique ; elle doit permettre à la souveraine de mieux comprendre l'état d'esprit de son empire et de minimiser certains inconvénients. Outre l'assassinat de son mari qu'elle a commandité ou laissé commettre par son silence – à la fois un cas de conscience personnel et une fâcheuse notoriété diplomatique –, Catherine II affronte, devant l'opinion russe, une situation peu confortable. Si elle est l'héritière de Pierre le Grand, elle n'en est pas la descendante. Elle doit donc se glisser dans la légende du tsar mythique et devenir une vraie Romanov. Si elle ne parviendra jamais à se débarrasser de son accent allemand du Nord, elle observe toutes les traditions orthodoxes et introduit même à la Cour le port de la robe nationale pour les femmes.

— Je dois tout à la Russie, assure-t-elle, même mon prénom Catherine !

Ébloui par sa personnalité, comme d'autres contemporains illustres, le prince de Ligne, magistral dans l'art de faire des mots sur les gens qui comptent, va la surnommer *Catherine le Grand*. Elle-même, consciente que ses origines germaniques peuvent la desservir au moindre faux pas, avoue que son cerveau « est plus mâle que femelle ». Son intelligence et sa parfaite maîtrise d'elle-même vont l'aider à dissoudre les réticences internes, d'autant que cette travailleuse acharnée ne prend jamais une décision sans avoir été complètement instruite de l'affaire, mais sans perdre de temps. Catherine II sait bien que le véritable adversaire des Russes n'est ni la Prusse, ni la Suède ni même l'Empire ottoman, mais la paresse qui engourdit l'immense Russie dans le carcan d'un éternel hiver.

Lors d'un de ses premiers conseils de gouvernement, elle constate, effarée, qu'aucune carte générale du pays n'a été dressée et que le nombre des villes n'y est même pas exactement recensé ! On amène donc une carte, rudimentaire. Ces messieurs vont recevoir une éblouissante leçon de géographie et s'en souviendront longtemps. D'ailleurs, le rythme de travail est soutenu ; la tsarine est à son labeur de douze à quatorze heures par jour. Jamais depuis Pierre le Grand il n'y a eu une telle capacité de travail à la tête de l'empire. La souveraine rédige elle-même un *nakaz*, un manuel d'instruction auquel collabore une commission chargée des nouvelles lois et de réflexions diverses. Des représentants de la noblesse, des marchands et des paysans, parfois venus de très loin, en font partie. Sur la couverture du volume, sous le chiffre de Catherine II (E, pour Ekaterina en russe), est représentée une ruche, son symbole préféré. La comparaison avec la reine des abeilles n'est pas fortuite. Le gouvernement bruit d'activités. Sans doute la tsarine a-t-elle formulé le même diagnostic que son illustre prédécesseur. En effet, en français, elle ne se prive pas de dire le mal qu'elle pense de Moscou, éternel refuge, selon elle, de l'obscurantisme et de principes surannés :

— Je n'aime point du tout Moscou. Moscou est le siège de la fainéantise. Je m'y suis fait une règle, quand j'y suis, de ne jamais envoyer chercher personne parce que ce ne sera que le lendemain qu'on aura la réponse si cette personne vient ou non.

L'impératrice apprécie d'être obéie et comprise sans retard ; elle déteste être obligée de répéter ce qu'elle a dit, encore plus d'attendre sans raison. Par ailleurs, comme Pierre Ier, elle se méfie du fanatisme :

— Que d'images miraculeuses à chaque pas, que de prêtraille, que de couvents, que de dévots, que de gueux, que de voleurs, que de domestiques inutiles dans les maisons !...

Poursuivant ses critiques de Moscou, elle constate :

— Voilà donc un amas de populace de toute espèce, toujours prête à s'opposer au bon ordre et qui s'ameute pour la moindre bagatelle... À Pétersbourg, le peuple est plus docile, plus poli, moins superstitieux, plus accoutumé aux étrangers.

Mais sa répulsion envers Moscou ne lui interdit pas d'être couronnée le 22 septembre 1762 dans la cathédrale de la Dormition, au Kremlin. Une cérémonie particulièrement brillante qui consolide son pouvoir en le parant de la légitimité sacrée.

Notons que même si elle prétend être devenue russe, Catherine II ne se ferme pas au monde extérieur. Et si Saint-Pétersbourg déploie un urbanisme élégant, spectaculaire et soigné, c'est l'impératrice qui va y installer une vie de l'esprit plus qu'une vie de cour, élevant sa capitale au rang de phare des Lumières philosophiques européennes. Ainsi, la religion, les croyances, les sorciers, les devins et autres personnages dérangeants de la Russie profonde restent sur les bords de la Moskova. Sur ceux de la Neva, la pensée politique et l'activité rationnelle vont briller. La Russie, elle aussi, emprunte à l'Occident un sang frais...

Vis-à-vis de l'extérieur, la légitimité de l'impératrice est douteuse puisque suspectée d'un crime. Rares sont les chancelleries qui admettent la thèse d'un excès de zèle des geôliers de Pierre III ; toutes comprennent que

Catherine ait débarrassé la Russie d'un dément qui méritait d'être enfermé, mais son élimination physique est plus que gênante. Une bataille d'ivrognes, relatée par un des frères Orlov, aurait mal tourné. On peut penser aujourd'hui, en se fondant sur des recherches récentes, que la vérité peut être conforme à une « mort accidentelle ». Mais la disparition du tsar détrôné si peu de temps après qu'il avait été emprisonné laisse songeurs de nombreux esprits. Cette mort est bien opportune. L'avenir de l'impératrice, en effet, s'en trouve dégagé... À ces discrètes indignations, Catherine II rappelle que son piètre mari allait se débarrasser d'elle et qu'elle l'a pris de vitesse, en quelques heures, dans l'intérêt de la Russie. Pour se forger une meilleure réputation, Catherine a besoin du soutien d'écrivains, car ce sont eux qui font voyager les idées. Elle avait quatorze ans lorsqu'elle a entendu, prononcé devant elle pour la première fois, le nom de Versailles. Quelle magie ! Sa gouvernante, Mlle Cardel, dite Babette – encore une descendante d'émigrés huguenots –, lui a appris la plus délicieuse des langues, le français, aussi bien dans les vers de Corneille que dans les romans précieux de Mlle de Scudéry. La grande-duchesse avait suivi l'évolution des idées venues de France, lisait quantité d'ouvrages et de gazettes, était informée de tout. Autant par plaisir intellectuel que par calcul politique, elle a fait son choix. Allemande de naissance, Russe par destination, elle se veut Française de pensée. Et ce qu'elle prépare est inouï : neuf jours – neuf jours seulement – après son coup d'État et au moment où elle fait disparaître son mari, Catherine II invite le philosophe Denis Diderot à venir à Saint-Pétersbourg afin d'y poursuivre la publication de l'*Encyclopédie*. En effet, cette magistrale et souvent sulfureuse somme des connaissances humaines, dont sept volumes sont déjà parus, vient d'être interrompue par la censure royale. L'impératrice ose se prétendre une souveraine éclairée qui offre asile aux philosophes persécutés par la justice de Louis XV. Elle se divertit de compromettre, voire de bafouer, l'autorité du roi de France, le mal-aimé des penseurs et qui, on le sait, n'avait pas soutenu la grande-duchesse dans son entreprise de sauvetage de la Russie. Catherine la Libérale ? Voilà qui est finement joué, car elle a besoin d'une virginité diplomatique incontestable face aux sceptiques. Diderot, justement, est sceptique quand il reçoit la proposition. Quel air respire-t-on à Saint-Pétersbourg sinon celui des meurtres par étranglement dans un cachot ? Et comment oublier que Pierre le Grand lui-même fit torturer et exécuter son propre fils ? L'atmosphère n'est pas très saine. Et puis, quel voyage ! Cette considération lui permet de décliner l'offre ou, plus exactement, d'attendre. Son ami d'Alembert, autre brillant encyclopédiste, refuse également l'invitation malgré une promesse de vingt mille roubles (une belle somme !) et le rang d'ambassadeur. Froissée, Catherine II fait répandre le bruit qu'elle a invité des écrivains qui se révèlent être des peureux !

Voltaire en profite pour se placer. À celle qu'il ne craint pas d'appeler « la Sémiramis du Nord », car la bonne volonté et l'enthousiasme du philosophe sont disponibles, il envoie des poèmes élogieux, des compliments flagorneurs et autres félicitations sans retenue. La tsarine aimerait l'accueillir, mais Voltaire est trop âgé – il a près de soixante-dix ans – pour entreprendre un périple de trois mille kilomètres. Les relations de la souveraine avec le plus étincelant avocat de la tolérance en resteront à une correspondance intense pendant une quinzaine d'années, jusqu'à la mort de l'auteur de *Candide*. Cependant, la tsarine n'est pas une femme qui renonce facilement. Apprenant par son ambassadeur le prince Galitzine, en 1765, que, pour des raisons financières, Diderot doit se séparer de sa bibliothèque et qu'il en demande quinze mille livres, elle ordonne à son représentant de la lui acheter mille de plus en lui laissant tous ses volumes, sous forme d'usufruit... de cinquante ans (jusqu'en 1815 !) car, dit-elle dans une délicate remarque : « Ce serait une cruauté de séparer un savant de ses livres. » De surcroît, Diderot reçoit un traitement annuel de mille livres comme bibliothécaire de Sa Majesté. Cette élégance est très appréciée. Allons, cette impératrice n'est pas un monstre ! Et si elle a l'œil à tout, elle sait fermer les deux yeux sur les défaillances ou petites faiblesses humaines.

Devant une telle générosité, Diderot se sent obligé d'aller remercier sa bienfaitrice dans sa belle ville. En mai 1773 (il a soixante ans), il part enfin. Son voyage, épuisant, dure plusieurs mois, avec une longue halte à La Haye. Reparti en août, Diderot atteint Saint-Pétersbourg à la première neige. Au palais d'Hiver, chaque fin d'après-midi pendant une heure, le philosophe a un entretien politique avec l'impératrice. Point de protocole, il lui prend la main, lui secoue les bras, tape sur la table, et Catherine écrit qu'elle sort de ces audiences « les genoux meurtris et des taches bleues sur les cuisses » ! De la philosophie expérimentale et rapprochée ! Catherine n'est pas du genre à craindre un homme mais, tout de même, les hématomes philosophiques n'ont rien de plaisant ni d'excitant... Alors, elle fait disposer une seconde petite table entre elle et son visiteur. Le Français, l'œil en feu, appelle la tsarine « ma bonne dame » ! Plus amusée que choquée, l'impératrice écoute Diderot avec patience et lui fait comprendre que les philosophes n'entendent rien à la politique, surtout à la politique russe. Dans son hôtel de la place du Commerce (actuelle place Saint-Isaac), le Français, très excité à l'idée du prochain entretien mais souffrant de maux d'estomac, rédige un questionnaire en quatre-vingt-huit points. Il interroge la tsarine aussi bien sur la quantité de goudron fournie par chaque province que sur l'organisation des écoles vétérinaires. Quand il en vient à la situation des maîtres et de leurs esclaves, elle lui répond qu'il n'y a pas d'esclaves dans son pays mais seulement des paysans attachés à leur terre... Elle lui fait encore remarquer qu'il n'est qu'un théoricien sans connaissance de la réalité et même un intellectuel utopiste, car il est facile de proposer des réformes « sur le papier qui souffre tout, est tout uni, souple et n'oppose d'obstacle ni à votre imagination ni à votre plume tandis que moi, pauvre impératrice, je travaille sur la peau humaine qui est bien autrement irritable et chatouilleuse ». Parce qu'elle a eu de bonnes lectures, l'élève dépasse le maître. « Monsieur Diderot, j'ai entendu avec le plus grand plaisir tout ce que votre brillant esprit vous a inspiré mais avec vos grands principes que je comprends très bien, on ferait de beaux livres et de mauvaises besognes. »

Pendant l'hiver 1773-1774, Diderot, toujours aussi familier, essaie de convaincre la tsarine. Il lui remet encore une liasse d'écrits, en fait des conseils sous le titre *Mélanges philosophiques et historiques*, comme s'il allait lui faire passer un nouvel examen ! La destinataire se hâte de les ranger dans un tiroir et de les oublier. En souriant. Et quand l'entêté Denis lui suggère de réunir les représentants du peuple pour la

conseiller, la souveraine agite la main en signe de déné-
gation et lui dit, toujours en souriant :

— Monsieur, je ne veux pas d'un Parlement à la
mode anglaise !

L'impératrice de « toutes les Russies » est bien un
autocrate[1]. En dépit de son esprit humaniste, elle
renonce, au début de son règne, à libérer les serfs d'un
esclavage honteux car elle sait qu'un tel bouleverse-
ment, trop brutal, déstabiliserait le fonctionnement de
son empire. Personne, à cette époque, n'est encore prêt
à accepter une telle mesure.

Toutefois, grâce à son éducation et à ses relations
européennes, la tsarine professe des idées libérales très
en avance sur la mentalité russe. Et à la fin de son
règne, plus de huit cent mille serfs auront été affranchis
tandis que les peines corporelles infligées aux seigneurs
condamnés par la justice sont supprimées. L'impératrice est ferme dans l'application des lois et subtile dans
leur élaboration.

Pendant son absence, Diderot avait tenu à rassurer
son épouse car la tsarine avait déjà une réputation,
justifiée, de mangeuse d'hommes. Le pouvoir est
séduisant. Dans un courrier conjugal, rassurant, il la
présente ainsi : « … petite, elle a le front grand et haut,
de grosses joues soufflées, des yeux ni grands ni petits,
un peu enfermés dans leurs orbites, les sourcils et les

---

1. Le terme n'apparaît réellement qu'en 1768, inspiré du grec et
signifiant littéralement « qui gouverne par lui-même », c'est-à-dire
sans contrôle. Ce n'est que par des excès qu'il prendra le sens péjo-
ratif de despote, de tyran et de dictateur. Catherine II est donc,
comme Louis XIV, chef d'État et de gouvernement, sans Premier
ministre.

cheveux noirs, le nez épaté, la bouche grande, les dents gâtées, le cou rond et droit, la poitrine converse (!), point de taille, de la promptitude dans les mouvements, un peu de grâce, nulle noblesse. » Un portrait peu flatteur mais qui n'empêche pas Catherine II, quarante-quatre ans, de collectionner les amants. La cohorte en est impressionnante : les plus connus sont les frères Grigori et Alexeï Orlov, le roi de Pologne Poniatowski et Potemkine, parmi une demi-douzaine d'autres qui ne regretteront pas de l'avoir séduite car la souveraine est aussi généreuse qu'ardente. Le statut de favori n'est pourtant pas une sinécure : si, à chaque liaison, l'heureux soupirant reçoit le grade d'aide de camp général, un appartement au-dessous de celui de sa bien-faitrice et communiquant par un escalier secret, plus cent mille roubles d'encouragement à la fidélité et douze mille roubles supplémentaires chaque mois, il ne peut, en revanche, sortir du palais d'Hiver sans lui en demander l'autorisation ; il ne peut s'entretenir avec d'autres femmes et, s'il accepte d'être invité chez des amis, la maîtresse de maison doit, impérativement, souper ailleurs ! La concurrence est surveillée. Alors que, sous les règnes d'Anna Ivanovna et d'Élisabeth Petrovna, les favoris étaient, avant tout, des amants efficaces, les hommes que choisit Catherine II sont intelligents et utiles pour la réalisation d'un objectif politique ou militaire ; parfois, ils réunissent des qua-lités intellectuelles et des dons physiques, mais jamais elle ne confiera une haute responsabilité ou un haut commandement à un personnage médiocre ; elle a le talent de distinguer les compétences, à la fois pour régler les questions gouvernementales et satisfaire ses plaisirs personnels. Se méfiant de la grande noblesse, toujours tumultueuse et capable de menacer son pouvoir, elle privilégie la petite aristocratie, plus paisible, qu'elle peut impressionner. Elle a aussi la prudence de ne s'aliéner ni les marchands – catégorie sociale très importante – ni le peuple des obscurs qu'elle émerveillera autant par sa piété que par son faste.

Le cas de Grigori Potemkine mérite d'être souligné. Né en 1739 dans une famille d'origine polonaise, il a participé au coup d'État installant la grande-duchesse au pouvoir. Chambellan en décembre 1762, brillant officier vainqueur des Turcs, il devient, en mars 1774, le cinquième favori en titre de l'impératrice. On murmure qu'après avoir été son amant, il serait devenu son époux secret et le père d'une fille, Élisabeth, qui reçut le nom de Temkine. Supplanté par Zavadovski, Potemkine, laid, bizarre, original et génial homme d'État, organise un extraordinaire voyage dans ce qu'on appelle alors « la Nouvelle Russie », les terres noires conquises au sud, steppes décrites comme les plus riches du monde. Cette expédition le long du Dniepr dure des mois, avec la participation de l'empereur Joseph II de Habsbourg et du roi de Pologne Stanislas Poniatowski, un ancien rival... Elle a pour but à la fois de reconquérir le cœur de Catherine II et de montrer les qualités d'administrateur du favori évincé, lesquelles sont remarquables. Il engage des dizaines de milliers de paysans pour construire des forteresses, des canaux et surtout des villages édifiés en hâte le long du fleuve. Ils n'étaient qu'un décor devant lequel des figurants, habillés en moujiks endimanchés, jouaient le rôle de colons mettant en valeur la Russie méridionale. Les « villages Potemkine » devaient cacher les réalités misérables. Ils ne permirent pas à leur promoteur d'éliminer le dernier favori de la tsarine et il retourna, avec succès, aux opérations militaires.

Quand la disgrâce s'abat sur le favori, il reçoit l'ordre de voyager puisque la vue de Catherine lui est désormais interdite. Toutefois, des « récompenses », sonnantes et trébuchantes, sorte d'indemnités de licenciement amoureux, adoucissent son éloignement. Elle-même souffre de ces situations. En fait, elle est rarement heureuse dans sa vie privée, car sa sensualité lui interdit de vivre sans amour. Tous les hommes de sa vie, de son mari défaillant à ses dernières conquêtes, ne rejoignent pas ses sentiments élevés. Elle recherche un être capable de la comprendre et d'apprécier sa personnalité. Sans jamais le trouver, elle finit par s'entourer de jeunes hommes pour les forger en modèles auxquels elle n'a cessé de rêver. Au sujet de son dernier favori, le prince Platon Zoubov – qui a trente-huit ans de moins qu'elle ! – elle écrit : « Je poursuis les intérêts de l'État en formant des jeunes gens. » Aimant les beaux hommes autant que les beaux monuments, elle n'est avare ni pour les uns ni pour les autres. Les favoris successifs, comblés de bienfaits, sauront, par leur luxe, contribuer à la splendeur du règne. On assiste à une sorte de redistribution des moyens, créatrice de nouvelles richesses architecturales, monumentales et artistiques.

L'appétit sexuel de l'impératrice est vite devenu légendaire. Lors de la Seconde Guerre mondiale, d'incroyables gravures et dessins – dont l'authenticité reste à démontrer – furent prétendument découverts dans les ruines du palais de Pouchkine (aujourd'hui Tsarskoïe Selo), illustrant des scènes invraisemblables, ahurissantes, monstrueuses et contre nature, voire zoophiles ! L'impératrice saillie par un étalon suspendu à un gigantesque harnais ! Rien n'est interdit dans la plus scabreuse propagande, surtout entre ennemis dans une bataille infernale !

Ses contemporains sont stupéfaits par son énergie. La tsarine ne se repose jamais. Escortée de ses deux petits lévriers anglais, elle étudie en permanence les affaires de l'État, écrit continuellement et ne s'attarde guère à table même si elle mange avec une lenteur surprenante, à deux heures pour le déjeuner, à neuf heures pour le souper. À son entourage, elle explique que c'est pour mieux reconstituer ses forces. Elle en a besoin, car sa politique étrangère va la conduire à des guerres d'expansion sur les deux fronts qui seront une constante dans les visées de l'Empire russe, d'abord la Pologne qu'elle annexe en partie, puis l'ouverture sur la mer Noire, le vieux rêve de Pierre le Grand. L'importance d'une marine fait partie de ses priorités ; le combat naval victorieux de la baie de Tchesmé, en Grèce, le 26 juin 1770, est le résultat d'une audace inouïe : Alexeï Orlov, âgé de trente et un ans, conduit ses navires – à peine sortis des arsenaux de Saint-Pétersbourg – de la Baltique à la Méditerranée. Un exploit ! En son honneur, la tsarine fait frapper une médaille ; elle représente des bateaux de guerre turcs en flammes. Une inscription dit simplement « Cela fut »… L'impératrice a la chance de disposer d'amiraux et de généraux de génie. Sa confiance en l'armée se retrouve dans sa fidélité au régiment Preobrajenski qui l'avait portée au pouvoir ; on la voit revêtir leur uniforme, adapté, vert avec des parements dorés et des escarpins assortis dont on assurait qu'ils venaient de France. Pour financer ces expéditions, la Banque des assignats a vu le jour, accompagnée par la mise en circulation du papier-monnaie et un premier emprunt extérieur, souscrit auprès des banquiers d'Amsterdam.

Une autre campagne victorieuse est ensuite menée contre les Turcs par Potemkine et le généralissime des armées russes Alexandre Souvorov, que l'impératrice avait nommé colonel en 1762. Grâce à lui, la Russie s'empare en 1783 de la Crimée et du littoral jusqu'au Dniestr où seront aménagés les ports de Sébastopol et d'Odessa, lesquels entreront plus tard dans l'histoire révolutionnaire[1]. Si Catherine devient « la Grande », c'est d'abord grâce à ses conquêtes territoriales et maritimes, en particulier à l'ouest et au sud. L'annexion de régions jusque-là ottomanes, ses victoires contre la Suède en mer Baltique (1788-1790) et les trois partages de la Pologne (1772, 1793 et 1795) font de la Russie l'État le plus peuplé et le plus puissant d'Europe. On peut donc observer qu'en politique et notamment en Russie, la féminité n'est pas obligatoirement une assurance de paix ou de douceur…

Avec l'infatigable tsarine, Saint-Pétersbourg devient réellement une capitale politique et diplomatique d'Europe ; elle lui confère également un rôle, définitif, de métropole artistique. L'écrin existait. Le génial architecte Rastrelli a encore doté la ville et ses environs de joyaux, et Catherine II va les remplir de merveilles en agissant comme l'une des premières collection-

1. Fondée par Catherine II en 1794, Odessa s'est rapidement développée sous l'impulsion d'un Français, le duc de Richelieu, petit-fils du maréchal, gouverneur de la province d'Odessa de 1804 à 1814. La ville en conserve un urbanisme élégant, après une lente restauration.

neuses de son temps. Cette passion, qui s'impose à nos regards éblouis lorsque nous visitons aujourd'hui le musée de l'Ermitage, est née d'un hasard. En 1764, l'ambassadeur de Catherine II à Berlin lui apprend, avec malice, que le roi de Prusse, fidèle à sa détestable réputation, n'a pas payé une commande de deux cent vingt-cinq tableaux au marchand qu'il avait mandaté, un certain Gotzkowsky. Ainsi, le Grand Frédéric ne règle pas ses dettes ? Elle va s'en charger, ravie de jouer un bon tour à son rival auprès des philosophes français. Frédéric II, il est vrai, est beaucoup moins doué que l'impératrice dans l'art de se rendre populaire. Les œuvres sont donc acquises par son ambassadeur et prennent le chemin de Saint-Pétersbourg. La tsarine les place dans un ravissant bâtiment élevé par le Français Vallin de La Mothe, assisté de Velten, et qu'elle a nommé, en français, son Petit Ermitage.

Ce n'est pas un musée mais une collection privée, réunie pour son seul plaisir. Enfin presque…, car dans une lettre où elle relate ses émotions devant les chefs-d'œuvre, elle souligne : « … Il n'y a que les souris et moi à jouir de ces richesses ! » L'Europe se passe le mot, l'impératrice a du goût et elle est disposée à payer convenablement ce qui est beau. Les diplomates russes sont désormais en alerte, traquant les ventes. À Paris, le correspondant et acheteur inspiré de Sa Majesté Impériale n'est autre que Diderot, le serviable Diderot, enchanté de manifester son zèle. Arbitre, agent, négociateur, il lui permet d'acquérir la fameuse collection Crozat, riche de quatre cents tableaux pour un prix de quatre cent soixante mille livres, « la moitié de leur valeur ! » rugit-il. Versailles s'était ému de l'affaire qui posait déjà le problème de la fuite des éléments du patrimoine national à l'étranger. Diderot s'amuse :

« Les amateurs crient, les artistes crient, les riches crient. » Par bateau, la collection Crozat met quatre mois à atteindre sa destination. Avec cet enrichissement exceptionnel, on comprend que, à la mort de l'encyclopédiste, le 30 juillet 1784, l'impératrice de Russie perde un véritable membre fondateur du musée de l'Ermitage.

Que de trésors dans cet arrivage ! Un Raphaël, quatre Véronèse, douze Rubens, sept Van Dyck, trois Watteau, huit Rembrandt, cinq Poussin, des Le Nain, des Claude Lorrain… Si, en 1774, l'Ermitage compte déjà deux mille toiles, vingt-deux ans plus tard, à la mort de Catherine, on en recensera plus du double. Afin d'entreposer ses nouvelles acquisitions, la tsarine fera construire, de 1771 à 1787, un troisième bâtiment, le Vieil Ermitage, parfois appelé Grand Ermitage.

Que, grâce à son flair, Saint-Pétersbourg devienne la nouvelle métropole de l'art occidental et de la vie intellectuelle est la marque indélébile d'un des plus glorieux règnes des Romanov, l'un des plus bénéfiques pour la Russie et certainement l'un des plus brillants de l'histoire européenne. Son prestige égale celui de sa contemporaine Marie-Thérèse de Habsbourg-Lorraine, l'autre illustre impératrice. La Grande Catherine ne s'interdit aucun sujet, abordant le monde avec une curiosité boulimique. Le génial Lomonossov ayant écrit une *Histoire de l'ancienne Russie* – qui fait encore autorité –, elle se rend chez lui ; dans son cabinet d'expériences en tous genres, encombré d'instruments de mesure, de fours ronronnants et de récipients, cet homme qui sait tout et devine le reste lui révèle les secrets de la mosaïque.

La présence puis l'influence de Diderot auprès de Catherine II – plus avisé en matière artistique qu'en philosophie politique ! – s'étaient traduites pour Voltaire par un long silence de la tsarine. L'ermite de Ferney, qui ne recevait plus aucun courrier de Saint-Pétersbourg, se sentait humilié. Jaloux, il se décide à interpeller la souveraine, indifférente à son dépit. Une véritable scène ! « Madame, Votre Majesté Impériale m'a planté là pour Diderot ou pour Grimm[1] ou pour quelque autre favori. Je cherche des crimes pour justifier votre indifférence. Je vois bien qu'il n'y a point de passion qui ne finisse. Cette idée me ferait mourir de dépit si je n'étais déjà tout près de mourir de vieillesse. » Avec un humour qui prouve sa parfaite connaissance des travers humains, Catherine II lui répond : « Vivez, Monsieur, et raccommodons-nous. Vous êtes si bon Russe que vous ne sauriez être l'ennemi de Catherine. » Voltaire se trompe. D'abord parce qu'il vit encore quatre ans, ne disparaissant que le 30 mai 1778. Ensuite, parce que l'impératrice, fidèle à son esprit acéré, se considérait comme l'une de ses disciples. À la mort de celui qu'elle n'avait jamais rencontré mais qui était un compagnon de pensée depuis trente ans, elle se dit accablée d'un « grand découragement ». Au cher Grimm, toujours Parisien, elle adresse ce reproche étonnant : « Pourquoi ne vous êtes-vous pas accaparé de son corps en mon nom ? » Elle

1. Melchior, baron de Grimm, né à Ratisbonne en 1723, mort à Gotha en 1807, est un écrivain et critique allemand qui a laissé une monumentale correspondance littéraire, philosophique et artistique (17 volumes !). Il informait les plus hauts personnages d'Europe sur la vie intellectuelle à Paris.

l'aurait inhumé en terre russe. « Je vous promets qu'il aurait eu la tombe la plus précieuse possible. Faites l'achat de sa bibliothèque et de tout ce qui reste de ses papiers, inclusivement mes lettres. Pour moi, volontiers, je paierai largement ses héritiers qui, je pense, ne connaissent pas le prix de tout cela. » La bibliothèque arrivera, accompagnée d'une statue de Voltaire par Houdon. Mais Catherine interdit, vigoureusement, la publication de son vivant de sa correspondance avec le défenseur de Calas. Par coquetterie, elle craint d'être jugée comme un écrivain médiocre et, accessoirement, que les louanges de Voltaire ne soient interprétées comme de l'irrespect à l'égard des autres souverains…

L'instruction est un chantier permanent de la tsarine. Elle fonde des maisons d'éducation à Saint-Pétersbourg et à Moscou (1763), l'Institut Smolny pour jeunes filles nobles sur les bords de la Neva (1764) – elle fait peindre le portrait de ses pensionnaires dans un souci de propagande et de fierté –, puis un équivalent pour les jeunes filles de la bourgeoisie. Un réseau d'orphelinats en faveur des artisans et des marchands est complété par la multiplication des écoles privées et des pensionnats ; en 1784, Saint-Pétersbourg compte déjà une cinquantaine d'institutions. Dès 1765, la tsarine accorde son patronage à la première société savante, spécialisée dans les études économiques et qui privilégie l'agriculture selon une nouvelle discipline, celle des physiocrates (1765).

Les divertissements étant une autre façon d'instruire les masses, Catherine II encourage la vie théâtrale. Après un Opéra, des salles, dites impériales ou appartenant à de grands propriétaires, sont ouvertes ; on en comptera… cent soixante-dix ! On se demande comment l'impératrice trouve encore le temps de s'occuper de spectacles, mais c'est un fait : elle a ses matinées diplomatiques, ses soirées de philosophe, ses nuits d'amoureuse et ses heures théâtrales. Elle donne l'exemple en faisant construire, de 1783 à 1787, l'étonnante salle en hémicycle de l'Ermitage, restaurée de 1990 à 1991 et rouverte en 1992. Que la construction ait été confiée à l'Italien Quarenghi n'est pas un hasard, la salle étant dessinée sur le modèle de l'extraordinaire Teatro Olimpico de Vicence, ultime chef-d'œuvre de Palladio. On y accède par une galerie qui enjambe le canal d'Hiver et sert de promenoir car, s'il est important de s'y montrer, il est encore plus utile d'y être vu. Ses six rangées de places sont disposées à l'antique, les colonnes de marbre alternent avec les niches abritant Apollon et les neuf Muses ainsi que des statues d'auteurs et de compositeurs. Il n'y a aucune loge, l'impératrice s'assoit au milieu du public, dans la partie gauche. Ce qu'on sait moins est qu'elle est elle-même auteur : elle écrit des pièces satiriques où elle brocarde les ennemis de la Russie qui, n'est-ce pas curieux, sont aussi les siens, comme la paresse, l'ignorance, les superstitions. On s'amuse, on apprend, on retient, le spectacle est aussi une pédagogie.

Sous le règne de Catherine II, une autre femme tient une place à part dans l'histoire de la culture russe. Elle porte le même prénom, Ekaterina. Née en 1745, donc plus jeune de seize années, la princesse Ekaterina Dachkova avait participé au coup d'État de 1762. Elle a beaucoup voyagé et rencontré Voltaire. En 1783, la tsarine, dont les relations avec son amie s'étaient tendues, la nomme directrice de l'Académie des sciences de Russie (souvent appelée Grande Académie) et fonde une autre compagnie, l'Académie russe, uniquement occupée de questions linguistiques pour « élever la langue russe, la systématiser, montrer la profondeur, l'abondance et la beauté de la langue, en écrire les règles, révéler son laconisme, l'importance de ses sentences et en trouver les origines ». Sur le modèle français et sous la direction de cette femme intelligente et autoritaire, paraît, en six ans, un *Dictionnaire de la langue russe*, et aussi le *Journal des amateurs de la langue russe*. L'impératrice ne se fait pas prier pour y écrire quelques articles et discuter de questions grammaticales. Ces travaux jouent un rôle essentiel dans la lente unification de l'empire autour d'une langue dominante.

En politique intérieure, il reste beaucoup à faire. La souveraine s'attache chaque jour à légitimer sa monarchie et à « promulguer des lois qui garantissaient tous ses sujets de la corruption, de la pauvreté et de l'arbitraire ». L'idée, très française, qu'un « bonheur universel » est possible se heurte à des vestiges d'organisation sociale dont le servage est le plus douloureux. Et l'absence de lois défendant les paysans ne fait qu'accentuer la misère de leur sort. En septembre 1773, un cosaque du Don âgé d'environ trente-huit ans, Emelian Pougatchev, déclenche une rébellion. Ayant déjà été emprisonné puis libéré, il prétend être le tsar Pierre III, le mari de Catherine mort brutalement dans un cachot neuf ans plus tôt et qui aurait miraculeusement échappé à ses assassins, supposés aux ordres de sa femme. Par un puissant mouvement contre la féodalité, les obligations militaires et les impôts, Pougatchev rallie à sa révolte les cosaques du Don et de l'Oural. Ils pillent les propriétés, martyrisent et massacrent la noblesse, n'épargnant personne, ni les femmes ni les enfants. S'étendant vers l'ouest, à Nijni-Novgorod, gagnant le nord jusqu'à Perm, la rébellion atteint aussi la Sibérie. Rien ne semble pouvoir arrêter l'insurrection ; le 24 juillet 1774, Pougatchev et ses partisans se rendent maîtres de Kazan, important port fluvial sur la rive gauche de la Volga. La ville, jadis annexée par Ivan le Terrible, est pillée. Le territoire révolté couvrant un immense espace, on peut craindre une contagion jusque dans les quartiers centraux de Moscou où vivent de nombreux serfs. Mais, au moment décisif, Pougatchev hésite ; son manque de détermination va provoquer sa perte. Son influence diminue et, contre une somme de cent mille roubles, ses compagnons le livrent au grand stratège Alexandre Souvorov, un héros des guerres russo-turques. Souvorov, promu général en chef de l'infanterie, fait enfermer Pougatchev dans une cage de fer, le ramène à Moscou ; il y est décapité le 21 janvier 1775. Cette gigantesque jacquerie, dont l'ampleur était sans précédent en Russie, inspire à Catherine II des réformes administratives et… l'instauration du servage en Ukraine. Jamais le mot turc *kazak* (cosaque = rebelle) n'avait autant justifié son sens. Plus tard, Catherine II affirmera que le révolté Pougatchev était « une horreur du XVIIIe siècle ».

Pour renforcer sa position d'héritière politique de Pierre le Grand, l'impératrice a l'idée d'édifier une statue du tsar. Grâce à Diderot, c'est le sculpteur français Étienne-Maurice Falconet qui est chargé de l'œuvre. Jusqu'ici réputé pour ses biscuits de Sèvres, ses honoraires semblent raisonnables à la tsarine. Il vient à Saint-Pétersbourg et travaille au monument le plus symbolique du règne, une splendide statue équestre, *Le Cavalier d'airain*, qui est en bronze. Sur son cheval cabré face à la Neva, l'empereur résiste autant aux invasions qu'aux maux de la Russie, piétinant un serpent. Le bloc sur lequel il repose – uniquement sur les jambes postérieures –, un monolithe de mille six cents kilos, a la forme d'une vague. Une vague de progrès et de réformes. Elle est transportée depuis une forêt de Finlande par un système de boules de cuivre dans des bouleaux creusés, analogue à un roulement à billes. L'importance du socle est telle que la tsarine est réputée avoir le pouvoir de déplacer les montagnes ! Dissimulée derrière une palissade circulaire que protège la Garde, la statue, remarquable, est inaugurée à l'été 1782, lors d'une fête grandiose. Sur le côté gauche, est révélée une inscription en latin, « A Pierre Premier, Catherine Seconde », et la date en chiffres romains. Depuis, la statue, thème d'un futur magnifique poème de Pouchkine, personnifie le tsar qui s'est dressé contre tous les ennemis de la Russie, hommage d'une femme qui mériterait d'être sa fille.

En apprenant la nouvelle de la Révolution française, Catherine II se range du côté des États européens dans leur guerre mais, avec une savante diplomatie, elle évite de s'engager dans les combats contre les républicains. Si, au début des événements, elle se réjouit presque du sort des Bourbons, bientôt elle prend peur, craignant que la Russie ne soit gagnée aux idées des sans-culottes. L'empire durcit son régime. Ainsi, l'Académie dirigée par la princesse Dachkova multiplie, dans ses publications, les allusions à la Révolution et à la République. L'impératrice les interdit, y compris une pièce de théâtre, jugée sulfureuse pour ses références à l'ancienne république de Novgorod ; Ekaterina Dachkova est contrainte de démissionner et se consacre à la rédaction de ses Mémoires.

Les horribles nouvelles de France – les exécutions de Louis XVI et de Marie-Antoinette, les fournées d'innocents guillotinés – rendent l'impératrice intolérante et réactionnaire, en partie sous l'influence de son dernier amant, Platon Zoubov, plus jeune qu'elle (il a vingt-sept ans, elle en a soixante-cinq), beau, frivole et ambitieux. La tsarine n'admet pas une France sans roi. Quelle rupture ! Parlant de la « peste française », elle fustige la franc-maçonnerie, très répandue, et ses idéaux.

Voilà maintenant trente-quatre ans que la Russie et Catherine II ne font qu'un. Le 4 novembre 1796, l'impératrice vieillissante – mais qui n'admet pas son état – donne une réception intime dans son Petit Ermitage. Elle paraît fatiguée. Le lendemain, levée tôt, elle boit son café après s'être habillée, puis travaille comme d'habitude. Plus tard, elle s'isole dans sa garde-robe, un réduit. Elle s'éternise. Ses gens, affolés, enfoncent la porte de l'étroit passage, entre deux pièces. On la croit évanouie, elle est dans le coma, victime d'une hémorragie cérébrale. Avec peine, on la transporte dans sa chambre, mais on ne parvient pas à l'allonger sur son lit. Elle est étendue sur un matelas par terre ; sa pâleur est effrayante. Elle meurt quelques heures plus tard, n'ayant sans doute pas repris conscience et sans laisser, semble-t-il, de testament. Le souhait de sa jeunesse, maintes fois écrit, où elle était certaine de mourir entourée d'amis au son d'une douce musique, n'a pas été exaucé. Elle est partie seule, dans l'obscurité d'un corridor. Depuis des mois, elle souffrait de solitude. Dans Saint-Pétersbourg, en cette fin du Siècle des lumières, la plus étincelante Lumière du Nord est éteinte.

Quel bilan dresser de ce règne ? Outre les conquêtes (par exemple, celle de l'Alaska, commencée en 1784) et les paix successives, par des milliers de lois et de mesures comme la « surveillance douanière sur l'introduction de marchandises illicites », elle a accompagné son État vers des sommets. L'empire est debout. Mais les critiques s'élèvent contre l'oubli du libéralisme. La noblesse a renforcé ses droits, plus de la moitié des Russes sont des serfs. L'armée est dans un triste état, selon les observations d'un général qui affirme : « En Russie, il suffit d'être officier de cavalerie pour ne pas savoir monter à cheval ! » et accuse la Garde d'être « le fléau et la honte de l'armée russe ». L'administration reste lourde : au Sénat, on recense onze mille affaires non discutées, encore moins réglées. Ce sont des accusations médiocres lorsqu'on mesure, dans tous les sens du terme, l'ampleur de l'œuvre accomplie. Entre autres transformations, il y a le premier essor industriel du pays, avec la création de plus de deux mille « fabriques » employant environ deux cent mille ouvriers. Le temps de Catherine II ne doit pas être réduit à un règne de favoris et elle n'est pas, quoi qu'en écrive Pouchkine au siècle suivant, qu'« un Tartuffe en jupons ». Elle représente « un âge d'or pour la Russie », selon la pertinente formule d'Hélène Carrère d'Encausse[1].

Et, si Pierre le Grand avait libéré la femme russe des servitudes héritées de l'influence mongole et orthodoxe, Catherine II, par ses dons exceptionnels et son ouverture d'esprit, symbolise le triomphe de la

1. Hélène Carrère d'Encausse, *Catherine II*, Fayard, 2005.

féminité généreuse, active, inventive, mais sans que ce labeur soit pesant. Sauf à la fin de sa vie, la tsarine fut toujours affable, gaie et enjouée ; elle savait rire et plaisanter sans rien perdre de sa dignité. Elle a hissé la Russie et le pouvoir féminin à un degré rarement égalé. Son succès tient sans doute à la combinaison d'un solide bon sens masculin et de la finesse féminine. Elle avait relevé deux défis : être la digne descendante de Pierre le Grand et faire oublier qu'elle était une Romanov d'importation.

9

Paul Ier, le fils humilié

L'unique fils légitime de Catherine II et de Pierre III, qui devient tsar sous le nom de Paul Ier le 6 novembre 1796, semble avoir hérité l'essentiel du caractère de son père : il est déséquilibré... Né le 20 septembre 1754 à Saint-Pétersbourg, il a donc quarante-deux ans lorsqu'il succède à celle qui a fait de la Russie un pays respecté et de sa capitale embellie une référence artistique tenant une place enviée dans les affaires du monde. Succéder à la Grande Catherine n'est évidemment pas facile. Son fils en a la petite taille mais, en revanche, présente un visage fermé et des joues tombantes ; certains courtisans empressés lui attribuent une « expression charmante » qu'il paraît difficile d'étayer. Plus remarquables, hélas ! sont les colères, les abattements et les maniaqueries du nouveau souverain. On l'a taxé, lourdement et un peu vite, de folie...

Il serait plus exact de rappeler aussi qu'il est surtout timide et qu'il vibre à des élans dignes d'une âme noble et romantique. Intelligent, érudit, il connaît parfaitement la langue et la littérature françaises, parle l'allemand et plusieurs idiomes slaves ; l'histoire, la géographie et les mathématiques lui sont familières. Il aime et apprécie les belles choses, se montre très courtois envers les femmes et – c'est plus inattendu – il est sensible à l'humour. Profondément religieux, il déteste la débauche.

D'où vient, dans ces conditions, cette pénible réputation d'être un malade mental qui obère encore sa mémoire[1] ? Il a toujours été malheureux. Héritier du trône, il était humilié par les favoris de Catherine, épié dans les palais, témoin impuissant des intrigues de cour. Il a été traumatisé par une enfance dramatique et, à partir de sa sixième année, une éducation d'un style nouveau : son précepteur, Nikita Ivanovitch Panine, était l'un des plus grands érudits de Russie et partageait les idées pédagogiques à la mode. Mais l'élève avait grandi dans une atmosphère trop féminine, étouffante.

Depuis ses jeunes années, le grand-duc a été hanté par l'assassinat de son père sur ordre de sa mère – c'est l'obsédante rumeur qui circule à l'époque –, et le fantôme de Pierre III n'a cessé de troubler sa mémoire ; Paul avait huit ans lors de la tragédie. Jusqu'en 1761, il avait été élevé loin de sa mère par l'impératrice Élisabeth, la seconde fille de Pierre le Grand, et ignorait ce qu'était l'amour maternel. Les circonstances embarrassantes de l'arrivée au pouvoir de Catherine II et le souhait de son précepteur de le voir sur le trône à sa majorité faisaient du grand-duc un rival dangereux pour sa mère. Elle avait tout fait pour l'écarter des affaires publiques, ne lui déléguait aucun pouvoir, ne lui

1. Henri Troyat de l'Académie française, a consacré l'un de ses derniers livres, excellent, à *Paul Ier, le tsar mal aimé*, Grasset, 2003.

confiait aucune responsabilité. Pis : elle le traitait publiquement d'incapable et d'ignorant… Depuis, il ne cessait de critiquer sa mère, laquelle le méprisait car elle voyait en lui la répétition accablante du tempérament infantile de son mari. Pauvre Paul Petrovitch ! Il errait dans les couloirs du palais d'Hiver, à la recherche d'un appui, de tendresse, de compréhension. Pétri de bonnes intentions, il quémandait une illusion d'amour. On imagine facilement quels pouvaient être les sentiments de ce fils à l'égard de sa redoutable mère. Entre eux, les hostilités étaient ponctuées de trêves presque amicales, étranges et dérangeantes car très vite, la méfiance réciproque reprenait l'avantage ; l'atmosphère redevenait glaciale et ils ne se parlaient plus. Restaient les soupçons, un véritable mur du silence. Soupçon de médiocrité proféré par la mère contre le fils. Soupçon de meurtre, voire d'assassinat, ressassé par le grand-duc contre la souveraine.

Sa mère – Paul en était de plus en plus convaincu – avait fait tuer son père pour débarrasser la Russie d'un affligeant pantin. La raison d'État, avancée par certains, ne justifiait pas une telle abomination. Catherine était peut-être grande pour l'empire et le monde mais pour lui, elle était une meurtrière par l'ordre qu'elle avait donné ou son silence approbateur. De cette mort plus que suspecte, elle était au moins complice.

À ce cauchemar, bien compréhensible selon ce qui se savait et se répétait à l'époque, s'ajoutait une autre suspicion. Un doute dont Paul était directement victime. En effet, des ragots insinuent qu'il ne serait pas le fils de Pierre III mais du comte Saltykov, le premier amant de sa mère, entre 1752 et 1754, surnommé « le beau Serge ». Même la cour de Versailles, par une dépêche de l'ambassadeur de Louis XV, était informée de « la filiation douteuse du tsarévitch Paul ». À l'appui de cette hypothèse, il est exact que Pierre et Catherine n'avaient alors aucune relation physique. Catherine était délaissée. D'emblée, la naissance d'un fils au bout de neuf ans avait paru suspecte à beaucoup, mais certains se contentèrent de se réjouir de la naissance d'un héritier mâle. Toutefois, l'enfant allait être frappé d'une suspicion encore plus grave : quelques imaginatifs avancèrent que le fils de Catherine était mort-né et que sur ordre de l'impératrice Élisabeth, on l'avait remplacé par un petit « Finnois » ! Cette rumeur aurait été colportée par des amis de Catherine, en somme pour légitimer ses droits à la Couronne au moment de son coup d'État. Le résultat de ces médisances était terrible pour Paul : qui était-il ? Un bâtard ? Avait-il seulement du sang Romanov ? Il faudra du temps pour faire taire ces calomnies, la ressemblance physique entre Pierre III et Paul Ier, y compris dans leurs regards, s'imposant, sans parler de l'identité morale et du comportement. En revanche, Catherine avait eu un fils adultérin de Grigori Orlov en 1762, l'année de son coup d'État, qu'elle nommait Alexeï Bobrinski. Il n'avait pas été plus proche de sa mère que son demi-frère et avait été élevé dans la famille du maître de la garde-robe impériale avant d'être expédié à l'étranger où il s'était signalé par sa débauche…

Paul avait dix-neuf ans lorsqu'il avait épousé, le 29 septembre 1773, la jolie princesse Augusta-Wilhelmine de Hesse-Darmstadt, rebaptisée Natalia Alexeïevna dans la foi orthodoxe. Une nouvelle union germano-russe qui se révéla un échec total. Sans grande originalité, la grande-duchesse trompa son mari avec l'un de ses amis, et elle mourut en couches en 1776. Très vite, le grand-duc s'était remarié. Il allait être très heureux avec sa seconde épouse, sa cadette de cinq ans, également allemande, la princesse Sophie-Dorothée de Wurtemberg, qui sera connue sous l'identité de Maria Feodorovna. Elle lui donnera dix enfants dont deux filles seront – on l'ignore souvent – demandées en mariage par Napoléon qui cherchait à se séparer de Joséphine... À la naissance de leur premier enfant l'année suivante, Alexandre, futur tsar Alexandre Ier, Catherine II s'était hâtée de le retirer à ses parents afin de l'éduquer elle-même. Son objectif était évident : puisque son fils était, selon elle, maladif, faible, nerveux, envieux et gâté par une formation trop féminine, elle formerait elle-même son petit-fils. L'impératrice avait ainsi renouvelé la mise à l'écart dont elle-même avait été victime.

Deux ans avant de disparaître, Catherine II, on le voyait, pensait définitivement transmettre le pouvoir à l'aîné de ses petits-fils, Alexandre, car son fils, décidément, n'avait, à ses yeux, que des défauts. Mais c'était sans compter avec une réalité : Alexandre, qui avait dix-sept ans, s'était rapproché de son père. Tout ce qui concernait celui-ci, en particulier son élimination programmée, ne pouvait échapper au jeune prince. Sa grand-mère avait pris le pouvoir par un coup d'État ; elle s'apprêtait à le lui transmettre en frappant son père d'une mort politique et dynastique. Le 5 novembre 1796, alors que sa mère agonisait sur un matelas, le grand-duc Paul fouilla fébrilement ses papiers personnels. Dans ces instants tragiques, parut le comte Alexandre Bezborodko, fidèle conseiller de Catherine mais qui prônait la prudence devant sa volonté successorale. Sans un mot mais sans hésiter, Bezborodko désigna un document à Paul, qui le lut et le jeta dans la cheminée. Les détails restent inconnus, mais c'était le testament de Catherine II confirmant le choix d'Alexandre comme héritier. Plus de testament... et pourtant : « L'Europe apprit vite que ce testament avait existé : la *Münchner Zeitung* du 28 mars 1797 en tira profit en l'évoquant dans un article à sensation (...)[1]. » Même si le document a été brûlé, plusieurs indices prouvent le choix de l'impératrice et sa passion pour son petit-fils, comme on le lit dans plusieurs de ses lettres à Grimm dès 1779, Alexandre n'ayant que deux ans. En août 1792, toujours dans une lettre à Grimm, elle parle sans ambiguïté de son successeur : « D'abord, nous marierons Alexandre, puis nous pourrons le sacrer, il y aura des fêtes grandioses et des fêtes populaires. Tout se déroulera de la manière la plus splendide, solennelle et brillante. Oh ! comme il sera heureux et comme tout le monde sera heureux avec lui ! » À lire cette lettre, on en déduit soit que le grand-duc Paul serait mort, soit qu'il aurait été écarté de la succession. Enfin, alors que l'impératrice s'inquiétait des risques de révolutions en Europe suivant l'exemple français puis d'une tyrannie, elle écrivait, encore à Grimm, en septembre 1791, que « ceci ne se passerait pas pendant mon règne, ni, je l'espère, pendant le règne d'Alexandre ». Enfin, un autre écrit de la Grande Catherine recoupe ces références à sa décision ; il s'agit d'une réflexion historique et politique sur le conflit tragique entre Pierre le Grand et son fils Alexis, comme si Catherine II avait besoin de légitimer son projet : « Je trouve que la sagesse de Pierre Ier est hors de doute ; il avait des causes graves de déshériter son fils ingrat, désobéissant et incapable. »

1. Hélène Carrère d'Encausse, *op. cit.*

Ayant détruit la preuve des dernières volontés de sa mère, Paul Iᵉʳ, qui avait été le prince héritier méprisé pendant trente-cinq ans, exerçait sa première vengeance. La suite devait être shakespearienne. Avec un goût morbide et une idée fixe où se mêlent la réhabilitation et l'expiation, le premier geste politique du nouveau tsar est de faire ouvrir le cercueil de son père, d'exhumer son corps et de déposer sur son squelette… la couronne impériale. Le geste, particulièrement macabre, est révélateur : le défunt Pierre III n'avait pas pris le temps de se faire couronner, son règne avait été trop court. Son fils répare donc un oubli spectaculaire. Puis, le tsar fait transporter la dépouille de son père jusqu'au palais d'Hiver où elle est placée à côté du cercueil de Catherine II, embaumée depuis une quinzaine de jours.

Cette étonnante mise en scène est une purification, indispensable chez un homme qui a souffert tant d'avanies. Pendant deux jours, les deux époux qui s'étaient tant haïs sont côte à côte, le cercueil de Catherine étant ouvert, selon la tradition russe. En revanche, la foule est désorientée et choquée de ce rassemblement des deux corps que tout avait séparés. Une idée dérangeante et malsaine. Les admirateurs de la défunte jugent déplacé ce cérémonial qui rabaisse sa mémoire puisqu'il ravive celle de son mari détesté. Mais il faut comprendre l'état d'esprit dans lequel se trouve Paul Iᵉʳ. Lorsque, le 18 décembre, soit six semaines après le décès de Catherine II et après avoir présenté le cercueil de son père d'églises en palais aux deux extrémités de la perspective Nevski, Paul Iᵉʳ procède au double enterrement du couple, il règle ses comptes avec son passé maudit. D'une part, il rend hommage à son père, coupant court aux rumeurs, toujours insistantes, qu'il n'est que le présumé fils de Pierre III. Ayant couronné son père à titre posthume, il lui rend son trône et en est le successeur désormais incontesté. D'autre part, il réunit l'assassin (supposé, même indirectement) et sa victime dans un espoir de pardon. Et le paroxysme de cette volonté d'effacer le malheur peut encore se voir aujourd'hui : dans la cathédrale Saint-Pierre-et-Saint-Paul, au fond à droite de l'iconostase et après la première tombe qui est celle de Pierre le Grand, on peut lire, sur celles de Pierre III et de Catherine II, leurs dates de naissance et celle de leurs obsèques en commun. Celles de leurs morts ont été volontairement omises. Le drame n'a pas eu lieu. Par cette apparente réconciliation forcée, leur fils a voulu exorciser ses angoisses.

Hélas ! le nouvel empereur ne trouve pas la sérénité et n'en finit pas d'en vouloir à sa mère. Le jour de son couronnement, le 5 avril 1797, un tapis rouge sur un escalier de treize marches conduit Paul Ier et Maria Feodorovna sous le baldaquin de l'église de la Dormition. Étant tsar dans les circonstances qu'on a rappelées, il va changer tout ce qui existe. Pour commencer, ce même jour, il modifie la loi successorale. Dorénavant, la primogéniture en ligne mâle remplace le libre choix du successeur le plus apte par le monarque régnant. Autrement dit, Paul Ier interdit aux femmes de monter sur le trône des Romanov. Une décision dont la cause est, évidemment, une volonté de renier sa mère. Mais en mettant fin à une soixantaine d'années de pouvoir féminin et en excluant toute possibilité de retour à cette solution, Paul Ier ne peut imaginer que sa rage et son étroitesse d'esprit condamneront les Romanov au début du XXe siècle...

Dès le début de son règne, le tsar se montre méfiant, méchant, acharné à en finir avec ce qu'il appelle « la dépravation de la Cour » et à remettre de l'ordre « dans la société ». Encore une façon de juger sa mère en soulignant le libertinage de ses mœurs avec ses amants et complices dont seul subsiste l'immense Alexeï Orlov, la soixantaine imposante. Paul Ier, on s'en doute, l'exècre. Très vite, on retrouve chez le nouveau tsar les invraisemblables règlements et les manies insensées de son père. Une façon de faire revivre Pierre III… Admirateur, comme lui, de Frédéric II, Paul Ier s'attaque aux « dépravations » dans l'armée et la Garde impériale. Une obsession ! Cette fois encore, Saint-Pétersbourg est la principale victime de ses délires glorifiant la discipline observée dans l'armée prussienne. Debout chaque matin à cinq heures, même en hiver, le tsar contraint les habitants à faire de même ! En pleine nuit, les fonctionnaires se hâtent, leur serviette sous le bras, et s'engouffrent dans les portes des bureaux éclairés brillamment. Selon un chroniqueur : « Dans les chancelleries, les ministères, les collèges et partout dans la capitale, à partir de cinq heures du matin brûlent des bougies. Dans la maison du vice-chancelier, en face du palais d'Hiver, tous les lustres et toutes les cheminées sont allumés. À huit heures du matin, les sénateurs prennent place derrière la table rouge. » La méthode est-elle efficace ? Non, bien entendu, et le travail avance peu, entre deux bâillements. L'été, les dispositions du souverain ne sont pas davantage rationnelles. Avec la grâce d'un adjudant de chambrée, Paul Ier ignore la pâleur nacrée des nuits blanches. Il instaure l'extinction des feux à dix heures du soir et le coucher obligatoire alors que l'obscurité, relative, peut durer seulement quarante minutes à la mi-juin !

La capitale devient une caserne où des soldats, hébétés, sont chargés de surveiller l'application de mesures grotesques. Discipline de fer, punitions rigoureuses y compris pour des fautes insignifiantes sont la règle. La police, omniprésente, arrête même les personnes portant des chapeaux dits « français », ce qui est interdit. Le tsar réintègre en service actif toute la Garde, en y introduisant de nouvelles unités. Or, comme les cosaques et les hussards sont très nombreux à habiter dans des villages où ils vivent avec leurs familles, ils doivent rejoindre leurs régiments, parfois fort éloignés. Le prix des chevaux et du fourrage s'envole. Les confusions d'âge n'arrangent rien puisque certains gardes, supposés avoir dix-huit ans, en ont à peine dix... Les officiers ne doivent porter que leur uniforme. Même s'il fait très froid (en février 1799, la température descend à – 37 °C), une pelisse de fourrure leur est interdite. Il est recommandé de revêtir un gilet et une camisole fourrée, à condition qu'elle soit invisible. La relève des sentinelles devient une affaire d'État en présence de l'empereur et de son fils Alexandre. Et, comme on pouvait s'y attendre, le tsar troque l'uniforme russe contre l'uniforme tel qu'on le porte à Berlin et l'impose à son état-major. Les ordres se succèdent, de plus en plus surprenants. Par exemple, il est interdit de faire entrer en Russie « des livres écrits dans n'importe quelles langues » (!) et des partitions de musique. En 1800, un autre oukase prescrit au public des théâtres de n'applaudir qu'après le tsar. La capitale s'était moquée de lui ? Elle allait trouver son maître.

À force de vouloir tout régenter, tout contrôler et tout compter, y compris le nombre de chevaux par attelage,

Paul Ier désorganise la vie quotidienne, cherchant même à prévoir la vitesse du vent ! Les habitants sont consternés, ils vivent dans la capitale de la stupidité où on ne fait plus rien, sinon exécuter un ordre en attendant le contrordre. Un exemple des incohérences du monarque : passant en revue le régiment de sa Garde à cheval, il ne peut que s'extasier sur le parfait déroulement des plus difficiles manœuvres. Visiblement enchanté, il décide de prendre le commandement et c'est à ce moment que se produit une catastrophe ridicule : il lance un ordre incompréhensible, emporté par le vent et s'élance au galop… seul ! N'entendant aucun bruit derrière lui, il se retourne et constate que le régiment est très loin, totalement immobile. Or, l'ordre incompris était : « Chargez ! » Furieux, le tsar hurle : « Régiment ! Par escadrons, en Sibérie ! Au pas, marche ! » Il faudra des heures de négociations et de patience à ses généraux – et à sa femme – pour obtenir que le disciple caricatural du Roi-Sergent (Frédéric-Guillaume Ier, le père de Frédéric II) revienne sur son ordre. Avant qu'on ait pu l'arrêter, le régiment en question, obéissant et résigné, avait déjà parcouru… cent kilomètres en direction de la Sibérie !

Pour comprendre la personnalité et l'attitude du nouveau tsar, il faut rappeler que la capitale était, pour lui, synonyme de vexations, d'offenses et d'amertume. Dans sa vie personnelle, son veuvage précoce avait aggravé l'isolement et l'amertume de Paul. Il ne pouvait exister qu'ailleurs, dans la nature. Sa seconde épouse, la Wurtembergeoise Sophie devenue la Russe Maria, lui a apporté un précieux bonheur. Elle est belle, douce, amoureuse, fidèle, pleine d'attentions, cultivée. Et elle aime son étrange mari malgré ses invraisemblables caprices et les persécutions domestiques qu'il lui impose. Le couple vivait, depuis 1783, principalement à Gatchina, à quarante-cinq kilomètres au sud de Saint-Pétersbourg. Un endroit superbe au milieu d'une forêt de sapins bordée de lacs et d'étangs peuplés de carpes, mais un endroit où les souvenirs sont parfois lourds. Si le domaine, en 1712, avait appartenu à la sœur de Pierre le Grand, il avait été, en 1765, offert par Catherine II à son favori Grigori Orlov qui y avait édifié un château. C'était assez pénible de lui succéder. Il avait fallu l'amour de Maria pour que l'héritier, si mal traité autrefois, accepte de s'y installer, loin de sa mère...

Lors de leur premier séjour, à l'automne, le grand-duc Paul et sa seconde épouse s'étaient définis comme « les hobereaux de Gatchina », accaparés par les travaux, l'aménagement d'un jardin à l'anglaise et leur « petite cour » qu'ils animaient par des fêtes et des soirées musicales. Un théâtre permettait de donner des spectacles car Paul tenait de sa mère le goût de l'art dramatique. On y applaudissait souvent, dans les principaux rôles, une amie platonique de Paul, Ekaterina Nelidova.

Le grand-duc ne participait pas au spectacle mais il aidait à ses préparatifs. Sa femme, dont le goût était très sûr, était douée pour la musique, le dessin, et collectionnait des médailles, en pierre et en ivoire. Très adroite de ses mains, elle en confectionnait elle-même avec un tour, et on peut toujours admirer l'élégance de certains objets qui ont été préservés. Le domaine exigeait des soins assidus. La laiterie, l'étable et les écuries étaient impeccablement tenues, et les produits laitiers servis aux repas. Une harmonie discrète, cachée, et pour Paul la révélation qu'il était un être que l'on pouvait aimer. Les jeunes époux s'entendaient à merveille.

Il en allait tout autrement quand le grand-duc et la grande-duchesse paraissaient à la Cour, cette jungle de commérages, d'intrigues et d'aventures amoureuses. Honnête et n'ayant pas d'amant, l'esprit large et sans jalousie, Maria Fedorovna était l'oiseau rare ! Une femme saine à tous points de vue, gracieuse, aimable, indifférente aux ragots. Et cette excellente mère se consacrait largement à l'éducation de ses dix enfants dont un seul, Olga, mourut en bas âge, en 1795. Sa belle-mère n'était pas enchantée de ne pas dominer la génération suivante, à l'exception d'Alexandre, l'aîné. Et, d'un ton ironique, Catherine II avait écrit que ses petites-filles « se tiendraient droites, prendraient soin de leur corps et du teint du visage, mangeraient comme quatre, choisiraient raisonnablement leurs livres et en fin de compte, seraient des femmes idéales dans n'importe quel pays ». Comme leur mère. Finalement, un compliment, mais du bout de la plume...

Paul détestant Tsarskoïe Selo – et le spectacle de sa mère follement amoureuse à soixante ans passés d'un amant de vingt-cinq ans –, le couple préférait son cher Pavlovsk, qui devint même sa nouvelle résidence favorite. De tous les palais impériaux édifiés en couronne autour de Saint-Pétersbourg, Pavlovsk est sans doute le plus fin, le plus délicat et le plus finement meublé, ces aménagements étant l'œuvre de Maria Fedorovna. Elle y a laissé une merveilleuse empreinte. Maria n'a peut-être pas l'intelligence politique de sa belle-mère, mais elle est un ange de douceur et d'élégance. L'aménagement de Pavlovsk lui doit beaucoup.

— Je donnerais toutes les grâces italiennes et tous les raffinements français pour mon cher Pavlovsk, dit-elle.

C'est en 1777 – Paul venait de se remarier – que Catherine II avait donné à son fils une terre d'environ six cents hectares où l'on ne trouvait que deux pavillons de chasse, Crick et Crack. Le couple y construisit d'abord deux autres édifices en bois que le mari baptisa en allemand en l'honneur de sa femme *Paullust* (les joies de Paul) et *Marienthal* (la vallée de Maria), tout en songeant à la création d'un parc. En 1779, Charles Cameron, un Écossais né à Londres et qui avait étudié le style antique à Rome, fut choisi pour la construction d'un palais après avoir travaillé à Tsarskoïe Selo. Esthète, Cameron va faire naître un bâtiment de style palladien au milieu d'une nature vierge. L'idée avait enchanté le couple grand-ducal. Après des remaniements et d'incessantes discussions où Paul manifestait son désaccord, le corps central fut flanqué de deux galeries en demi-cercle, se terminant chacune par un pavillon. On eut ainsi une vaste cour d'honneur qui allait servir au tsar pour ses exercices militaires et ses parades[1]. Le couple allait vivre très heureux à Pavlovsk. Aujourd'hui, l'influence décisive de Maria Fedorovna nimbe encore cette ravissante demeure.

1. Rappelons que Pavlovsk, qui n'a jamais changé de nom, et les autres résidences impériales des environs de Saint-Pétersbourg, furent ravagées et incendiées lors des combats du siège de Leningrad, de 1941 à 1944. Leur restauration, une véritable renaissance, tient du prodige. Elle permit aussi à Staline et à ses successeurs de démontrer, en réanimant ce patrimoine, qu'ils n'étaient pas des « barbares », ce qui masquait l'horreur du goulag. Au centre de la cour est érigée, depuis 1872, une statue de Paul Ier en uniforme prussien. L'occupant allemand la conserva puisqu'elle était celle d'un tsar progermanique. En bronze, elle fut même utilisée comme relais de l'installation électrique de campagne…

Grande-duchesse héritière, elle avait accompagné Paul en Italie et en France. Marie-Antoinette lui avait offert un splendide service de Sèvres de cent cinquante pièces, que l'on peut toujours admirer dans son coffre d'origine, en bois et en verre. À Pavlovsk, Paul mène une vie calme et simple, dans une atmosphère familiale ; il en avait été frustré. Certes, il demeure maniaque sur divers points, par exemple les pendules qu'il ne cesse de remonter car il veut l'heure exacte. Il en possède mille dont quatre-vingt-seize rien qu'à Pavlovsk. Il les écoute sonner en dégustant un menu, étrange lui aussi : saucisses et compote de fruits avec de l'eau car il se méfie de la vodka, une rareté dans l'histoire russe ! Mais ses verres ont des couvercles pour éviter que le vin ne gèle comme cela avait été le cas à Versailles, un hiver à la fin du règne de Louis XIV.

Hélas ! il fallait souvent quitter ce havre d'un bel art de vivre dans la haute société russe à la fin du XVIIIe siècle. Le grand-duc était enfin tsar. Il devait diriger l'empire. Dès 1797, la politique extérieure de Paul Ier est tout aussi extravagante que sa politique intérieure. Après avoir conclu un traité avec l'Angleterre et l'Empire ottoman – l'un des ennemis traditionnels de la Russie –, Paul Ier suit, préoccupé, la carrière fulgurante du général Bonaparte. Lorsque les navires de l'expédition d'Égypte parviennent à Malte, deux événements peu connus sont à retenir, s'agissant de la Russie : l'ambassadeur du tsar auprès de l'ordre de Malte est expulsé par les Français, et ceux-ci annoncent qu'ils couleront tout navire russe qui s'approcherait du port de La Valette, la capitale de l'archipel maltais. Les sentiments religieux du tsar l'avaient incité à prendre sous sa protection les chevaliers de Malte dont le minuscule État semblait menacé ; leur message spirituel et caritatif l'impressionnait. Il avait donc décidé que Malte était désormais… un protectorat russe ! La situation était originale, puisqu'un souverain orthodoxe défendait un ordre religieux particulièrement attaché au catholicisme romain… Mais Paul Iᵉʳ ne s'arrête pas à cette impossibilité ! Conséquence : la prise de Malte le 10 juin 1798, l'expulsion du grand maître et des chevaliers sont un acte de guerre contre la Russie ! À l'été 1798, la Russie entre donc dans la coalition antifrançaise alors qu'elle n'a aucun contentieux direct avec le Directoire et Bonaparte, sinon une inattendue volonté de présence en Méditerranée occidentale. Au même moment, le tsar apprend que de nombreux chevaliers de Malte ont pu échapper aux Français, gagner la Sicile, et remontent la côte italienne. Paul Iᵉʳ leur fait savoir qu'il les accueillera et les protégera à Saint-Pétersbourg…

Sous la pression de ses alliés, l'Autriche et l'Angleterre, Paul Iᵉʳ rappelle d'exil le feld-maréchal Alexandre Souvorov, soixante-dix ans, auteur de *La Science de la victoire*. L'illustre combattant du règne de Catherine II est, en dépit de son caractère bizarre, un soldat de grande valeur. Il lance sa campagne contre les Français en Italie du Nord avec l'idée finale de marcher sur Paris et d'en finir avec ce Bonaparte et l'agitation républicaine française en Europe. Souvorov occupe Milan le 27 avril 1799, puis Turin. Alors que Bonaparte est en Syrie, le Russe remporte une victoire sur Moreau le 28 avril, une sur Macdonald le 19 juin et une sur Joubert – qui y laisse la vie – le 15 août de la même année. Mais, encerclé, le généralissime se replie vers les Alpes. Une retraite pour attendre. Paul Iᵉʳ est heureux, le dieu des armes est de son côté ; en récompense, il accorde à Souvorov le titre de prince d'Italie. La route de la France lui semble ouverte car, parallèlement, la marine russe a remporté une victoire sur les Français en Méditerranée : l'escadre de l'amiral Fedor Ouchakov les a chassés des îles Ioniennes et a fondé une république, en fait un protectorat russe. Cet événement est souvent méconnu ; or, il s'agit du premier État grec indépendant constitué sur un territoire de l'Empire ottoman. La Russie est victorieuse, les républiques imposées par la France s'effondrent une à une, la péninsule est perdue. Le tsar peut croire à sa bonne fortune militaire. N'est-ce pas un signe que le même homme soldat, Souvorov promu colonel par sa mère près de quarante ans plus tôt, lui apporte la victoire en Italie ?

C'est alors que le Conseil militaire suprême, réuni à Vienne, commet, du point de vue russe, une lourde erreur : il demande à Souvorov de conquérir... la Suisse sous la menace française. Ce revirement est imposé par l'Autriche. Le Conseil exige que Souvorov fasse la jonction avec un autre corps d'armée russe commandé par Korsakov. L'armée de Souvorov franchit le Saint-Gothard dans des conditions climatiques épouvantables. Lorsqu'il parvient à Zurich, il apprend que Masséna y a écrasé Korsakov lors de la bataille qui a duré du 25 au 27 septembre. Lâchée par ses alliés, l'armée de Souvorov, sans ravitaillement ni munitions, se retrouve encerclée par les Français, bien équipés et habitués à se battre dans les montagnes. Souvorov parvient à se replier et à extraire ses troupes du piège des Alpes. Paul Ier lui donne l'ordre de regagner Saint-Pétersbourg. En route, Souvorov tombe malade et meurt peu après son retour dans la capitale russe. La Russie perd un des plus grands stratèges de son époque.

Le tsar, dont on sait l'intérêt maniaque pour l'art militaire, tire deux leçons de son appel à Souvorov. D'abord, le passage de ses soldats à travers les Alpes est sans précédent. Ayant résisté à un temps épouvantable dans un pays où ils ne sont jamais venus, ils illustrent d'une manière éclatante le courage de l'armée russe. L'épisode, devenu mythique, sera d'ailleurs encore glorifié au début du XXe siècle par des peintures héroïques. Ensuite, Paul Ier se rend à l'évidence, celle de la trahison des Autrichiens et des Anglais ; ils ont eu besoin des baïonnettes et du sang russes pour combattre les Français. Avec·le coup d'État du 18 brumaire, le tsar observe la façon dont le général en chef Bonaparte s'empare du pouvoir après s'être servi de la Révolution. Et il en déduit qu'il serait utile de conclure une alliance avec la France, même républicaine et révolutionnaire, contre l'Angleterre. Mais autour du souverain, personne n'y comprend plus rien. En effet, après avoir lancé ses troupes contre la jeune République française, on s'étonne que le monarque succombe au génie militaire du Corse, qu'il n'hésite pas à comparer à Frédéric II, son idole. Et, par diplomatie, Paul Ier feint d'oublier que la Révolution a décapité le couple souverain de la France. À la Chancellerie, on a du mal à suivre cette insaisissable politique étrangère faite de revirements et de contradictions ; les meilleures volontés sont découragées.

Paul Ier interdit donc tout commerce avec les Britanniques et s'attaque à leurs colonies des Indes. En janvier 1801, le tsar ordonne à quarante régiments de cosaques de partir en campagne. Pour convaincre ceux qui jugent cette équipée aussi dangereuse qu'inutile, le tsar annonce que « toutes les richesses des Indes seront votre récompense pour cette expédition... Mes cartes ne vont que jusqu'à Khiva[1] et au fleuve Amou-Daria. Au-delà, il est de votre devoir de m'informer sur les possessions anglaises et sur les peuples indiens qui leur sont soumis ». Le corps expéditionnaire se prépare…

Entre-temps, Paul Ier a poursuivi diverses réformes internes. Les dignitaires coupables de forfaiture et de corruption sont disgraciés. Sur son ordre, des assignats d'un montant de cinq millions de roubles sont brûlés devant le palais d'Hiver pour lutter contre les rentes douteuses. De lourds services en argent du même palais sont fondus pour être convertis en monnaie, ce qui devrait aider à combattre l'inflation. Le prix du pain étant trop élevé, le tsar ordonne de vendre le blé directement dans les entrepôts d'État et abaisse le prix du sel. On le voit aussi soucieux de la nature – préservant des forêts – et protecteur du patrimoine – organisant un service de lutte contre les incendies. Bureaucrate viscéral, raffolant de la paperasserie car elle est supposée régler toutes les difficultés, le tsar poursuit une intense activité législative pour, selon lui, extraire la Russie de la stagnation dans laquelle le prétendu « brillant siècle de Catherine » l'avait laissée. En 1797, il a préparé cinq cent quatre-vingt-quinze projets de lois, cinq cent neuf en 1798, trois cent trente en 1799 et quatre cent soixante-neuf en 1800. Mille neuf cents propositions adoptées en quatre ans, soit quatre cent soixante-quinze par année ! Un record, dont l'auteur est très fier ! Hélas ! les trois quarts de ces oukases sont soit inapplicables soit ineptes. Par exemple, il est interdit de

1. Oasis d'Asie centrale, au sud de la mer d'Aral, aujourd'hui en Ouzbékistan.

descendre d'une calèche dans la rue si le tsar doit y passer avec son équipage et son escorte. La vraie raison est la peur grandissante du souverain d'être tué... comme son père. Son anxiété est concevable.

Quelques rares mesures sont efficaces, telle la création d'une banque de crédit pour la noblesse, le développement de l'industrie de la fonte dont la Russie, en 1800, est le premier producteur mondial avec 155 000 tonnes, ou encore la surveillance des voleurs qui génère une diminution des larcins. Malheureusement, à la différence de sa mère, Paul Ier ne sait pas s'entourer de gens compétents, expérimentés et rationnels. Le tsar se trompe souvent sur les hommes auxquels il confie une tâche. Si ses objectifs sont élevés, comme le rétablissement de l'ordre, de l'équité et de la justice, son gouvernement les trahit par une application brutale, sévère et même cruelle. De graves contradictions finissent par ruiner toutes les bonnes intentions. Il en va de la vie civile comme de la vie militaire, noyée dans un déluge d'ordres et de contrordres. Et finalement, au début de la cinquième année de son règne, la population est plongée dans la peur et la confusion. Le tsar est despotique, sauvage, incohérent, passant d'un extrême à l'autre. C'est ainsi qu'ayant accueilli les chevaliers de Malte rescapés de l'attaque bonapartiste, il décide de transférer le siège de l'ordre à Saint-Pétersbourg et s'en proclame, *de facto*, le 72e grand maître ! Dans l'aile gauche de Pavlovsk, au plafond de la ravissante galerie en rotonde, on peut toujours voir une inattendue croix de Malte, la fameuse croix à huit pointes, de couleur vert céladon et blanc ; c'est là que le nouveau grand maître adoube les chevaliers... Un portrait de Paul Ier, coiffé de la couronne impériale, avec manteau d'hermine et tunique rouge, montre qu'il porte fièrement deux croix de Malte, une en décoration surmontée de l'aigle des Romanov, l'autre tissée… Dans ses égarements confessionnels, le tsar a, tout simplement, oublié que le grand maître de l'ordre de Malte doit être, depuis quelques siècles, un religieux catholique ayant prononcé les vœux classiques de célibat, de chasteté, de pauvreté. Or, le fils de Catherine II est marié (et même remarié), père de famille, orthodoxe, et ne donne pas l'impression de vivre dans la misère ! Cette anomalie, très révélatrice de son délire, est encore plus surprenante si l'on sait que le tsar était aussi, comme de nombreux souverains à la fin du XVIIIe et au début du XIXe siècle, haut dignitaire franc-maçon. Consterné de cette situation, le 249e pape, Pie VII, fait savoir à l'empereur de Russie que ses décisions sont inacceptables. L'invraisemblable chaos diplomatico-religieux doit cesser… Il dure, tout de même, de 1798 à 1801.

En Russie, on accorde beaucoup d'attention aux signes prémonitoires. Or, Paul Ier a surpris son fils aîné, Alexandre, lisant une *Vie de Jules César*, laquelle, on le sait, s'achève par son assassinat. Estimant que cette lecture pouvait lui inspirer de mauvaises idées, son père l'oblige à jeter le volume et à le remplacer par une *Vie de Pierre le Grand*, laquelle s'était achevée de manière normale mais où le passage relatant la torture du tsarévitch Alexis fouetté à mort est souligné à dessein ! Une atmosphère de complot entre Paul et son fils pourrit leurs relations. C'est à qui tuera l'autre le premier ! Parricide ou infanticide ? De toute façon, le choix est atroce. Mais au lieu de rester calme et d'écouter de pressants conseils pour modérer ses penchants, voir la réalité et réfléchir, Paul Ier, paniqué, aggrave l'inquiétude des siens, ce qui, à son tour et comme un engrenage effrayant, justifie la crainte du petit-fils de Catherine II. Cette vie lui est pénible. Un vrai calvaire. La solution ? Elle est fréquente en Russie : on va se débarrasser du tsar. Encore une fois !

Le tsar, qui passe beaucoup de temps dans son cher Pavlovsk, avait décidé de se faire construire un château à Saint-Pétersbourg. Une nouvelle résidence qui ne devrait rien au souvenir des autres souverains, à sa mère, à ses favoris ? Sans doute. Mais ce sera surtout une demeure où Paul Ier se sentira en sécurité. Car il est devenu peureux, méfiant. Voyant des complots partout, il éloigne les gens les plus dévoués et provoque l'irritation de l'aristocratie et de la Garde. Bientôt, au début de 1801, Paul Ier fait l'unanimité contre lui. Et on commence à murmurer le pire : il est fou !

Le tsar a assuré à sa famille que l'archange Gabriel lui était apparu dans un rêve, et qu'il devait construire une église à sa gloire. Le château Mikhaïlovski (Michel) est le résultat de ce songe impérial, une curieuse construction en briques rouges sur trois étages, près du canal de la Moïka et du Champ de Mars. Paul Ier en avait dressé les plans lui-même à partir de 1784, alors qu'il n'était que grand-duc héritier. La réalisation fut d'abord confiée à Vassili Bajnov, un architecte que Catherine II avait maltraité et qui devait donc prendre sa revanche. Lui aussi ! Mais il était âgé et malade. Après la mort de Bajnov, le chantier fut confié au premier architecte de la Cour, l'Italien Vincenzo Brenna, à partir de 1796.

L'édifice trahit l'état de paranoïa, d'angoisse et de torture mentale du fils de Catherine II. Il comprend toutes les défenses d'une forteresse, avec des douves pleines, des canaux et un pont-levis. Le clocher – très pointu – de la chapelle dédiée à saint Michel est bien visible.

Le monarque appelle aussi l'endroit le château des Secrets ; il est entouré de fossés, de remparts, truffé de cachettes, d'escaliers dérobés, de chambres invisibles et de passages insoupçonnables. Fausses portes, faux couloirs, culs-de-sac, il y a de quoi ne pas s'y retrouver ! Le tsar, persuadé qu'on en veut à sa vie, cherche à se calfeutrer dans une demeure où se perdront ses ennemis. Ce n'est plus une résidence, c'est un labyrinthe. Une succession de pièges...

L'idée d'un complot libérateur se précise en février 1801. Ses deux principaux artisans symbolisent le mécontentement intérieur et le courroux de l'étranger. Le premier est le comte Pahlen, gouverneur de Saint-Pétersbourg. Le second est sir Withwort, ambassadeur de Sa Majesté britannique. Le cabinet de Londres veut contrecarrer l'alliance de la Russie avec Bonaparte. Leur stratagème est un sommet de duplicité. Dans une première phase, le gouverneur fait croire au tsar que sa femme et leur fils Alexandre ourdissent une conspiration contre lui. Il obtient donc, facilement, un ordre d'internement contre l'impératrice et le grand-duc héritier. Deuxième phase : ayant bien calculé son effet, le gouverneur montre cet oukase à... Alexandre, afin de lui prouver la folie de son père.

— C'en est trop ! s'exclame le tsarévitch, âgé de vingt-quatre ans et qui est exaspéré.

De plus, il considère que la guerre contre l'Angleterre est stupide, coûteuse et contraire aux intérêts de la Russie. Soit ! Alexandre accepte que l'on dépose son père insensé, mais exige qu'on ne porte pas la main sur lui. Personne, souligne-t-il, n'a le droit de tuer un être qui s'enfonce dans la démence et n'est qu'un malade à éloigner. Les mêmes illusions et les mêmes hypocrisies avaient entouré la chute de Pierre III, son grand-père. Décidément...

Le 29 janvier 1801, Paul Ier et son épouse s'installent au château Michel. Le monarque explique qu'il a voulu reconstituer en architecture un témoignage des temps chevaleresques (encore !) qui n'a rien à voir avec l'époque « dépravée » (encore !) de sa mère. Mais la réalité est bien différente : à l'intérieur, le château est une prison. Pour les ennemis de Paul Ier mais aussi pour le tsar et sa famille. Paul Ier est vaguement rassuré.

Dans la soirée du 11 au 12 mars, le souverain s'enferme dans sa chambre, après avoir enfermé sa femme dans la sienne. C'est une manie. Il a peur et communique sa peur à son entourage. L'heure du complot. À sa tête – et ce n'est pas banal ! –, Platon, un des frères Zoubov, favori de Catherine II et son dernier amant... On se donne du courage en buvant du champagne, seule participation française à l'opération. Utilisant l'obscurité, une quarantaine de conjurés parviennent à se glisser dans le château, mais trente-deux sont bloqués devant des murs. Leurs renseignements n'étaient pas complets. Seuls huit hommes arrivent jusqu'à la chambre du tsar et y pénètrent malgré les précautions prises. Réveillé (mais pouvait-il encore dormir ?), Paul Ier tente de se cacher derrière un pare-feu en ébène, aux motifs d'ambre et de bronze, exposé aujourd'hui dans le cabinet de travail du tsar à Pavlovsk. Mais son ombre devant la cheminée trahit le tsar épouvanté. Pris de panique, il tente de se réfugier chez Maria, mais il est victime de ses propres soupçons : non seulement la porte est fermée à double tour, mais il a fait disparaître les clés...

Comme pour l'assassinat de son père, les circonstances exactes de sa mort demeurent contradictoires. Selon une thèse, la tête de Paul Ier aurait violemment heurté le dessus de la cheminée. Selon une autre explication, plus répandue, il a été étranglé au moyen d'une écharpe d'officier ; ces deux versions ne sont pas incompatibles. Lorsqu'on apprend à la malheureuse – et innocente – tsarine que son mari est mort d'une… « crise d'apoplexie », elle s'évanouit de douleur. Dans l'horreur d'une nuit shakespearienne, l'histoire venait de se répéter. Les Romanov pourront-ils un jour échapper à un destin sanglant[1] ?

Immédiatement après la mort de l'empereur, le comte Pahlen entre dans la chambre d'Alexandre. Il n'est plus le tsarévitch, il est le nouveau tsar. D'ailleurs, il est en grand uniforme. Il était prêt. Mais, bouleversé, il tient sa femme, Élisabeth, dans ses bras. Il pleure. Le gouverneur de Saint-Pétersbourg le secoue et lui lance :

— C'est assez de faire l'enfant ! Venez régner !

Toute sa vie, Alexandre Ier portera le poids effroyable d'une complicité passive dans l'élimination de son père. Dans les heures qui suivent, on tente d'apaiser sa conscience, puisque son père était un dément. Le tsar, qui sera l'adversaire le plus admiratif de Napoléon, ne pourra être en paix avec lui-même, hanté par cette fatalité sanguinaire qui semble poursuivre la dynastie. Cette nouvelle tragédie familiale

1. À l'époque soviétique, le château Michel, qu'il ne faut pas confondre avec le palais Michel, hébergera la bibliothèque des ingénieurs de la marine de guerre. On l'appelait le château des Ingénieurs. Il a retrouvé son ancien nom.

soulage la Russie. À cause du tsar, l'empire avait le vertige, même si, sans parti pris, on doit admettre que certaines réformes, en particulier militaires, furent très profitables au pays. À force de croire qu'il allait être assassiné, Paul Ier n'a pas échappé à une conspiration. Curieusement, il semblait avoir prévu qu'il ne serait pas épargné en disant, dans sa triste jeunesse : « Le despotisme, engloutissant tout, anéantit enfin le despote lui-même. » Il avait essayé d'imposer son empreinte dans l'histoire, comme en témoigne une statue équestre de Pierre le Grand, œuvre de Rastrelli père, que Catherine II avait négligée. Paul Ier l'avait fait installer devant l'entrée sud du château Michel. Et il avait pastiché l'inscription de sa mère sur *Le Cavalier de bronze* par ces mots gravés sur le socle : « À l'arrière-grand-père, l'arrière-petit-fils 1800 ».

Pour rappeler à la Russie et au monde qu'il était bien un Romanov.

10

Alexandre Ier, le sphinx du Nord

Il est grand. Il est beau. Il est jeune. Et il n'est pas fou ! Saint-Pétersbourg et la Russie sortent d'un cauchemar. Sur les murs des palais et des immeubles, des affiches annoncent l'avènement d'Alexandre Ier, et surtout l'annulation des décrets et mesures sortis du cerveau malade de son père. Tout ce qui était délirant est effacé, à commencer par la folle expédition des cosaques aux Indes pour nuire à l'Angleterre... Le soulagement des Russes, quels qu'ils soient et pour peu qu'on les informe, est double, humain et politique. Le nouveau souverain fait une promenade à cheval, seul, ce qui impressionne favorablement. Des murmures montent de la foule, respectueux et même affectueux. On entend « bien-aimé » et « petit-père » parmi les expressions d'un peuple qui se retrouve et reprend espoir. Physiquement, le nouveau souverain est séduisant. À vingt-trois ans, sa haute taille, sa belle allure et son visage fin ne suscitent que des compliments. Des yeux bleus, des cheveux châtain clair et ondulés donnent à sa personne une douceur et une grâce qui ne peuvent que rassurer puis captiver. Et il est élégant. Quand on apprend que cet homme jeune a immédiatement rétabli la tolérance et proclamé un régime de libertés, on comprend que son couronnement à Moscou se déroule dans une atmosphère d'extase et de confiance. En ce printemps 1801, quel changement pour les Russes ! Depuis des décennies, ils avaient été dirigés par des femmes implacables (dont la grand-mère d'Alexandre, Catherine II), des enfants ou de catastrophiques farfelus ! De nouveau, depuis la nuit du 11 au 12 mars, il y a un tsar à Saint-Pétersbourg, un vrai tsar, auréolé de charme. Même sa légère surdité semble une coquetterie supplémentaire. Il parle très bas afin de se faire entendre, ce qui est préférable aux hurlements incongrus de son père, lequel croyait qu'il ne serait obéi que s'il criait. Il n'était que craint… Revers de la médaille : s'il entend rire un passant dans la rue, s'il remarque le sourire d'un proche, le jeune monarque pense qu'on se moque de lui. Avec le temps, sa dureté d'oreille se transformera en complexe.

L'Europe s'informe. Elle s'était beaucoup inquiétée de ce qui se passait en Russie. Aucun doute, le jeune empereur suscite l'apaisement. Metternich, le chancelier autrichien, lui reconnaît l'esprit fin et subtil. Hortense de Beauharnais (la belle-fille de Bonaparte et la future mère du futur Napoléon III) est ravie car « il a le don secret d'inspirer la confiance ». Et Talleyrand, qui ne croit pas un instant à la « crise d'apoplexie » de Paul Ier, car cette explication avait déjà servi pour Pierre III, lance un trait cynique :

— Les Russes devraient inventer une autre maladie pour expliquer la mort de leurs empereurs.

Alexandre Ier ne se laisse pas découvrir facilement. Très tôt confronté aux désordres paternels, l'enfant a appris à dissimuler ses pensées et à masquer ses sentiments. Cette réserve lui avait permis de survivre ; elle va devenir un véritable voile et lui confère, sur le trône, la part de mystère et de distance qui hisse les chefs au-dessus des peuples.

Il était né le 12 décembre 1777 à Saint-Pétersbourg. Très jeune, il est éduqué dans des conditions spartiates ; il apprend à résister au froid et à l'inconfort. Grâce à ce qui ressemble à un entraînement, il n'est presque jamais malade. Lui et son frère Constantin, de deux ans son cadet, étaient sous la tutelle personnelle de leur grand-mère. À leur intention, elle a rédigé un manuel, « Instructions pour l'éducation de mes petits-fils ». Comme précepteur, Catherine II a choisi un républicain suisse, Frédéric César de La Harpe, lecteur de Rousseau et acquis aux idées libérales[1]. Très contrariée, l'impératrice s'aperçut que le Suisse, certes vertueux, professait un enseignement gênant, trop favorable à la Révolution et qui irritait beaucoup de gens. Elle lui signifia son congé. Alexandre, effondré, s'enferma dans sa chambre et écrivit à La Harpe : « N'oubliez pas que vous laissez ici un homme qui vous est dévoué, qui ne saurait vous témoigner assez de reconnaissance, qui vous

1. Né en 1754, ancien avocat, ce Vaudois avait dû quitter son pays natal lorsqu'il avait été occupé par les Bernois en 1782. Il fut le précepteur des grands-ducs Alexandre et Constantin de 1783 à 1795. De 1798 à 1800, il fut l'un des Directeurs de la République helvétique.

doit tout, si ce n'est la naissance ! » Le grand-duc avait dix-huit ans.

Ayant donc reçu une bonne formation intellectuelle, épris de justice sociale, un moment fasciné par la Révolution française avant qu'elle ne se transforme en bain de sang, le jeune tsar est séduit par la Constitution anglaise.

La foule, confiante, embrasse jusqu'à son cheval, baise ses étriers dans un mouvement quasi perpétuel sur son passage. Comme cela arrive souvent dans le pays, le peuple se signe. Le nouvel empereur est une bénédiction. Allons ! Dieu s'est souvenu de la Russie et va tempérer ses souffrances. Mais peu de gens remarquent sa tristesse. Derrière cette aura de la nouveauté, ceux qui le connaissent savent qu'Alexandre est d'un caractère réservé, soupçonneux, doté d'un solide amour-propre, en même temps qu'il est intelligent et a des dons de diplomate. Comment vit-il le souvenir du complot contre son père qu'il n'a pu ou voulu empêcher, par indécision ou par crainte, tandis qu'une voix intérieure lui commandait de sauver la Russie du désastre ? Au lendemain de son arrivée sur le trône, le tsar punit les conjurés, simplement en les expulsant de Saint-Pétersbourg. Mais on ne chasse pas les remords comme des importuns. Alexandre a la certitude d'avoir été le complice d'un parricide, même passif et même pour le salut de son pays. Sa vision harmonieuse est hypothéquée par cette nuit de cauchemar. Lui-même est conscient du poids de la tragédie. Le repentir ne le lâchera pas. À un ami qui tente d'apaiser sa conscience tourmentée, il répond :

— Non, c'est impossible ! Il n'y a pas de remède. Je dois souffrir. Comment voulez-vous que je cesse de souffrir ?

Son épouse le déplore aussi :

— Cette âme sensible en restera déchirée à jamais.

Ils ont été mariés jeunes selon les visées politiques de Catherine II. Le 9 octobre 1793, Alexandre, qui n'avait que seize ans, a épousé la princesse Louise-Marie-Augusta de Bade, âgée de quatorze ans. Encore une alliance germano-russe. Louise, muée en Élisabeth Alexeïvna dans la religion orthodoxe, est la nièce de la tsarine Natalia, la première femme de Paul Ier. Elle est belle, charmante et intelligente. Très généreuse, elle rend le grand-duc heureux ; jusqu'à son couronnement, cette femme délicate, maintenant âgée de vingt-deux ans, a une grande influence sur son mari. Trois jours après le régicide, la jolie tsarine écrit à sa mère, en français : « Quelque peine bien réelle que me fasse le triste genre de mort de l'empereur, je ne puis cependant m'empêcher d'avouer que je respire avec la Russie entière. »

Puis, Élisabeth essaie d'atténuer le sentiment de culpabilité de son mari. En vain. La tragédie n'a fait qu'aggraver son scepticisme et son dégoût de lui-même. N'a-t-il pas été contraint de remercier ses complices ? Elle sait combien le nouveau tsar est compliqué et contradictoire, au point que ceux qu'il reçoit en audience peuvent, selon les moments, s'interroger sur un éventuel dédoublement de sa personnalité. Un jour, il est délicieux et aimable, et on comprend pourquoi sa famille le surnomme « notre ange ». Puis, il apparaît méchant, faux, hypocrite et poseur. En une autre circonstance, il se montre attentif au malheur et sentimental. Plus tard, un jeune poète, Alexandre Pouchkine, écrira que parfois, l'empereur donne l'impression d'être « faible et perfide ». L'état d'esprit d'Alexandre a, en fait, une origine plus ancienne que la mort de son père : il n'avait pas envie du pouvoir, n'aimant ni l'autorité ni le faste. À son ami Victor Koutchebey, l'un de ses confidents les plus intimes quand il était grand-duc, Alexandre avait confié sa détresse, dans une lettre en français, devant l'hypocrisie des courtisans, l'anarchie au pouvoir, et son rêve secret : « Mon caractère n'aime que la tranquillité et la paix. La Cour n'est pas une habitation faite pour moi ; je souffre chaque fois que je dois être en représentation et je me fais du mauvais sang en voyant ces bassesses qu'on fait à chaque instant pour acquérir une distinction (...) Je me sens malheureux d'être en société avec des gens que je ne voudrais pas avoir pour domestiques (...) Nos affaires sont dans un désordre incroyable, on pille de tous côtés, tous les départements[1] sont mal administrés... Mon plan est qu'ayant une fois renoncé à cette place scabreuse (je ne veux pas fixer l'époque d'une telle renonciation), j'irai m'établir avec ma femme au bord du Rhin, où je vivrai tranquille, en simple particulier, faisant consister mon bonheur dans la société de mes amis et l'étude de la nature. » Lorsqu'il avait balbutié son manque d'ambition monarchique à sa grand-mère, effondrée, Catherine II avait déployé des trésors d'habileté pour convaincre son petit-fils favori de se préparer à régner un jour. La vie de couple d'Alexandre et Élisabeth a été assombrie par la mort en bas âge, au cours de l'année 1800, de leur fille Maria Alexandrovna.

---

1. Ministères, dont le nom sera adopté en 1802 par une réorganisation administrative.

Alexandre ne voulait pas de la couronne, il la reçoit ensanglantée. Pour monter sur le trône, il a dû enjamber le cadavre de son père. Il ne voulait pas jouer le rôle qu'on lui avait préparé. Mais désormais, il n'a pas le choix. En travaillant au bonheur de son peuple, peut-être pourra-t-il se racheter. Ce sera son espoir secret. Mais, déchiré entre ses illusions et de poignantes réalités, Alexandre Ier sera – et reste toujours – une énigme. Un mystère qui se révélera l'un des plus passionnants de l'histoire des Romanov et de l'Europe.

Ayant proclamé : « Tout sera, durant mon règne, comme cela fut durant le règne de ma grand-mère bien-aimée, l'impératrice Catherine », il se doit d'être un monarque éclairé. L'heure est donc aux réformes, modérées, utiles et compréhensibles. Le tsar forme ce qu'il appelle un « comité secret », avec ses amis de jeunesse qu'il rappelle auprès de lui, le prince d'origine polonaise Tchartoryski, les comtes Novossiltsev, Stroganov et Koutchebey ; ce dernier, ayant été ambassadeur de Russie à Constantinople, fut nommé ministre des Affaires intérieures. De mars à juin, sont décidées la réouverture des imprimeries, l'abolition de la redoutable Direction de la police et la suppression des potences sur les places publiques qui donnaient la nausée aux habitants. Douze mille officiers et fonctionnaires disgraciés sont réintégrés. Et les interdits les plus stupides, sur la coiffure et les vêtements, sont levés. Plusieurs oukases de la Grande Catherine sont remis en vigueur, comme les privilèges des villes, de la noblesse, l'achat libre de terres sans distinction de rang social ou de titres de l'acquéreur. De nombreuses institutions d'enseignement sont créées, telles les universités de Kharkov, de Kazan et de Vilno[1], tandis que les établissements existants sont réorganisés et reçoivent de nouveaux programmes. Il faut combattre le fléau de l'ignorance, vieille obsession des grands souverains, Pierre Ier et Catherine II.

Cette première période du règne d'Alexandre Ier est celle d'un essor dans tous les domaines de la vie russe. Pouchkine la qualifiera de « Beaux Jours du commencement d'Alexandre ». Les propos et suggestions du comité, souvent décidés après dîner par des hommes tous francs-maçons, s'inspirent d'un idéal humaniste fort répandu à l'époque. Ces messieurs rêvent d'un gouvernement mondial, d'une société fraternelle et d'un bonheur fondé sur les progrès matériels. Cependant, les archives contenant les procès-verbaux de ces réunions montrent la difficulté, pour ne pas dire l'impossibilité, que le tsar et ses amis éprouvent à mettre en pratique leurs ambitions de bons sentiments, car le peuple préfère encore la force à la faiblesse. La famille impériale elle-même, la Cour et l'aristocratie résistent à ce vent réformateur ; Alexandre soupçonne assez vite que ce sont surtout les hauts fonctionnaires qui profiteront de l'affaiblissement du pouvoir central. Une nouvelle puissance émergera, la bureaucratie paralysant ou atténuant les mesures dans un labyrinthe de paperasserie.

De 1801 à 1804, le souverain institue un Sénat impérial avec droit de remontrance et autorise l'affranchissement de milliers de serfs par la création

1. Annexée par la Russie en 1795, aujourd'hui Vilnius, capitale de la Lituanie.

de la catégorie dite des « cultivateurs libres ». Louable intention : elle profite à cinquante mille personnes mais, pour être efficace, cette clémence aurait dû s'appliquer à des centaines de milliers de gens car la population russe ne cesse d'augmenter. Elle est passée de vingt millions de sujets en 1725 à trente-trois en 1801 ; grâce à des expéditions, la superficie de l'empire s'étend maintenant de la Prusse à la Chine, des monts du Caucase au désert blanc de l'Arctique. Un empire trop vaste dont les contrastes climatiques sont aussi brutaux que les oppositions entre des richesses fabuleuses et des misères poignantes. Une plaie toujours à vif...

Autocrate humaniste, Alexandre, homme privé, lutte contre deux tendances. Jusqu'en 1803, il s'entend bien avec son épouse Élisabeth, la comble de tendresse, lui réserve les honneurs, partage ses repas avec elle, ce qui est le signe d'une profonde affection. À partir de 1804, Élisabeth perd son influence sur lui ; avec un maximum de précautions et en évitant le scandale, il aime ailleurs. Il courtise, entre autres, les femmes de ses amis Stroganov et Koutchebey, apprécie les actrices et les chanteuses (françaises, de préférence) et s'enflamme pour la comtesse Marie Narychkine, qui devient sa maîtresse dans un palais sur le quai de la Fontanka. Il y a de quoi : elle est peu bavarde, peu intelligente mais épanouie, sensuelle et surtout plus discrète qu'une violette. Elle suscite donc peu de commentaires. Il en est un, pourtant, signé d'un Français d'origine savoyarde, le comte Joseph de Maistre, ambassadeur du roi de Sardaigne à Saint-Pétersbourg. Très lié à Alexandre et témoin de son règne, il se régale de truffer ses dépêches de commérages. L'un d'eux est savoureux, à propos de la maîtresse du tsar : « Ce n'est ni une Pompadour, ni une Montespan ; c'est plutôt une La Vallière, avec cette différence qu'elle ne boite pas et ne sera jamais carmélite » !

En 1804, l'intéressée accouche d'une fille naturelle du monarque, Sophie.

La Russie est dans le meilleur ordre possible. Alexandre veut la paix par-dessus tout et, dès juin 1803, il a proposé sa médiation dans le conflit opposant la France à l'Angleterre. Hélas pour lui, Napoléon veut la guerre. Plus : il exige le monde. On peut s'interroger sur ce qu'aurait été le destin du tsar et de la Russie sans ce nouvel Empereur, celui des Français, qui s'est lui-même sacré le 2 décembre 1804. Le Russe y trouvera son tourment et sa grandeur. L'attitude d'Alexandre Ier à l'égard de la France est l'une des composantes de la politique européenne dans les premières années du XIXe siècle. À côté des relations d'entente ou de conflit armé, il s'agit d'une affaire personnelle dans laquelle le caractère des deux souverains va souvent l'emporter sur d'autres considérations. On peut dire qu'entre les deux monarques, les peuples européens, gravement bousculés, vont assister à une confrontation d'hommes. Au sommet comme dans la chute. Rarement un affrontement aussi gigantesque sera autant personnalisé.

Tout avait, si j'ose dire, bien commencé, dans la mesure où le jeune tsar souhaitait continuer à se tenir à l'écart des guerres menées contre la France issue de la Révolution par des monarchies que les exécutions de Louis XVI et de Marie-Antoinette, notamment, avaient scandalisées. Encore grand-duc héritier, le petit-fils de Catherine II avait suivi, de loin et pour cause, l'action du « Petit Caporal » devenu consul à vie. Après tout, il était un remarquable officier qui remettait de l'ordre en France. Mais lorsque, au début de 1804, ce même Bonaparte s'était préparé au trône impérial – un concept qui ne semblait pas normal dans la tradition française –, Napoléon avait inquiété le jeune empereur de Russie. Cette interrogation est devenue une véritable méfiance lorsque, en mars, Bonaparte a fait exécuter le malheureux duc d'Enghien, descendant du Grand Condé, accusé à tort de conspiration. L'Europe, pétrifiée, s'est indignée. Seule la cour de Russie, sur ordre du tsar, prend le deuil. Pour sept jours. Alexandre convoque un Conseil extraordinaire au palais d'Hiver, puis songe à saisir la Diète du Saint Empire pour élever une protestation circonstanciée après ce crime, « une faute », selon le mot de Fouché, colporté par Talleyrand.

Bonaparte ne s'émeut guère. Dans *Le Moniteur*, ancêtre du *Journal officiel*, il fait répondre par une allusion au meurtre de Paul Ier, une pique que le tsar ne pardonnera jamais au Français… La famille impériale est en noir, la Russie outrée. Joseph de Maistre, dont *Les Soirées de Saint-Pétersbourg* sont un précieux témoignage, écrit : « On ne reçoit plus nulle part les membres de l'ambassade française et on ne leur adresse plus la parole (…) Jamais je n'ai vu d'opinion exprimée de manière plus nette et plus tranchante. »

En septembre, les relations diplomatiques sont rompues. Soutenu par les Anglais, fort nombreux et influents dans la capitale russe, le tsar repousse son pacifisme naturel et s'engage, au printemps 1805, dans la troisième coalition contre l'hégémonie française. Pour un tel homme, cette décision est terrible. Et inconsidérée, car la Russie n'a aucun intérêt stratégique dans une guerre aux côtés des Habsbourg, mais les coalisés tiennent à donner une leçon à « l'Usurpateur » qui a osé se couronner empereur. Le tsar se rend à Berlin au début de novembre 1805. Il devient l'ami du roi de Prusse, le terne Frédéric-Guillaume III, et se montre très empressé auprès de sa jolie femme, la reine Louise avec qui il avait ouvert un bal à Saint-Pétersbourg. Depuis 1802, ils se livrent à une joute sentimentale dans un trouble jeu de séduction. Louise de Prusse ne se permet pas seulement un marivaudage, elle aimerait conquérir le Russe, un allié dont les Hohenzollern ont un urgent besoin. Au cours d'une scène plutôt cocasse, Louise, son mari et le tsar descendent dans le caveau où se trouve le tombeau de Frédéric le Grand. Sous le regard de la reine, les deux souverains se serrent la main et se jurent fidélité. Mieux vaut ne pas préciser laquelle !

Avant de rejoindre son armée que commande l'illustre Koutouzov, Alexandre Ier, fort perturbé, consulte un moine illuminé qui l'adjure de ne pas se battre contre « le Français maudit ». Le tsar est très angoissé… Le 11 novembre 1805, Koutouzov bat les Français à Dürrenstein mais deux jours plus tard, ils occupent Vienne. Les alliés du tsar attaquent en désordre. Seul le roi Gustave IV de Suède se montre déterminé : sa haine de Napoléon est telle qu'il le surnomme, avec rage, « l'Antéchrist » ! La suite est un désastre qui porte le nom d'un village de Moravie, Austerlitz, défaite prévue par Koutouzov, victoire solaire pour Napoléon. Le moine avait eu un juste pressentiment, le Français est maudit ! Malgré le courage de Koutouzov, les Russes perdent vingt mille hommes et les survivants doivent s'enfuir. Mais compte tenu de l'absence d'informations fiables dans la lointaine Russie, la défaite y est d'abord plutôt présentée comme une bataille « livrée avec honneur » tandis que les Autrichiens sont chargés de toutes les fautes, ce que Léon Tolstoï confirmera dans *Guerre et Paix*. La tsarine Élisabeth se range du côté de son mari qu'elle sait bouleversé[1] ; à sa mère, elle écrit que l'empereur d'Autriche est « lâche et traître », une accusation excessive. Ou une marque d'amour envers son époux…

Au début de 1806, dans Saint-Pétersbourg, le tsar battu est fêté comme un vainqueur ! Lui sait fort bien que Napoléon l'a dramatiquement vaincu et qu'il est maître des deux tiers de l'Europe, ce qui est assez pour s'inquiéter du sort de la Russie. Il est étonnant d'observer le contraste entre la joie, invraisemblable, de la foule qui va jusqu'à embrasser l'habit du tsar et la triste dignité de ce dernier, parfaitement lucide. Et si Dieu l'avait puni ? Et si Austerlitz était le début du châtiment ? Cette hypothèse le hante…

Peu à peu, la pénible vérité est connue et la popularité du monarque retombe. Signer la paix avec la France ? Pas question. S'il le faut, la Russie relèvera seule le défi. En revanche, Alexandre Ier, qui a rendu Koutouzov responsable de la catastrophe et l'a mis à l'écart, reconnaît sa propre insuffisance dans la gestion

---

1. En 1804, après la naissance de la fille adultérine d'Alexandre, l'impératrice Élisabeth eut une liaison avec Alexis Okhotnikhov qui mourut peu après, poignardé à la sortie d'un théâtre.

des affaires militaires. En juillet 1806, le tsar entre dans la quatrième coalition, avec l'Angleterre et la Prusse. Deux événements graves. D'abord, le 6 août, l'empereur François II de Habsbourg-Lorraine renonce à la couronne du Saint Empire romain germanique, désormais remisée dans le musée de l'histoire. Alexandre Ier est stupéfait : dans la gloire d'Austerlitz, Napoléon a réduit en miettes la plus ancienne organisation politique d'Europe, jadis un modèle pour les nations. Et ce qui en subsiste, l'empire d'Autriche, est sous sa coupe. Ensuite, à la mi-octobre, les victoires d'Iéna et d'Auerstadt anéantissent les forces prussiennes.

Le poète Heine dira, en une formule accablante : « Napoléon souffla sur la Prusse et la Prusse cessa d'exister. »

1807. L'année de la rencontre entre Napoléon et Alexandre. Elle est le résultat de batailles homériques, dans le froid, la neige et la glace de la Prusse-Orientale, près de Königsberg. Il y a d'abord celle d'Eylau, le 8 février, l'une des plus sanglantes (quarante mille victimes). Les Russes sont contraints à la retraite mais sauvent leur armée grâce au général Benningsen, d'origine allemande, et la victoire de Napoléon reste indécise. Il se venge le 14 juin par un succès sans réserve à Friedland, ce qui oblige le tsar à négocier. À contrecœur, Alexandre Ier se résout à un armistice avec celui qu'il appelait, il y a encore peu de temps, « l'ennemi du genre humain ». L'entrevue a lieu sur le Niémen, un fleuve frontière entre la Prusse et la Russie ; à cet endroit, la profondeur du Niémen ne dépasse pas quatre mètres. Nous sommes le jeudi 25 juin. À une heure de l'après-midi, chacun des deux empereurs est dans une barque, dont le mât est surmonté de ses aigles ; ils gagnent un radeau installé par les pontonniers français au milieu du cours, dans les eaux vives. Étoffes, fauteuils, étendards croisés ont été prévus.

Napoléon est le maître de maison ; il accueille Alexandre, vêtu de l'uniforme du légendaire régiment des Preobrajenski qui avait soutenu sa grand-mère lors de son coup d'État. Tunique verte, pantalon blanc, bottes courtes, gants blancs, le tsar est plus séduisant que jamais. Quand on est vaincu, c'est une arme qui peut être efficace. Mais le vaincu est beaucoup plus grand que le vainqueur, un avantage pouvant indisposer celui-ci... Alexandre soulève son étonnant et large chapeau à plume ; la lumière moire le grand cordon de Saint-André barrant sa poitrine. Première surprise des états-majors au garde-à-vous dans les deux barques, Napoléon, incroyablement chaleureux, embrasse son adversaire ! La scène aura un immense retentissement en Europe. Qui est le vaincu de Friedland ? Qui est le vainqueur ? Il est impossible de le dire tant les deux hommes cherchent à se séduire. L'un, le Russe, n'a pas trente ans ; l'autre, le Français, n'en a pas quarante. Une stupéfiante affection naît entre eux, même si chacun est en alerte. Le roi de Prusse, lourd et maladroit, a du mal à saisir ce duel de personnalités, sorte de parade fraternelle, comme si les deux hommes espéraient ce face-à-face pour se mesurer. Frédéric-Guillaume est vexé de ne pas participer, psychologiquement, au duel des narcissismes. Il doit demander au tsar d'être son avocat et, de dépit, se tient mal à cheval !

Les discussions durent vingt jours, dont onze ailleurs que sur le radeau, dans un bourg voisin dont le nom entre dans l'histoire, Tilsit[1]. Les rencontres ont lieu dans une maison où séjourne le tsar, à une cinquantaine de mètres d'un pont. Celle où résidait l'empereur des Français a été détruite pendant la Seconde Guerre mondiale. Les négociations restent un chef-d'œuvre de manipulation réciproque. Sensibles, rusés, méfiants, les deux empereurs le sont. À sa mère, Maria Fedorovna, qui attend des nouvelles à Pavlovsk, Alexandre, conquis par le génie napoléonien, écrit : « Heureusement que Bonaparte a un côté vulnérable, sa vanité, et je me suis décidé à faire le sacrifice de mon amour-propre pour le salut de l'empire. » De son côté, Napoléon, qui reste maître du jeu, écrit à Joséphine en parlant du tsar : « Nul ne peut avoir plus d'esprit », ajoutant, plus tard, en riant : « S'il était une femme, je crois que j'en serais tombé amoureux ! »

Le roi de Prusse fait si pâle figure qu'on lui conseille d'appeler sa femme à la rescousse. Il y a longtemps que la reine Louise permet au roi Frédéric-Guillaume de croire que c'est lui qu'on admire... Louise arrive avec sa réputation – excellente –, mais prend Napoléon de haut, ce qui est une erreur. Elle pense que sa beauté et son charme suffiront mais elle se trompe. Habile, elle corrige la manœuvre et tente la séduction. Nouvel échec. Le Français, qui n'apprécie pas les femmes engagées en politique, est exaspéré par l'obstination de la reine à vouloir garder Magdebourg, sur le cours

---

1. Eylau, aujourd'hui ville frontière entre la Pologne et l'enclave russe de Kaliningrad, s'appelle Bagrationovsk, en hommage au général russe Bagration. Friedland, à 25 km à l'est d'Eylau, est devenue la ville russe de Pravdinsk. Alexandre Ier y a observé la bataille depuis le clocher de l'église. Tilsit est aujourd'hui la ville russe de Sovlestk, au nord de Kaliningrad, à la frontière avec la Lituanie.

moyen de l'Elbe, l'une des cinq forteresses qu'il a exigées, peut-être parce que le sol de la région est très riche, comparable à celui de la Beauce. Un soir, au moment de passer à table, le Français a un geste galant, il offre une rose à Louise. Elle l'accepte en disant :

— Oui, Sire… mais avec Magdebourg !

Quelle entêtée ! Et souriante avec ça !

— Une fortification n'est pas un jouet pour une jolie femme, réplique Napoléon.

Elle garde la rose, il conserve Magdebourg.

L'audace de Louise fait le tour de la Prusse. Déjà surnommée « Aphrodite couronnée » par les poètes, la reine Louise devient l'héroïne de la résistance prussienne à l'envahisseur français. Un des ponts près du radeau des négociations reçoit le nom de la reine Louise[1]. Malgré ces amabilités, c'est le sort de l'Europe qui est en question. Entre sincérité et duplicité, un premier traité est signé le 7 juillet. La Russie obtient la liberté d'agir en Suède et en Finlande ainsi que sur les provinces danubiennes de la Turquie, avec l'appui de la France s'il le faut. Un résultat inespéré pour Alexandre qui fera écrire, bien plus tard, à Thiers que « l'honneur d'être vaincu par Napoléon équivaut à une victoire ». En revanche, le tsar doit admettre que la Russie entrera en guerre contre l'Angleterre si celle-ci ne demande pas la paix avant le 1er novembre. Cette disposition, secrète, revient à dire que la Russie participera au blocus continental. Deux jours plus tard, le 9 juillet, un second accord, rendu public, impose la réorganisation concoctée par Napoléon. La Prusse est réduite à quatre provinces ; un nouveau royaume, celui de Westphalie,

1. Aujourd'hui, pont de Tilsit.

est créé pour Jérôme, un frère de Napoléon, et la Pologne, encore une fois partagée comme un vieux manteau, est ramenée au grand-duché de Varsovie.

La paix de Tilsit, dans laquelle Napoléon a fait d'importantes concessions à Alexandre, est une sorte d'ivresse partagée. Les anciens adversaires se sont unis, séduits et admirés, comme ont pu le voir les officiers des deux camps qui se sont rendu visite lors des signatures. Une véritable lune de miel franco-russe commence. La première. Et comme toutes les alliances, elle est semée d'illusions dangereuses. Guerre et paix ? Guerre ou paix ? Le dessous des cartes est plus complexe qu'il n'y paraît. Le Français a obtenu un succès mais on sait moins, à l'époque, qu'il a aussi subi un échec. Grâce au tsar, Napoléon va faire la guerre aux Anglais sans marine (Trafalgar reste un traumatisme) et conquérir la mer par la terre, ce qui relève de la magie. Mais le Russe était resté sourd (c'était pratique !) à une allusion plus intime de celui qu'il persistait à appeler Bonaparte, comme les Anglais d'ailleurs. Le Corse, cherchant à consolider sa position sociale et à se hisser au rang des illustres familles européennes, avait révélé au tsar qu'il comptait répudier Joséphine, décidément stérile. À plusieurs reprises, Alexandre Ier avait écouté l'empereur des Français lui dire qu'il épouserait volontiers sa propre quatrième sœur, la grande-duchesse Ekaterina Pavlovna, dix-neuf ans. Mais, dur d'oreille, le tsar avait écouté sans entendre. Il n'avait pas voulu comprendre que son adversaire cherchait aussi à devenir... son beau-frère ! Napoléon interpréta le silence russe comme un camouflet intime et dynastique. C'était la première ombre, mal distinguée à l'époque, sur l'euphorique alliance de Tilsit. Napoléon avait eu beau faire des rois, des grands-ducs et des princes, il n'entrerait pas dans la famille Romanov. Il allait devoir chercher ailleurs une princesse, plus ou moins consentante, à la mesure de son ambition. Le descendant de Pierre et de Catherine était assez grand pour ne pas devoir fournir à « l'Usurpateur » une génitrice de haut lignage !

De surcroît, le moment serait mal choisi puisque les affaires françaises commencent à péricliter entre l'inefficacité du blocus continental, l'occupation de Rome puis la détention du pape, et surtout l'expédition d'Espagne qui tourne au désastre à partir de 1808. Puisque les Anglais agitent (et subventionnent) l'opinion européenne contre Napoléon, celui-ci compte énormément sur l'amitié franco-russe proclamée à Tilsit et dont une des preuves est un magnifique vase de Sèvres offert au tsar, aujourd'hui dans le salon de la Guerre de Pavlovsk. Le Français a un besoin vital de la Russie pour se maintenir et même se rétablir. Une nouvelle rencontre se déroule à Erfurt, en Thuringe, du 27 septembre au 14 octobre 1808. C'est une véritable mise à l'épreuve d'Alexandre car Napoléon y déploie des fastes inouïs dont se régalent les gazettes ; il a convoqué un « parterre de rois » (ceux qu'il a couronnés, donc ses obligés !) pour lui faire cortège. Dans ses bagages, il a emmené le grand tragédien Talma qui obtient un extraordinaire triomphe. À Weimar, Napoléon rencontre Goethe et donne des chasses sur le champ de bataille d'Iéna. Et, sur ordre, les femmes rivalisent de beauté et... d'arguments. Un vrai congrès pour légitimer l'Empire français pendant quinze jours de fêtes. Mais Alexandre est moins courtois qu'à Tilsit. Deux drames l'ont personnellement atteint. Marie Narychkine, qui reçoit toujours ses faveurs, a mis au monde un nouvel enfant, mort peu après la naissance. Puis, en mai, le tsar et son épouse perdent leur seconde fille, la petite Élisabeth Alexandrovna, âgée de deux ans. D'humeur sombre, le Russe exige, obtient, et reste vague quand on l'interroge. Dans le fond, il est gêné par son amitié forcée avec le Français et le lui fait sentir ; l'Autriche ne doit pas être neutre comme le demande Napoléon, elle doit être forte.

Alexandre veut alléger le poids de l'occupation française en Prusse, ainsi qu'il l'a promis à son roi et à la belle Louise. À Erfurt, le tsar est donc capable de duplicité, ce qui n'avait pas été le cas à Tilsit. Il faut dire que le diable lui-même est venu à Erfurt. En boitant. Et en jouant double jeu, ce qui est un minimum chez Talleyrand. Prodigieux Talleyrand qui réussit à seconder Napoléon tout en conseillant le tsar ! Ulcéré par une semi-disgrâce, Talleyrand suggère à l'empereur de Russie de tenir tête au « capitaine d'artillerie Bonaparte » :

— Oui, Sire, il faut contrecarrer les ambitions territoriales de Napoléon car le Rhin, les Alpes, les Pyrénées sont les conquêtes de la France ; le reste est la conquête de l'empereur, la France n'y tient pas.

Alexandre Ier s'en souviendra. Entre deux discussions orageuses, Napoléon revient à son obsession de remariage programmé. L'alliance franco-russe serait tellement plus solide si une grande-duchesse entrait, légitimement, dans le lit du Français ! Napoléon sonne la charge amoureuse. Le tsar avait refusé sa sœur Ekaterina ? Eh bien, il y a la cadette, Anna Pavlovna, âgée de quinze ans et demi. Elle est trop jeune ; le tsar refuse poliment, stupéfait de l'entêtement bonapartiste ! Et puis, il faudrait le consentement de l'impératrice douairière, comme le prévoyait le testament de Paul Ier. Or,

Maria Fedorovna est déchaînée contre Napoléon. Lorsque son fils Alexandre lui rapporte la nouvelle proposition de mariage échafaudée par « l'Ogre corse », la veuve de Paul Ier déverse sa haine, nourrie par tous les pamphlets de Londres, de Vienne et même de Paris :

— Comment marierais-je ma fille à un homme qui ne peut être le mari de personne ? Elle n'est pas faite pour cela.

À Caulaincourt, ambassadeur de France à Saint-Pétersbourg depuis un an et que le tsar apprécie, Alexandre oppose son refus réitéré de marier une de ses deux sœurs encore disponibles à Napoléon. Quelles mœurs, ce Bonaparte ! Paris serait-il un bazar oriental ? Furieux d'être à nouveau éconduit, Napoléon réfléchira souvent à cet échec. Il y verra l'influence – réelle – de Metternich et, bien entendu, encore et toujours, celle de Talleyrand. À Sainte-Hélène, dictant son *Mémorial*, celui qui voulait épouser une Romanov dira : « Alexandre est susceptible. Ils l'auront facilement aigri. »

À la fin de 1808 et au début de 1809, la Russie est la seule grande puissance d'Europe face à la France. Le tsar est très préoccupé des conséquences économiques du blocus continental sur la Russie. Les navires anglais n'ont plus accès aux ports russes ; Saint-Pétersbourg en souffre. Le tyran politique français devient un étrangleur économique. Le blé et le chanvre – pour s'éclairer – manquent, le rouble baisse. C'est donc de plus en plus mollement que le tsar feint de croire à l'entente franco-russe puisqu'elle pèse sur son pays. La question que le tsar peut se poser est délicate : est-il encore un allié ou déjà un vassal dont le Français a de plus en plus besoin ? Évidemment, le triomphe français dans la plaine de Wagram (6 juillet 1809) arrête un moment les critiques. Certes, trente mille Russes ont aidé Napoléon à battre les Autrichiens, mais sans enthousiasme. On rapporte même que les officiers tsaristes s'excusaient auprès de leurs adversaires de faire avancer leurs troupes !

Lorsque, au printemps 1810, Alexandre Ier apprend le mariage de l'empereur des Français avec l'archiduchesse d'Autriche Marie-Louise, il en reste abasourdi. Ainsi, le « maudit Français » est arrivé à ses fins ! Vainqueur des Habsbourg, il entre dans cette illustre famille dont le rayonnement a huit siècles. Non seulement l'empereur d'Autriche est son beau-père, mais le Bonaparte devient, par alliance, le petit-neveu de Louis XVI ! Un comble que le tsar rappellera à la nouvelle impératrice des Français :

— Quand même, vous avoir mariée à Napoléon !

Courroucé, Alexandre Ier soupire avec humour :

— Me voilà renvoyé au fond de mes forêts !

Mais à sa sœur Catherine, qui a échappé à ce destin, il écrit : « Napoléon me prend pour un sot mais rira bien qui rira le dernier ! » Pour enrayer la crise économique, le tsar interdit l'importation des produits français. La lune de miel a duré deux ans, la mésentente explose. Colère de Napoléon, humeur d'Alexandre qui réplique :

— Vous êtes emporté, Sire, et moi, je suis entêté.

La fausse fraternité tourne au véritable conflit.

Les griefs du tsar sont nombreux. La création du grand-duché de Varsovie laisse craindre une résurrection du royaume de Pologne, ce que la Russie ne peut tolérer. La possibilité d'occuper des territoires turcs et de s'imposer à Constantinople est compromise, et le vieux rêve des tsars reste une chimère. De plus, l'annexion par Napoléon du littoral allemand de la mer du Nord et des villes hanséatiques englobe le duché d'Oldenbourg dont le souverain n'est autre que le beau-frère d'Alexandre puisque sa sœur Catherine l'a épousé en 1809, ce qui était tout de même préférable au fantasme du Corse ! Enfin, le tsar, dénonçant le blocus continental, autorise ses sujets à reprendre leurs relations commerciales avec l'Angleterre, essentielles pour l'économie russe et vitales pour Saint-Pétersbourg. Furieux, Napoléon ne traite plus Alexandre de tsar mais de… « Grec du Bas-Empire » !

Les deux empereurs, maintenant adversaires, se livrent à une course de vitesse. Le Russe fait construire des forteresses pour sa défense occidentale, sur une distance énorme, de Riga à Kiev. Le Français lève des recrues car, dit-il, la Russie s'apprête à attaquer les héroïques conquêtes napoléoniennes. Pour célébrer la naissance du fils que Marie-Louise lui a donné le 20 mars 1811, le Bonaparte convoque aux Tuileries Murat, venu de Naples, et Poniatowski, arrivé de Pologne. Le baptême du roi de Rome n'est qu'un prétexte. En réalité, Napoléon veut les entretenir d'un plan secret, l'invasion de la Russie. Informé par son ambassadeur, Alexandre se prépare. La rupture est imminente, la guerre inévitable. L'évolution du tsar est spectaculaire ; maintenant, il est gagné par une vindicte personnelle contre le Français. Tilsit ? C'est bien loin… Après la déclaration des hostilités françaises le 22 juin 1812, Alexandre, autrefois timide, réservé et méfiant, se mue en chef de guerre inflexible. Face à la Grande Armée qui franchit le Niémen, devenu le fleuve de la haine, la première stratégie russe est catastrophique. Où est l'armée du tsar ? Où sont ses généraux expérimentés ? Ni Bagration, au nord, ni Barclay de

Tolly, au sud, n'affrontent la Grande Armée. Devant lui, Napoléon ne rencontre que le vide, l'immense plaine russe. Et quatre cent cinquante mille hommes (dont seulement trois cent mille Français) avancent dans cet été accablant, soulevant un gigantesque nuage de poussière ocre. Alexandre, déconcerté par l'apparente retraite de ses contingents, envoie un émissaire, Balachov, au quartier général français. À Napoléon – qui le reçoit fort bien –, il demande de repasser le Niémen avant de parler de paix.

L'envahisseur se montre aimable, interrogeant Balachov :

— Pour aller à Moscou, quelle est la meilleure route ?

L'émissaire ne se trouble pas.

— Sire, il y a plusieurs routes. Charles XII avait pris par Poltava…

Une référence cinglante à la Grande Guerre du Nord contre le roi de Suède que Pierre le Grand avait fini par gagner. Moscou ! Il faut protéger Moscou ! Le tsar se rallie à la guerre défensive et rappelle Koutouzov, stratège de soixante-dix-sept ans qui avait prédit le désastre d'Austerlitz. Une légende assure qu'une nuit, *Le Cavalier de bronze*, la célèbre statue de Pierre le Grand, s'est animé ; le tsar serait descendu de son cheval pour admonester son successeur sur sa désastreuse façon de faire la guerre. D'où l'appel au secours lancé à Koutouzov, borgne de l'œil droit mais stratège génial. Il fortifie des défenses sur les collines à l'ouest de Moscou pour protéger les symboles de la Russie, notamment le Kremlin. Vient le temps des ambiguïtés. Le 26 août 1812, Koutouzov se déclare vainqueur à Borodino tandis que Napoléon fait proclamer son triomphe sur la Moskova. C'est la même bataille. De même, les Français parlent de la campagne de Russie tandis que les Russes l'appellent la Grande Guerre patriotique. C'est le même conflit, vu par les agresseurs ou par les défenseurs.

La route de Moscou est ouverte, mais la ville est en feu. Terre brûlée, ville incendiée par les hommes du gouverneur Rostopchine. Alexandre joue subtilement : il est absent. Personne ne se rend, personne ne se soumet au Français. Napoléon commet alors deux erreurs, inouïes chez un tel génie. D'abord, il croit que le tsar l'aime encore et va succomber à son charme de conquérant. Ensuite, en attendant le retour de cette fraternité, il perd un temps précieux, trente-trois jours, et oublie qu'en histoire, c'est souvent la géographie qui commande. En quatre semaines, l'été et l'automne font place au plus implacable allié du généralissime Koutouzov, le « général Hiver »… La campagne de Russie devient la retraite du même nom. Alexandre n'a rien cédé. Lui qui souffre d'être un piètre soldat, avoue, le long de la Neva qui commence à être gelée :

— L'incendie de Moscou a illuminé mon âme.

Un nouveau destin se dessine pour le tsar : il sera le libérateur de l'Europe. Il devient mystique, assuré que Dieu lui a assigné la mission de libérer les peuples soumis aux Français. Sa raison d'être est désormais de combattre jusqu'au bout celui qu'il avait admiré. Alexandre prend une revanche sur ceux qui plaisantaient ses manières exquises, ses pudeurs, son élégance. À ses proches, il murmure :

— C'est à présent qu'on verra en Europe si je suis, comme on le dit, une médiocrité…

Le tsar incarne, physiquement, la mise à mort politique et militaire de Bonaparte. Il repousse ses offres de paix et maintient ferme la coalition en imposant de marcher sur Paris. L'Europe a un chef, intraitable, dont l'objectif est résumé d'un mot : « Les Alliés font la guerre à Napoléon, pas à la France. »

Napoléon battu, Paris rend les armes. Le tsar de Russie y fait son entrée – montant le cheval blanc que lui avait offert Napoléon –, le 31 mars 1814, par la belle porte Saint-Denis. Tout un symbole puisque le monument, édifié en 1672 pour célébrer les victoires de Louis XIV à Maastricht et sur le Rhin, est devenu le passage obligé des souverains qui entrent dans Paris, amis ou ennemis. En somme, pour son premier séjour en France, Alexandre Ier entre par la grande porte… Sur les murs, il a fait placarder un avis assurant les Parisiens « de [sa] bienveillance et de [sa] protection ». Le tsar ne venge pas Moscou en incendiant Paris. Il y a foule sur les boulevards, une foule silencieuse qui regarde défiler les Alliés. Le roi de Prusse caracole sans sa belle épouse, morte quatre ans plus tôt à seulement trente-quatre ans. Le tsar l'avait revue chez lui, en 1808. Il lui avait promis la libération de la Prusse. Hélas ! elle ne l'a pas vécue mais incarne, pour l'histoire, la résistance aux Français de cette époque. Le 10 avril, l'empereur de Russie fait célébrer une pompeuse messe orthodoxe à la mémoire de Louis XVI sur la place Louis-XV, anciennement place de la Révolution puis place de la Concorde. La foule est attirée par le rite, inédit en un tel lieu.

Installé chez Talleyrand, Alexandre Ier rassure les Parisiens sur ses intentions et organise l'exil napoléonien sur l'île d'Elbe. Avec une indiscutable grandeur, il permet au « général Bonaparte » (selon les Anglais) de conserver son titre d'empereur sur son petit territoire entre la Corse et la Toscane. Les cosaques du tsar campent sur les Champs-Élysées, encore bien campagnards. Ils ont faim et soif. Ils sont pressés de

Alexandre Nevski (1220-1263) recevant des émissaires. Grand-duc de Novgorod, puis grand-prince de Vladimir, il bat les Suédois en 1240 sur les bords de la Neva, d'où son surnom, puis les chevaliers Teutoniques en 1242, lors de la bataille de la Glace. Il fut canonisé par l'Église orthodoxe et Pierre le Grand donna son nom à un ordre religieux que Staline, en 1942, transforma en ordre militaire soviétique. © Akg Images

Ivan Vassilievitch (1530-1584), *dit* Ivan Groznyï (*le Terrible*), en 1580. Il prend le titre de tsar en 1547 et inaugure un règne personnel. Il est le premier souverain moderne de la Russie. Intelligent et fin politique, sa méfiance se transforme en déséquilibre mental entraînant une grave crise jusqu'à l'avènement des Romanov, en 1613. © Akg Images

Boris Godounov (1551-1605), ici en 1600. Proclamé tsar à la place de l'héritier légitime, il émancipe l'Église de la tutelle de Constantinople, organise la première colonisation de la Sibérie et s'efforce de rapprocher la Russie de l'Occident. La famine qui ravage son pays provoque une insurrection et la prise du pouvoir par un usurpateur, un « faux Dimitri » soutenu par la Pologne. C'est le « temps des troubles ».
© Akg Images

Pierre le Grand (1672-1725), sixième tsar de la dynastie Romanov. Ici, le 16 mai 1703, il fonde Saint-Pétersbourg qui deviendra la capitale russe en 1712 à la place de Moscou. Il voyage et attire en Russie des architectes, des peintres, des mathématiciens, des sculpteurs et des ingénieurs pour construire une ville et un port inspirés d'Amsterdam. Mesurant 2,04 m, sa stature imposante l'aide à réformer son pays qu'il juge trop oriental et arriéré. Selon son vœu, Saint-Pétersbourg doit être « une fenêtre ouverte sur l'Europe ». © Akg Images

Elisabeth Petrovna (1709-1762). Fille de Pierre le Grand et de Catherine Ire, elle règne de 1741 à sa mort. Développant le commerce, l'industrie, elle fonde des universités. Elle subit l'influence artistique de la France. Ses armées occupent Berlin en 1760 avec les Autrichiens.
© Akg Images

Catherine II, dite la Grande (1729-1796), ici en 1763. Son long règne est remarquable. « Despote éclairé », amie des encyclopédistes, elle consolide la puissance impériale, rédige des instructions inspirées de Montesquieu, embellit Saint-Pétersbourg et fonde l'Ermitage. © Akg Images

Alexandre Ier (1777-1825), fils de Paul Ier et petit-fils favori de Catherine II. Contre Bonaparte, il fait la paix avec l'Angleterre puis rencontre Napoléon à Tilsit, en 1807. En 1812, il subit l'invasion de la Russie. « Libérateur de l'Europe » en 1814, sa mort reste un mystère. © Akg Images

Alexandre II (1818-1881) entreprend de nombreuses réformes dont la plus importante est l'abolition du servage, en 1861. Développant le réseau ferroviaire, il conquiert le Caucase et l'Asie centrale. Ayant échappé à plusieurs attentats, il est assassiné le 1ᵉʳ mars 1881. © Akg Images

Le tsar Alexandre III (1845-1894) et son épouse Maria Fedorovna, née princesse danoise, ici en 1885. Ce géant réprime les mouvements terroristes qui ont assassiné son père et conclut, à partir de 1892, diverses conventions qui aboutiront à l'alliance franco-russe. © Akg Images

Nicolas II (1868-1918), dix-neuvième tsar Romanov, pose l'année de son couronnement (1896) avec son épouse née Alix de Hesse (*à g.*), devenue Alexandra Fedorovna, et sa belle-sœur Elisabeth. Ses goûts très bourgeois lui font aimer la vie de famille à la campagne. © Akg Images

Saint-Pétersbourg, 17 juillet 1998. Le président Boris Eltsine et son épouse devant les restes de la famille impériale massacrée quatre-vingts ans plus tôt à Ekaterinbourg. Le chef de l'État russe demande pardon, sous le regard des princes Nicolas Romanov et Michel de Kent ; ce dernier représente la reine d'Angleterre. © Photo Jean des Cars

À Ekaterinbourg (Oural), sur le lieu du massacre des Romanov, une cathédrale s'élève à la place de la maison Ipatiev. Ce groupe de statues symbolise la descente de la famille au sous-sol, dans la nuit du 16 au 17 juillet 1918 où elle est fusillée. L'escalier comptait 23 marches, Nicolas II, qui porte son fils affaibli, a régné 23 ans.

© Photo Jean des Cars

La salle d'attente de la gare d'Ekaterinbourg. La fresque, peinte en 2000, représente la famille impériale, canonisée, entre le lieu de son exécution et le paradis. *À gauche*, les Rouges, *à droite*, les Blancs, prêts à s'affronter. La guerre civile a duré de 1917 à 1922. La peinture vante une réconciliation nationale.

© Photo Jean des Cars

En octobre 2003, à Irkoutsk (Sibérie), une statue du tsar Alexandre III, déboulonnée en 1917, a été inaugurée une seconde fois, en présence du ministre des Chemins de fer. L'événement est d'une haute portée pour rappeler les progrès des transports sous le règne de ce colosse francophile.
© Photo Jean des Cars

À Irkoutsk (Sibérie), une statue à la mémoire de l'amiral Koltchak, édifiée en 2004 et toujours fleurie. L'ancien chef suprême des armées blanches, élu par ses officiers le 18 novembre 1918, fut trahi par un Français, le général Janin, qui le livra aux bolcheviks. Il a été fusillé à cet endroit, le 7 février 1920. © Photo Jean des Cars manger et de boire. Ils crient un mot russe : « *Vistro !* » (« Vite ! »), interprété comme « Bistro ! ». Les cosaques partiront ; le mot, déformé, restera. N'est-il pas étonnant que l'un des symboles de la future vie parisienne soit issu d'une occupation russe ? Peu à peu, Paris occupé retrouve un air de fête ; ce ne sera pas la dernière fois. Des habitants, arborant la cocarde blanche des royalistes muselés depuis vingt-deux ans, font circuler un libelle, avec cet espoir :

« D'un vainqueur généreux, la sagesse profonde
Rend la France à ses rois, donne la paix au monde. »

En attendant, Alexandre Ier est le roi de Paris. Bientôt, la joie est obérée par une question : le tsar a chassé Napoléon, mais qui chassera le tsar ? Un empereur dont on chante la gloire à l'Opéra, sans aucune gêne, lorsqu'il apparaît, magnifique dans son uniforme blanc :

— Vive Alexandre, ce roi des rois !

Celui qui voudrait être enfin le seul roi à Paris est le comte de Provence, frère de Louis XVI, devenu Louis XVIII. Lui aussi est entré par la porte Saint-Denis, mais le 3 mai seulement. Le descendant d'Hugues Capet, gros homme podagre et impotent mais au cerveau agile, est bien décidé à remettre le Romanov à sa place : il passe avant lui, se fait servir avant lui et lui offre une chaise alors qu'il se réserve un fauteuil… Alexandre Ier est surpris de ces mesquineries protocolaires ; il ne s'attendait pas à pareil traitement d'un Bourbon revenu d'exil grâce à lui. Louis XVIII, avec finesse, fait semblant de s'excuser :

— Que voulez-vous… Je suis trop faible pour céder.

Le tsar reste étonné de l'inversion des rôles :

— Louis XIV ne m'aurait pas reçu autrement à Versailles, dans le temps de sa plus grande puissance. On aurait dit que c'était lui qui venait de me replacer sur mon trône !

Pendant plusieurs jours, le tsar se rend à Malmaison. Il veille Joséphine. L'ancienne impératrice a pris froid en se promenant avec lui… Elle meurt le 29 mai, la veille de la signature du traité de Paris ; le tsar lui fait rendre les honneurs par sa Garde. Cette sollicitude émeut les bonapartistes, déjà effondrés par l'abdication de l'empereur[1]. Alexandre Ier finit par s'en aller ; il n'en est que plus populaire. Fin juin, il retrouve Élisabeth, sa femme, qu'il n'a pas vue depuis dix-huit mois. Il a libéré l'Europe. Il est donc logique qu'il participe à l'élaboration de l'Europe d'après Napoléon, au congrès de Vienne qui s'ouvre le 18 septembre 1814. L'empereur d'Autriche (qui est toujours le beau-père de Napoléon) et Metternich, son brillant chancelier, reçoivent Alexandre dans un appartement au premier étage du palais de la Hofburg[2]. Étant arrivé sans son épouse – Élisabeth va le rejoindre –, le vainqueur de Napoléon est très entouré. Une cohorte de jolies femmes prétextent des audiences privées. Quand on pense que le tsar avait donné son accord à ce congrès

---

1. Le tsar rachètera aux héritiers de Joséphine de superbes tableaux, continuant ainsi la tradition d'enrichissement des collections de l'Ermitage.

2. Ils portent toujours le nom d'appartements d'Alexandre Ier, même si les derniers monarques qui y vécurent furent, de 1916 à 1918, Charles et Zita de Habsbourg-Lorraine, souverains d'Autriche-Hongrie.

de Vienne à condition qu'il prenne pour base les principes chrétiens… Cependant, ses manières, nouvelles, de cosaque pressé valent aussi des déboires au tsar coureur de jarretières. Ayant fait savoir à la princesse Paul Esterhàzy, née de l'illustre famille bavaroise Tour et Taxis, qu'il lui ferait volontiers une visite très intime quand son mari aurait le bon goût d'être à la chasse, il ignore qu'elle a déjà un amant que tout le monde connaît, un prince de Liechtenstein. Pis : la princesse est fidèle à son amant ! Quelle situation ! Afin d'éviter de froisser Sa Majesté Impériale, Marie-Thérèse Esterhàzy envoie un courrier plutôt sec mais perfide : elle lui a dressé une liste de jolies femmes qu'il trouvera chez elle s'il s'annonce ! Alexandre, amusé de ce jeu, renvoie, barrés, tous les noms qu'elle a proposés… sauf le sien ! Il ne veut voir qu'elle. Affolée, la princesse Esterhàzy en est réduite à prévenir son mari… pour qu'il rentre au grand galop afin de recevoir le tsar, qui s'est annoncé. C'est ce qui arrive, mais le mari ne comprend pas (grand-chose !) et surtout pas pourquoi le tsar, qui avait demandé à visiter son palais, n'est resté que dix minutes et est reparti furieux ! Presque une ébauche d'opérette viennoise…

Le tsar repart à l'attaque. Lors d'un dîner, la comtesse Palffy est assaillie en ces termes :

— Votre mari est absent. Il me serait agréable d'occuper provisoirement sa place…

Pas de chance, Sire, la proie est aussi spirituelle que sensuelle :

— Est-ce que Votre Majesté me prend pour une de ses provinces ?

Toute la table, donc la ville, s'esclaffe. Et Alexandre se concentre sur un nouveau décolleté. Pourtant, selon certaines rumeurs, le beau tsar de trente-sept ans, au charmant sourire et aux cheveux élégamment ramenés sur son crâne ovale maintenant dégarni, serait plus un collectionneur d'amourettes qu'un amant au tempérament insatiable. Un rapport de police note que « le tsar se montre bien russe car il aime les femmes de glace ». Mais, parfois, la coquetterie plus ou moins poussée est surtout un moyen de s'informer. Le meilleur agent de renseignement du tsar est la très dévergondée princesse Bagration, veuve du héros de 1812, tombé à Borodino. Une nuit, il passe trois heures avec elle dans son hôtel. Elle est aussi paillarde que bien renseignée. Avec la princesse, le badinage est une façon d'agir en politique et de se tenir au courant des ragots. Elle tente aussi de séduire Talleyrand qui se permet de la repousser en disant :

— Elle a une manière d'écouter les secrets pardessous la jambe qui ne doit pas être commode tous les jours...

Le tsar, lui, à cause de sa surdité, incline la tête avec beaucoup de grâce vers ses interlocuteurs ; son infirmité, qui s'est aggravée, lui sert aussi à ralentir les négociations qui, en effet, n'avancent guère. Quand il est assis à côté de la souveraine autrichienne, leur voisinage est laborieux : ils sont sourds mais pas de la même oreille ! Et la vue un peu courte du tsar lui permet de se servir d'un face-à-main, surtout avec les femmes...[1] On assure qu'il s'éprend tour à tour de jolies Viennoises très connues auxquelles il attribue, consciencieusement, un qualificatif, déclinant leur principale caractéristique. La princesse Gabrielle d'Auersperg est « vertueuse », la comtesse Caroline Szechenyi « coquette », la comtesse Sophie Zichy « tri-

1. Voir *Alexandre Ier* par Henri Troyat, Flammarion, 1980.

viale », tandis que Julie Zichy est « éclatante » et que la comtesse Saaran a « la beauté du diable »... La fréquentation du gotha n'empêche pas l'empereur de Russie, selon un valet de la Hofburg, de disparaître dans un couloir conduisant aux chambres de deux demoiselles d'honneur de... sa femme. Celle-ci, l'impératrice, retrouve au bord du Danube son ancien amant, le prince Czartoryski, ce qui met Alexandre en fureur. La sœur du tsar est elle-même saisie par l'atmosphère amoureuse : elle a une liaison avec Guillaume de Wurtemberg. La police remplit des rapports précis, mais c'est l'Europe qui est trompée : elle va bientôt apprendre, stupéfaite, que Napoléon s'est évadé de l'île d'Elbe. On ne rit plus. On ne danse plus. Le congrès est pétrifié. Heureusement, le tsar a retrouvé son ancien précepteur suisse, La Harpe. Grâce à celui qui fut son élève, le républicain La Harpe obtient du tsar et du congrès que soient déclarées la neutralité helvétique et l'indépendance de plusieurs cantons (Argovie, Tessin, Saint-Gall, Thurgovie et Vaud).

Derrière cette fébrilité sentimentale et sensuelle, Alexandre Ier semble las. Il n'est plus le même homme. Vienne a été son dernier bal. Il a changé et, à son retour en Russie, il le reconnaît lui-même. Sa lutte titanesque contre Napoléon, le soutien et la reconnaissance du peuple russe devant les flammes de Moscou, le courage des cosaques et des paysans harcelant la Grande Armée lui ont donné un élan qu'il n'avait pas, la foi. Une foi « ardente », selon son aveu, qui va le tarauder et modifier son attitude, tant publique que privée. Il devient solitaire, passe des heures à lire des ouvrages d'une sévérité rebutante, reste prostré dans d'interminables méditations, se dit dégoûté de la politique. Est-il malade ?

Physiquement, certainement pas. Mais spirituel-lement, il est atteint. Après Waterloo, le tsar manifeste une mansuétude renouvelée à l'égard de la France en s'opposant à son démembrement, exigé par les Alliés. Le traité qu'il avait signé avant de quitter Paris garan-tissait à la France l'intégrité de ses frontières d'avant la Révolution. Il répète qu'il n'a pas combattu les Français mais Napoléon... à qui il proposa même de s'exiler en Russie ! Cette élégance, qui exclut tout acharnement, dissimule une terrible remise en question. Le triomphateur est devenu un homme triste, prématu-rément vieilli à trente-neuf ans. Le souverain adulé semble absent. L'éternel remords de sa complicité manipulée dans la mort de son père ne s'est pas atténué, au contraire. Agenouillé, il prie longuement, si lon-guement que son médecin, le docteur Tarassov, raconte qu'il a observé « sur ses deux jambes, au-dessous des genoux, de fortes callosités qui persistèrent jusqu'à sa mort ». Contrition ? Expiation ? Sans aucun doute. Mais il y a d'autres raisons. Depuis juin 1815, Alexandre, le guide de l'Europe, est sous l'influence d'une femme. Une nouvelle aventure qui devait être sans lendemain et se prolonge ? Non, il s'agit d'une relation mystique, donc beaucoup plus dangereuse. Mais qui est donc cette nouvelle Mme de Maintenon, la mystérieuse Barbara Julie de Wietingkoff qui entre dans l'histoire russe avec le titre de baronne de Krüdener ?

Née à Riga, elle a plus de cinquante ans et vit séparée d'un diplomate russe. Après son bref mariage, elle a mené une vie agitée qu'elle a, en partie, racontée dans son livre, *Valérie*, écrit en français en 1803. L'auteur

étant séductrice – elle énumérait les hommes prétendument morts pour elle – et réputée facile, l'ouvrage
avait eu du succès. Ce joli scandale avait excité
les milieux littéraires en France et en Allemagne,
notamment Mme de Staël, qui l'avait fréquentée. Inlassable voyageuse, elle a parcouru l'Europe pour prêcher
l'obéissance au Christ. Quel changement ! Elle ne
passait pas inaperçue, déclamant des sermons en plein
air, distribuant des aumônes, visitant les prisonniers,
toujours entourée de fidèles et d'admirateurs jusqu'en
Suisse. Une vraie cour des Miracles, comptant près de
trois mille personnes qui la suivaient dans le pays de
Bade. Ses « bonnes actions » lui avaient attiré divers
ennuis ; de surveillance policière en décrets
d'expulsion, elle était arrivée dans l'entourage du tsar,
grâce à la princesse Galitzine. Une chance. La dernière.

Le hasard lui permet d'approcher Alexandre au
moment où celui-ci cherche, déjà, dans le secours de la
religion le soutien que la vie publique ou privée ne peut
plus lui apporter. On peut penser que le souverain, très
perturbé, trouve en cette femme un amplificateur à sa
neurasthénie. Et elle, chassée par plusieurs gouvernements, cherchait à la fois un puissant protecteur et un
homme affaibli par une lassitude morale. Comme
souvent dans l'histoire russe, la confidente, qui a
défendu Louise de Prusse et condamné Napoléon à
l'enfer, révèle des prophéties, annonce des événements
et joue, très vite, un rôle politique. Plutôt pour le pire
que pour le meilleur. Experte en sciences occultes,
l'illuminée dispense la parole divine. Très habile, son
influence aggrave le sentiment de culpabilité chez un
être angoissé à la recherche du pardon dans une piété
spectaculaire. Il s'agit d'élever l'âme en péril du tsar.
Alors, un curieux engrenage se met en marche.

Chaque soir, ils lisent ensemble des textes religieux. Sa directrice de conscience pousse Alexandre à concevoir un accord européen, la Sainte-Alliance, signé le 26 septembre 1815. Outre la Russie, cette union chrétienne comprend la Prusse, l'Autriche, l'Angleterre et la France qui consolide ainsi sa position dans l'Europe enfin apaisée. Le tsar en est le chef spirituel et il favorise même le protestantisme, ce qui est étonnant dans un pays de forte tradition orthodoxe. Il affranchit les serfs des pays baltes, transforme la Pologne en monarchie constitutionnelle sous suzeraineté russe et prône diverses mesures libérales. Malheureusement, ces idées généreuses sont trahies par des choix catastrophiques. Le tsar abandonne les affaires intérieures à son homme de confiance, le brutal Arakcheïev, dont les capacités intellectuelles sont limitées. Sans en avoir le titre, il exerce une fonction de Premier ministre, mais comme il est borné, arrogant, cruel, maniaque et d'une monumentale incompétence, il confond l'Empire russe avec une caserne. Il couvre l'empire de « colonies militaires » où les paysans deviennent des soldats et les soldats des agriculteurs. Les uns et les autres sont désemparés, les moujiks s'enfuient dans les forêts. Ce général, né la même année que Napoléon, se justifie : « Je sais que je ne suis pas aimé par beaucoup parce que je suis dur. Mais que faire ? (…) Avec de belles phrases françaises, on ne saurait forger les affaires ! » C'est un peu ce que pensait Catherine II…

Toujours francophile, le tsar se réjouit que ce soit un architecte français, Auguste Ricard de Montferrand, qui remporte le concours pour la construction de la cathédrale Saint-Isaac, à Saint-Pétersbourg. Trois ans seulement après les Cent-Jours, il prouve son absence de rancune, assurant que seul Napoléon était coupable. Et, au congrès d'Aix-la-Chapelle, il obtient la réduction des forces d'occupation en France et leur départ anticipé. En revanche, on s'émeut d'apprendre que la politique étrangère est désormais dirigée par… Metternich ! Vienne commande à Saint-Pétersbourg, c'est incroyable. Tout se passe comme si la baronne de Krüdener forçait le souverain, rêveur en extase, à s'effacer. L'homme qui a scellé l'échec de Bonaparte veut disparaître, politiquement et diplomatiquement.

Mais comme nous sommes en Russie, c'est-à-dire un pays de contradictions violentes, sous le prétexte de la rébellion de quelques officiers, cent soixante hommes sont exécutés. Alexandre, le bon tsar, redevient un autocrate. Et avec quelle vigueur ! Il appuie l'Église pour limiter l'influence grandissante des sociétés secrètes et de la franc-maçonnerie depuis 1818. En 1822, elles sont interdites, ce qui n'arrêtera ni les organisations aux symboles parfois obscurs ni les mouvements révolutionnaires. L'élite militaire se dresse, lentement, contre le régime. Le tsar est affolé par la façon dont ce qu'il nomme le libéralisme athée contamine les esprits. Alexandre, qui s'était fait un devoir d'abolir la censure et la torture il y a vingt ans, remet en usage le vieux droit seigneurial autorisant la déportation sans jugement des serfs en Sibérie. Les Russes sont scandalisés par cette invraisemblable rage réactionnaire du monarque, aussi incompréhensible que l'avait été sa clémence. Alors, la question, inévitable, est de nouveau posée : le tsar est-il devenu fou ? Comme son père ? Le paroxysme est atteint avec l'affaire de la Grèce que la France et l'Angleterre veulent affranchir de la domination ottomane. Le tsar, inexplicablement, bloque la diplomatie des deux puissances. Les oukases pleuvent, dont celui expulsant Pouchkine vers la Crimée, ceux surveillant les universités et ceux réglementant la vie mondaine dans la capitale.

Soudain, le monarque s'interroge, comme s'il était étranger à ses propres décisions. Qui donc a eu ces idées et donné ces ordres ?

— La baronne de Krüdener, Sire…

Sans retenue, il explose de colère. Mais de quoi se mêle cette exaltée ? La disgrâce, foudroyante, s'abat sur la baronne, frappée par un décret d'exil immédiat. On ne sait si la réconciliation de l'empereur avec son épouse, en 1822, est à l'origine du courroux impérial, mais c'est un fait, Alexandre est très attentif à Élisabeth. La baronne annonce qu'elle part pour la Crimée ; elle y fondera une institution pour filles repenties. Elle essaiera même de convertir les Tatars… au français mais en vain. Son apparition sur un âne et brandissant une croix de fer ne devait pas être assez convaincante. Elle meurt en 1824.

Nouvelle interrogation dans Saint-Pétersbourg : débarrassé de cette agitée qui contrôlait sa vie, le tsar a-t-il repris ses esprits ? Est-il en mesure d'avoir une vision saine de la situation du pays où les vices de toujours (désordre, anarchie) dominent les vertus (courage, respect de l'autorité) ? La fatalité s'en mêle à plusieurs reprises au cours de l'année 1824. En janvier, le tsar souffre d'une inflammation de la jambe gauche, avec une forte fièvre. En juin, il pleure la mort de Sophie, la fille qu'il avait eue de sa chère maîtresse Marie Narychkine, mais se rapproche encore davantage de sa femme. Au début novembre, une crue exceptionnelle inonde la capitale. L'eau rageuse et indomptable de la

Neva monte de quatre mètres et atteint presque le premier étage du palais d'Hiver. Effondré, Alexandre assiste à l'engloutissement de quartiers et de familles. Une horreur qui, pour lui, est pire que « les combats sanglants de la guerre ». Accablé, il répète : « J'ai vu des gens perdre soudain leurs proches et tout ce qui leur était plus cher que la vie. Cela ne peut être comparé à rien... » En décembre, l'impératrice tombe malade. Alexandre en est affligé, il erre dans son palais, l'humeur sombre, cloîtré. Il n'a plus qu'un rêve : renoncer au trône.

Juin 1825. À son retour de Varsovie, l'empereur trouve Élisabeth dans un tel état de faiblesse qu'il décide de l'emmener au soleil de Taganrog, une bourgade sur la côte nord de la mer d'Azov qui communique avec la mer Noire. C'est très loin, au sud de la Russie, à près de deux mille verstes. Il y fait chaud mais le palais est, curieusement, au milieu de marécages. Qu'importe, le tsar aime cet endroit perdu ; il affirme même qu'il le préfère à tous les autres. Début septembre, le couple impérial, visiblement en harmonie, part pour ce long voyage après avoir entendu un *Te Deum* chanté dans l'église de la laure Alexandre-Nevski. Il ne s'agit pas d'une longue villégiature pour raison de santé ; après dix années de dégoût, le tsar de Russie organise son abdication psychologique. Avec peine, le monarque désenchanté apprend que la baronne de Krüdener est morte un an plus tôt, dans la région. Alexandre et Élisabeth cherchent à tout oublier pour se retrouver au rythme d'une vie paisible. Le 4 novembre, Alexandre contracte une nouvelle fièvre violente ; le 15, il fait appeler un pope pour se confesser « non comme un tsar mais comme un homme », précise-t-il. Enfin apaisé et s'en remettant à Dieu,

Alexandre Pavlovitch, quinzième souverain Romanov, s'éteint le 1er décembre, peu avant midi. Il allait avoir quarante-huit ans. À l'époque, on parla de la typhoïde, de la malaria et d'empoisonnement, mais, en réalité, la cause du décès ne fut jamais diagnostiquée. Élisabeth écrit à sa mère : « Enfin sur le vrai chemin, nous ne goûtions plus que la douceur de notre union. C'est dans ce moment qu'il m'a été enlevé. » Elle ne lui survit que deux mois.

C'est alors que la Russie est agitée d'une étrange rumeur. Elle s'explique par la brutalité de cette mort, l'éloignement de Taganrog et le temps que met le convoi funèbre pour atteindre Saint-Pétersbourg, trois mois… Jamais un souverain russe ne s'était éteint aussi loin de sa capitale. C'est assez pour entretenir un mystère de plus dans une étrange fin de vie. En effet, à ces premiers éléments factuels s'ajoutent des contradictions et des anomalies concernant la mort du tsar et ses funérailles à Saint-Pierre-et-Saint-Paul, dont la plus troublante est que l'inhumation du corps, embaumé, s'est faite sans qu'il ait d'abord été présenté à la foule, visage découvert et cercueil ouvert, selon l'usage russe. Seuls quelques proches avaient été admis à ce cérémonial. Enfin, l'idée du tsar de se retirer du monde était connue. On affirma qu'il voulait se fondre dans le peuple russe et faire des pèlerinages. Réunis et stimulés par le goût russe pour les histoires étranges, incroyables et fascinantes, ces rumeurs enflèrent et on douta de la disparition d'Alexandre Ier. Il était vivant et, méconnaissable, expiait ses fautes en errant à travers l'empire et en demandant l'aumône ! Ce n'était pas la première fois qu'un membre de la famille impériale, dans des circonstances fort différentes, laissait le sillage d'un mystère, entre fantasmes, suppositions, miracles et impostures. Et comme on le sait, ce ne fut pas non plus la dernière fois. Une légende affirma qu'un soldat de la garnison était enterré à la place du tsar. Et quand, onze ans plus tard en Sibérie, on entendit parler d'un moine, Fedor Kouzmitch, réputé pour sa sagesse, la vie humble qu'il menait dans une cabane après avoir parcouru tous les lieux saints de Russie, on constata que ce sage avait une étonnante ressemblance avec Alexandre Ier, ou du moins ce qu'il serait devenu avec le temps. Ses connaissances politiques, de l'histoire, des événements (par exemple l'entrée détaillée des Russes à Paris en 1814) étaient anormales chez un tel personnage isolé, sans identité, prétendant ne rien savoir de ses origines. Ceux qui avaient affirmé que le vainqueur de Napoléon n'était pas mort à Taganrog en étaient sûrs : le soi-disant Fedor Kouzmitch n'était autre que le vainqueur de Napoléon. Il attira des foules de partisans. Mort en 1864, sa tombe devint, elle aussi, un lieu de dévotion. On ignore toujours qui il était… Vivant, Alexandre Ier était surnommé « le Sphinx du Nord ». Disparu, il forgeait une nouvelle énigme. En 1926, Staline, exaspéré par les suppositions les plus farfelues sur la fin d'Alexandre Ier, fit ouvrir sa tombe. Le résultat fut pire que ce qu'on pouvait craindre : elle était vide, ce qui relança les spéculations sur la véritable identité de Fedor Kouzmitch. Le peuple russe a toujours été fasciné par les revenants.

Alexandre Ier avait été l'espoir de la Russie. Il brilla en incarnant sa revanche. Et il fut, enfin, sa déception. Au congrès de Vérone, qui s'était tenu d'octobre à décembre 1822, le représentant français avait rencontré le tsar, un souverain paradoxal puisque, bien que défendant le christianisme, il se rangeait aux côtés de l'Empire ottoman et sacrifiait la Grèce pourtant peuplée de « frères orthodoxes ». Le diplomate, qui était aussi un immense écrivain, savait juger les esprits ; c'était Chateaubriand. Sur la vie officielle d'Alexandre Ier et son œuvre, il a laissé cette analyse, magistrale comme toujours : « Il sema des germes de civilisation qu'il voulut ensuite étouffer. Tiraillées en sens contraire, les populations ne surent ce qu'on leur demandait, ce qu'on voulait d'elles, pensée ou abrutissement, obéissance passive ou obéissance légale, mouvement ou immobilité... Il était trop fort pour employer le despotisme, trop faible pour établir la liberté. »

Entre son âme et son caractère, le petit-fils de Catherine II n'avait su choisir.

11

Nicolas Ier, le tsar de fer

Si Alexandre Ier avait préparé sa fin en cherchant, obstinément, à racheter ses fautes, il n'avait pas su préparer sa succession. De l'avenir de la Russie, il avait fait un mystère supplémentaire. En cette fin 1825, ces incertitudes vont générer une tragédie. En effet, feu le tsar n'a eu que deux filles mortes en bas âge, mais il avait trois frères, Constantin, Nicolas et Michel. En théorie, l'aîné, Constantin, devrait monter sur le trône mais, déjà vice-roi de Pologne, il avait refusé la couronne des Romanov trois ans avant la disparition d'Alexandre. Sans raison, cette renonciation n'avait pas été portée à la connaissance de Nicolas et du peuple ; seuls le métropolite de la capitale et quelques proches en étaient informés. Ce secret est une erreur. Il jette une ombre et introduit le doute, sans parler d'une manipulation, ce qui n'est pas rare en Russie… Un silence soupçonneux s'abat sur Saint-Pétersbourg, alourdi par le manque d'éclaircissements sur la mort d'Alexandre, survenue si loin et sans qu'on puisse l'inhumer avant des mois. Dans un premier temps, le Sénat et le saint-synode proclament

Constantin empereur. Sans avoir obtenu – et pour cause – son consentement, les troupes lui prêtent serment et des pièces de monnaie sont frappées à son effigie. De tous les fils de Paul Ier, il est celui qui ressemble le plus à son père. Il en a l'allure et le caractère irascible. Sa femme, Anna Feodorovna, née princesse Julie de Saxe-Saafeld-Cobourg, est retournée en Allemagne pour fuir ce mari violent qu'elle surnommait « le tourbillon despotique »...

Ce n'est que le 13 décembre, à Varsovie, qu'il renonce officiellement à la couronne, assurant qu'il aimait les Polonais[1]. Le trône des Romanov est donc vacant après un interrègne qui n'a pas duré trois semaines. Le mépris de l'opinion alimente la contestation, très vive dans les nombreuses sociétés secrètes. Un témoin de cette atmosphère qui rappelle les funestes temps troublés, Longuinov, secrétaire privé de l'impératrice douairière, consigne son ressentiment : « Il est dans l'ordre des choses que la révolution se produise chez nous tôt ou tard puisque toute l'Europe y est passée (...) Même aujourd'hui, il suffirait d'une étincelle pour que tout s'enflamme. » Il a raison, l'incendie éclate le lendemain, le 14 décembre, le jour où l'armée doit prêter serment au deuxième frère d'Alexandre, le grand-duc Nicolas. Ce qui arrive est uniquement causé par la suspicion. On

---

1. Très amoureux de la comtesse polonaise Johanna Groudzinski, il avait divorcé pour elle et obtenu, difficilement, la permission de l'impératrice douairière, sa mère, de se remarier. Sa deuxième épouse devint la princesse Lovitch. Installé en Pologne, il en fut chassé par l'insurrection et se réfugia à Vitebsk, en Biélorussie, dans la partie de la Pologne devenue russe, après le troisième partage, celui de 1795. Il y mourut du choléra en 1831.

ne comprend pas pourquoi l'héritier légitime s'efface. En dépit des tardifs éclaircissements de Constantin, nombreux sont ceux qui n'admettent pas ce remplacement et accusent Nicolas d'être un usurpateur.

Or, c'est une confusion de ce genre entraînant une vacance du pouvoir impérial qu'attendaient des officiers turbulents, membres d'une ligue révolutionnaire populaire dans la haute société, appuyés par des écrivains influents. Tous d'opinions ultralibérales, ils réclament Constantin ; dans son prénom, ils entendent le mot, magique, de constitution, et ses partisans rêvent de bannir l'autocratie. Constantin est la garantie du progrès et d'un assouplissement du régime.

Ignorant la défiance qui le menace, le grand-duc Nicolas devient donc Nicolas Ier, tsar à la place de son frère qui a préféré la Pologne à la Russie. Né le 6 juillet 1796, sa grand-mère Catherine II, dans la dernière année de sa vie, a eu le temps de le connaître. Du bébé, elle écrivit : « Long de deux pieds, des bras pas moins longs que les miens, avec une forte voix basse, je n'ai jamais vu pareil chevalier. S'il continue de grandir de cette façon, ses frères paraîtront des nains à côté de ce colosse. Il me semble qu'il possède le destin d'un vainqueur bien qu'il ait deux frères aînés. » Pour la taille, la Grande Catherine avait vu juste. À vingt-neuf ans, Nicolas est un personnage imposant, athlétique et qui pose un regard autoritaire sur le monde, celui d'un militaire qu'Alexandre avait tenu à l'écart des affaires politiques. Il mesure deux mètres et on remarque sa mâchoire carrée. Un homme à poigne. Seules les jolies femmes de la Cour lui trouvent des qualités, dont celle d'être, sans discussion, « le plus beau cavalier d'Europe ». Un contemporain juge que Nicolas a un type « plus germanique que slave ». Son épouse est encore une Allemande, plus précisément la fille du roi de Prusse Frédéric-Guillaume III et de l'éblouissante reine Louise. Épousée le 1er juillet 1817, Frédérica, devenue Alexandra, lui donnera sept enfants. Son mari aura plusieurs enfants adultérins.

La révolte s'organise dans les cercles, laboratoires où s'élaborent des idées avancées. Dès le 10 décembre, Nicolas est averti d'un complot imminent auquel participeront de nombreux officiers de la Garde. Il sait que son avènement ne sera pas paisible mais décide de maintenir à la date prévue le serment d'allégeance à sa personne. Lucide, il écrit : « La volonté de Dieu et de mon frère va donc s'accomplir ! Le 14 décembre, je serai empereur ou mort. »

À sept heures du matin, au palais d'Hiver, le nouveau souverain rassemble ses généraux et les commandants des régiments ; il leur dit savoir que la garnison n'est pas sûre et que depuis trois semaines, de prestigieux meneurs attendent ce jour pour agir. La scène suivante se déroule sur la place du Sénat, près de la statue équestre de Pierre le Grand. Plus de trois mille hommes, y compris des marins, sont favorables à l'insurrection. Des cris fusent parmi les soldats :

— Vive Constantin ! Vive la Constitution !

Et plusieurs refusent de prêter serment. Le moment est dramatique, accru par le gel et l'obscurité d'une nuit sans fin. Nicolas – il faut lui reconnaître ce courage – tente de s'adresser aux réfractaires. Il s'avance. Les balles pleuvent autour de lui mais, sans que l'on comprenne pourquoi, il n'est pas atteint ni même blessé. L'explication est simple : dès le début, les conjurés ont commis des erreurs. Bien que le moment fût bien choisi entre le désistement de Constantin et l'intronisation de Nicolas, bien que la subversion ait été concertée et préparée, elle n'est pas solidement structurée et manque de rigueur. Les soldats qui ont rejoint les officiers agitateurs ne sont pas, en réalité, unanimes ; au moment décisif, leur action n'est pas coordonnée et certains hésitent. Temps perdu, désordre... mais la désapprobation grossit quand même. Nicolas conserve encore son sang-froid et prie les ambassadeurs de regagner leurs légations avec ce mot :

— Messieurs, c'est une affaire de famille !

Une famille ? Plutôt une élite en effervescence, divisée, lassée de la tyrannie du dévot Alexandre.

Nicolas hésite, lui aussi manque d'expérience. Les officiers rebelles continuent de retenir leurs soldats sur la place, mais sans résultat ; en revanche, ils neutralisent la garde à cheval du tsar. L'aide de camp avertit :

— Sire, il n'y a pas une minute à perdre ! Il ne reste qu'à mitrailler !

— Vous voulez que je verse le sang de mes sujets le premier jour de mon règne ?

— Oui... Pour sauver votre empire !

Pendant une ébauche de négociation, Kakhovski, l'un des chefs du mouvement, tue le général Milosadovitch. Le tsar n'en peut supporter davantage.

Alors, Nicolas dirige lui-même la manœuvre ; il fait disposer quatre canons, un pour couper la retraite, trois pour intimider les meneurs. Un coup, tiré trop haut, fait redoubler les cris et les tirs des insurgés. Ils sont encerclés. Feu ! Les trois autres salves atteignent la foule qui se disperse. En quelques instants, la place est jonchée de morts. Le soulèvement est réprimé, il a échoué. Il portera le nom des « décembristes » et symbolisera la première tentative de révolution contre la Russie impériale[1]. Nicolas Ier est traité de Nicolas le Sanglant. Le recul de l'histoire permet de s'interroger : le tsar contesté – alors qu'il était à sa place et à son rang – pouvait-il agir autrement ? Lui-même a répondu : « Je compris qu'il me fallait ou verser le sang de quelques-uns pour sauver le tout ou bien sacrifier l'État pour épargner mes sentiments personnels. » Il est notoire qu'après ces heures dramatiques, le nouveau souverain est envahi d'une réelle tristesse. Il n'éprouve ni colère ni satisfaction car le sang versé pour rétablir l'ordre n'est jamais un triomphe. « Je suis empereur, mais à quel prix, mon Dieu ! »

Au palais d'Hiver, l'agitation continue toute la nuit. On amène les suspects devant le souverain ; comme un juge d'instruction, il les interroge lui-même. Il découvre l'ampleur et la détermination du complot, résultat, selon lui, de ces fameuses idées libérales que les Russes ont glanées à Paris, encore une fois. La conspiration ne visait pas que le nouveau tsar ; elle devait abattre le tsarisme. Si elle fut maladroite et sans véritable soutien populaire, l'opération était le premier signe que l'empire des tsars pouvait ne pas être éternel.

1. En Russie, on dit « décabristes » (décabra : décembre). L'événement a inspiré de nombreux écrivains. Henri Troyat, de l'Académie française, a raconté cette tragédie et ce qui suivit dans un très beau cycle romanesque en cinq volumes, *La Lumière des Justes* (Flammarion, 1966). Après 1917, la place du Sénat reçut le nom de place des Décabristes.

Ce n'était pas seulement un homme qui était en joue mais le régime qu'il représente.

Les résultats de l'enquête sont édifiants. Toute la haute société, guidée par ceux que nous appellerions des intellectuels, transpire la trahison. Princes, généraux, écrivains rassemblent des noms illustres ; on y trouve des descendants du grand Riurik et les plus prestigieux piliers de l'empire, Narychkine, Obolenski, Troubetskoï... Tous appartiennent à ces confréries idéalistes et clandestines, prometteuses de bonheur par le progrès. Des forces occultes, comme on dira plus tard. Le tsar est dur, autoritaire, peu ouvert, mais avait-il le choix face à un réseau d'influences secrètes que l'on retrouvait, depuis un demi-siècle, infiltrées dans les monarchies troublées ? Selon Nicolas Ier, le plus inquiétant est de savoir qu'il ne peut plus compter sur l'appui indéfectible de l'aristocratie, gangrenée elle aussi. Cent vingt décembristes sont incarcérés à la forteresse Pierre-et-Paul. Ils sont jugés par une Haute Cour composée de membres du Conseil d'Empire, du Sénat et du saint-synode. Ils sont classés en onze catégories selon la nature et la gravité de leur crime. Trente-six condamnations à mort sont prononcées mais, refusant la fermeté qu'on lui conseille (un général a été abattu, ce qui est grave), le tsar commue trente et une peines capitales en déportations en Sibérie. Cent vingt officiers, qui avaient été virulents, sont condamnés aux travaux forcés ou, pour les soldats, à des affectations dans le Caucase. Cinq rebelles – cinq seulement, si l'on peut dire – sont exécutés sur le rempart de la forteresse, devant l'Arsenal ; parmi eux, le poète Ryleïev, ce qui déclenche la colère de l'immense Pouchkine qui avait soutenu le mouvement. Le célèbre écrivain ne pardonnera jamais à l'autocrate ces morts pour l'exemple[1].

Nicolas Ier demeure troublé mais non effondré. À l'ambassadeur de France, le comte de La Ferronays, il confie : « J'ai reçu des milliers de témoignages de fidélité et de dévouement. C'est pourquoi le souvenir de ce complot, loin de m'inspirer la moindre défiance, dissipe toutes mes appréhensions. La droiture et la confiance désarment la haine plus sûrement que le soupçon et la méfiance, qui n'appartiennent qu'aux faibles. » Rappelant qu'il n'a pas été préparé pour cette tâche – il fut le premier surpris que son père l'ait préféré à Constantin –, il ajoute, au diplomate attentif : « Je commence mon règne sous de tristes auspices et avec des obligations terribles. Je saurai les remplir. » En quelques heures, Nicolas Ier est devenu le « tsar de fer ».

N'en déplaise aux libelles de l'opposition et aux sarcasmes de la bourgeoisie, Nicolas n'est pas qu'un réactionnaire aveugle. Sa tâche est celle qui s'imposait à Pierre le Grand : moderniser un pays aux paradoxes gênants sur un territoire vaste comme quarante fois la France métropolitaine actuelle. La principale qualité du

---

1. Les cinq pendus sont Paul Pestel, Serge Mouraviev-Apostol, Michel Bestoujev-Rioumine, Pierre Kakhovski et Conrad Ryleïev. Un obélisque commémore leur exécution. Les déportés en Sibérie seront très souvent accompagnés de leur épouse. La plus célèbre est la princesse Volkonski. Elle renonça à ses titres et à ses biens pour suivre son mari condamné. À Irkoutsk, en dépit d'immenses difficultés, elle anima une vie culturelle très brillante, organisant même des concerts. Sa maison, restaurée et convertie en un ravissant musée, témoigne du rayonnement de son esprit, de sa résistance et de son courage face à l'adversité.

tsar – on lui en reconnaît peu ! – est de n'avoir aucune illusion et, surtout, de ne pas les encourager. Trop longtemps, estime-t-il, les souverains se sont menti à eux-mêmes ou laissé abuser par des intermédiaires douteux. Le bilan qu'il dresse est sans fard : la corruption administrative et judiciaire est scandaleuse ; la bureaucratie est d'une lourdeur phénoménale, la législation un labyrinthe d'aberrations et de contradictions, l'économie encore médiévale – dans le mauvais sens du terme – et, malgré quelques exemples dans l'Oural, le retard du premier essor industriel préoccupant.

Le servage, à lui seul, résume un système aussi humiliant que dépassé. Sur cette douloureuse question, le tsar souhaite une abolition progressive et charge Kisselev, son ministre des Domaines, d'une réforme sans précédent : désormais, les propriétaires terriens devront conclure des contrats avec leurs paysans, lesquels auront des droits, moyennant une redevance. Si la révolution des décembristes a avorté – elle n'était pas viable –, cette mesure est révolutionnaire. L'appliquer est délicat. Comme d'autres, elle sera partielle ou restera un vœu pieux. « Un seul homme ne peut pas tout faire », pestait déjà Pierre le Grand, en maniant une hache pour construire un bateau. Il faut donc des structures plus légères, compréhensibles par les plus simples, efficaces. C'est l'objet d'un véritable code, le *Recueil complet des lois de l'Empire russe*, qui sera publié en 1832, le premier depuis… 1649 ! Il était temps ! L'importance de ce monument est telle qu'il restera la base juridique de l'Empire russe jusqu'en 1917. Pour cette tâche, le tsar a eu l'excellente idée de rappeler un juriste de grand talent, Mikhaïl Speranski. Fils d'un pope, ayant fait toutes ses études dans les séminaires les mieux cotés, Speranski avait été le secrétaire personnel du prince Kourakine, procureur général sous le règne de Paul Ier. Ensuite, Alexandre Ier avait remarqué ses talents de rédacteur. Il lui avait demandé un plan de réformes d'esprit libéral, mais Speranski n'avait pas su comprendre la dualité du caractère de l'empereur, souvent muré dans ses contradictions. Puis, le tsar l'accusa de liens avec Napoléon, en 1812, mais il le nomma ensuite gouverneur général de Sibérie, en 1816. Absence de rancune, de preuve, de mémoire ? Depuis 1821, il était revenu à Saint-Pétersbourg. La composition du précieux recueil législatif vaut à Speranski un titre de comte et la croix de chevalier de Saint-André.

Les sociétés secrètes, cauchemar du tsar et qu'il avait dissoutes, se reconstituent, moins secrètes mais plus influentes ; elles inspirent l'esprit des salons de Saint-Pétersbourg où l'on reçoit volontiers l'intelligence, c'est-à-dire l'opposition. En fait, un implacable duel est engagé entre deux conceptions de la société. D'un côté, l'empire, le christianisme et le nationalisme. En résumé, une devise qui pourrait être « Autocratie, Orthodoxie, Honneur ». De l'autre, l'abolition de la monarchie remplacée par une république, l'abandon de la religion et du nationalisme au profit du progrès matériel soutenu par des échanges avec l'extérieur. Le tsar connaît le danger de ces contaminations ; il institue la redoutable et redoutée troisième section de la Chancellerie impériale, une police politique chargée de surveiller la pensée. Cette censure tracassière, qui fait intervenir une douzaine de services, enrégimente les idées.

Le tsar sanctionne lui-même les fautes, offrant l'image d'une soldatesque caricaturale. Il sait combien la révolte matée a eu des conséquences négatives pour le pays ; des gens très capables, talentueux et emblématiques, ont été exécutés ou exilés, amputant la vie sociale pour de longues années ; la peur et la déception ont gagné le pays. Et toute idée de réforme est analysée avec suspicion. L'homme est honnête, il recherche le bien de la Russie, mais sa vision est étroite et sans le courage d'une innovation politique. Son instruction n'a pas été poussée, il n'aime ni la lecture ni la vie intellectuelle et se passionne essentiellement pour les exercices militaires : « Les manœuvres près de Krasnoïe Selo ou la revue des troupes sur le Champ-de-Mars seront, pour lui, le comble de ses capacités[1]. » Son chien préféré s'appelle Hussard. Nicolas Ier est un soldat. Il déclare la guerre au gaspillage et à la corruption. D'un trait de plume, il réduit d'un tiers le train de vie de la Cour. Pour l'exemple. Les plaignants sont fermement éconduits par le chambellan de l'autocrate. Il traque les pots-de-vodka, une pratique généralisée.

— Je ne veux pas de voleur dans mon administration.

Il prévient. Beaucoup tremblent, y compris quelques ministres. Le souverain harcèle celui de la Justice : pourquoi y a-t-il cent vingt mille affaires judiciaires en souffrance ? Réponse : parce que les corrupteurs ne sont pas passés ! L'empereur, furieux, secoue le circuit de la concussion, châtie les profiteurs, réveille le plus lointain tribunal de province. En deux ans, à coups d'oukases et de courriers comminatoires délivrés par des cavaliers rapides, les affaires présentées comme

1. Eugène Anissimov, *Les Romanov, empereurs de Russie*, traduction de Natalie Moultatouli, Abris, Saint-Pétersbourg, 2007.

« difficiles » sont toutes jugées et le nombre des détenus tombe à moins de cinq mille, ce qui est ahurissant dans un pareil pays, avec un gouvernement aussi policier.

Se souvenant de la façon dont Catherine II brocardait, au théâtre, les travers de la société russe pour mieux les éliminer, le tsar demande que l'on joue une comédie grinçante de Nicolas Gogol, *Revizor* (*L'Inspecteur général*). On s'étonne. Gogol ? À vingt-sept ans, ce romancier et dramaturge né en Ukraine aime caricaturer ses contemporains. Il rêvait d'être bureaucrate à Saint-Pétersbourg pour arpenter la perspective Nesvski. Mais n'est-ce pas indécent de montrer les faiblesses d'une administration qui est malmenée ? Le texte se moque de l'empire, mais le tsar confirme son choix. On lui reproche d'être sourd aux critiques et aux réformes ? Il va démontrer qu'on lui fait encore un mauvais procès ! Sa Majesté Impériale fait savoir qu'elle assistera à la représentation... Ce soir de 1836, à Saint-Pétersbourg, « ville étrangère dans son pays », écrit Gogol, restera un grand moment de scandale. La comédie se déroule dans une petite ville provinciale où l'on attend le Revizor, haut personnage d'un ministère. Tout le monde redoute sa venue. Un petit employé du même ministère, Khlestakov, réussit à se faire passer pour le *revizor*. Le maire, sa famille, tous les fonctionnaires locaux tombent dans le piège. Tous, corrompus et qui méritent de lourdes sanctions, croient obtenir son indulgence, voire l'impunité en le... corrompant ! Il ne les détrompe pas. Le faux *revizor* est finalement trahi par une lettre qu'a interceptée un employé de la Poste. L'imposteur s'enfuit avant d'être démasqué. Quand arrive le véritable *revizor*, il sanctionne tous les coupables. Dans ce texte incisif, sans pitié pour les bassesses et les lâchetés humaines, Gogol a glissé de nombreuses allusions révolutionnaires. Le rideau fermé et tandis que le public manifeste son émotion, le tsar se tourne vers les siens et lance, d'une voix métallique dépourvue d'humour :

— Eh bien ! Chacun a reçu son paquet, moi le premier !

Une réponse qui prouve que sans être supérieurement intelligent, le monarque est moins bête qu'on ne le répète puisqu'il ne fait pas confiance à ses fonctionnaires. Gogol avait écrit que la ville était « pauvre en divertissements » mais en une soirée, sa pièce l'avait animée. Par ricochet, Gogol justifie l'obsession toute militaire du tsar exigeant la stricte obéissance à ses ordres. Hélas ! le résultat est désastreux : le monarque recueille des mensonges, de l'obséquiosité et de l'hypocrisie. Son ministre des Affaires étrangères, le comte de Nesselrode – qui était déjà celui d'Alexandre Ier et l'accompagnait au congrès de Vienne –, craint beaucoup la contagion des idées révolutionnaires. Il est certain qu'en Russie, de tels bouleversements « à la française » atteindraient la dimension d'un cataclysme mondial. Son programme est donc clair : « Soutenir l'autorité partout où elle existe, la fortifier où elle faiblit, la défendre où on l'attaque ouvertement. » On verra souvent le tsar au théâtre, habitué des coulisses, donnant des conseils aux acteurs, aux chanteurs et même aux danseuses à chaque entracte. Venant d'assister à un spectacle, il s'enferme dans son cabinet de travail, ne voulant pas se coucher avant quatre heures du matin s'il n'a pas étudié tous les dossiers qui lui ont été préparés. Alors, il s'endort sur un lit de fer, spartiate tel qu'est sa chambre, « manquant de charme comme son caractère », selon un de ses visiteurs, le voyageur Leitch Ritchie.

Entre autres réputations, Nicolas Ier a celle de se méfier de l'étranger sauf lorsqu'il est allemand. L'empereur est très heureux avec sa femme, née princesse de Prusse en 1798. Entre les deux jeunes gens, il y avait eu un véritable coup de foudre. Ils se sont mariés en 1817 ; elle avait dix-neuf ans, lui vingt et un. Alexandra a hérité l'élégance nostalgique de sa mère, la reine Louise ; dans la famille, on ne cesse de rappeler combien Napoléon avait eu tort de la négliger à Tilsit... L'impératrice de Russie a un charme fou ; elle est grande, majestueuse, svelte, romantique. Sa beauté est telle que l'on répète qu'elle est « un petit oiseau exotique enfermé dans une cage en or et qui se nourrit de son mari ». Elle a très bon caractère, pardonne facilement, se montre désintéressée et charitable. Quand son mari devient empereur, elle s'exclame :

— Mon sort est heureux. Je suis inséparable de sa destinée, même sur le trône ! Pour moi, c'est le comble du bonheur !

Lorsqu'elle apprend que les épouses des aristocrates décembristes ont décidé de suivre leurs maris exilés en Sibérie, cette femme d'une inlassable patience et fidélité déclare :

— Oh ! À leur place, j'aurais fait la même chose !

Alexandra est éblouissante, toujours élégante même si elle n'a aucun engagement officiel et traverse le salon de malachite du palais d'Hiver pour se rendre, avec ses dames d'honneur, à son boudoir rouge et or. Lorsqu'elle danse, on ne voit qu'elle.

Mais déjà, les Romanov privilégient l'existence bourgeoise, à la manière du roi des Français Louis-Philippe que le tsar, voulant être drôle, surnommera « LoloPhiPhi » ! C'est en l'honneur d'Alexandra que Nicolas Ier fait aménager, près de Peterhof, un domaine qu'il baptise le « Parc Alexandra », agrémenté d'un étang. Il y fait construire, entre 1826 et 1829, une maison à l'anglaise, le Cottage, très intime, pour y mener une vie paisible, sans protocole, en oubliant presque que la famille est impériale. Ses murs sont d'un jaune très à la mode en Russie mais ses bow-windows, ses petits carreaux et son lierre grimpant ont une touche britannique ; le Cottage est une charmante demeure où l'on se retrouve à l'heure du thé, servi dans un service de porcelaine chinoise. Le Moyen Âge avec le confort… L'architecte Adam Menelaws puis Andreï Stackenschneider suivent en effet la mode de l'Europe romantique, choisissant de décorer l'intérieur en style gothique, des portes aux plafonds. Même les paravents sont chargés d'entrelacs. Quelques objets sont des curiosités, telle, sur une cheminée, une reproduction de la cathédrale de Rouen dont la rosace est le cadran d'une pendule ! Dans son petit salon tendu de velours bleu, l'impératrice s'adonne à quelques travaux d'aiguille, sa belle-mère lui ayant légué sa châtelaine, un nécessaire capitonné comportant des ciseaux, un étui à aiguilles, un dé et un crochet. Elle organise aussi des jeux, inspirés de ceux de Potsdam où elle aime retourner ; le 13 juillet 1829, un tournoi de chevalerie, avec cinquante participants, est donné en son honneur. Le tsar, souvent rude avec ses subordonnés, n'est pas aimé, mais il est respecté pour sa phénoménale capacité de travail. Souvent, il se consacre à sa mission dix-huit heures par jour, épuisant tout l'entourage. Puis, il aime à se détendre en dansant, fait des plaisanteries plus ou moins drôles et des compliments aux jolies femmes. Signe particulier : il ne boit presque jamais d'alcool !

Depuis 1815, l'Europe ayant définitivement vaincu Napoléon grâce à la Russie, l'empire des tsars s'était, de nouveau, tourné vers l'Orient. Pour la plus grande contrariété de ses voisins, la Perse et l'Empire ottoman. Le 10 février 1828, victorieux de l'armée perse, le tsar annexe l'Arménie orientale. Puis, la Russie se retrouve aux côtés de la France et de l'Angleterre dans la guerre de l'indépendance grecque. Nicolas Ier était heureux de ne pas se battre contre la France et de venir au secours de ses « frères orthodoxes » que son père, Alexandre Ier, avait inexplicablement oubliés. L'affaire est sans doute l'une des premières conséquences du rôle d'un peintre de grand talent ayant abordé un sujet complexe. Au Salon de 1824, Eugène Delacroix avait exposé un chef-d'œuvre, *Les Massacres de Chio*. Le tableau soulignait la cruauté des Turcs : en avril 1822, ils avaient fait soixante-dix mille victimes. Cette peinture avait touché l'opinion de deux façons, d'abord en apparaissant comme un manifeste de l'école romantique grâce au souffle, tragique, et à la couleur dominante brune, sanguine. On y retrouvait le désespoir des *Pestiférés de Jaffa* représentés par Antoine Gros vingt ans plus tôt. Grâce au pinceau de Delacroix, la force du tableau décida l'opinion publique à soutenir massivement l'indépendance hellénique. Byron y consacrait des poèmes. On ne pouvait tolérer de telles horreurs orientales...

Les gouvernements de Paris et de Londres n'eurent donc aucun mal à déclencher les hostilités contre la Porte. Saint-Pétersbourg s'y joignit sous le prétexte – réel – de la communauté de religion entre les Russes et les Grecs, ce qui revenait à opposer les chrétiens aux musulmans. Une fois encore... Mais le tsar y voyait aussi, comme ses prédécesseurs, la possibilité de s'emparer d'Istanbul dans les vieilles murailles de Constantinople et de contrôler les Détroits. Le 20 octobre 1827, dans la baie de Navarin, sur la côte occidentale du Péloponnèse méridional, la flotte turco-égyptienne est cernée par l'escadre de la Triple Alliance (Russie, Angleterre, France). Après une intimidation, les canons tonnent. La plus grande partie des navires musulmans est détruite et, bien que durement éprouvés, les Alliés ne perdent aucun bâtiment ; le vainqueur russe est l'amiral Lazarev. La bataille de Navarin est un préambule à la ratification de l'indépendance des Grecs et un prologue au conflit terrestre. Quelques mois plus tard, la guerre russo-turque accorde un triomphe au tsar. Habilement, Nicolas Ier transforme cette suprématie alliée en victoire russe. Et pour bien qu'on le sache, il décore l'amiral français Rigny du grand cordon de l'ordre de Saint-Alexandre-Nevski. Le monarque de fer remplit sa mission spirituelle : il a sauvé les chrétiens des Balkans atrocement persécutés et, en même temps, il avance ses pions sur l'échiquier fluvial et maritime oriental. L'armée tsariste franchit le Danube, avance vers son delta, obtient la reddition de plusieurs forteresses turques et marche sur Istanbul. Nicolas Ier n'ose pas investir l'ancienne Byzance et la guerre russo-turque s'achève l'année suivante par la paix d'Andrinople[1]. Elle annonce un événement considérable : la naissance du royaume de Grèce dont le premier monarque est un... Bavarois, Othon de Wittelsbach, un oncle de la future Sissi. L'Europe se rassure : elle reste une affaire de famille(s). L'Angleterre, inquiète de l'impérialisme russe, a beaucoup soutenu cette création. En effet, Londres avait assez mal pris que, grâce au tsar, les alliés aient enfin accès aux fameux détroits des Dardanelles et du Bosphore.

L'aura de Nicolas Ier s'est encore renforcée par la désinvolture attentive avec laquelle il a secouru les victimes de la peste et du typhus, sans se soucier de sa propre santé. En Russie, l'invulnérabilité physique reste le meilleur remède contre les complots...

La région est une mosaïque d'influences et d'antagonismes où certains personnages résument ces mélanges balkaniques avec un art de la provocation. On oublie souvent que la Russie y est présente. Ainsi, le comte Capo d'Istria, issu d'une vieille famille de Corfou, a exercé entre 1802 et 1807 de hautes fonctions dans le gouvernement des îles Ioniennes, alors un État vassal autonome de la Turquie mais protégé par la Russie. Devenu un admirateur d'Alexandre Ier, dont il était le contemporain, Jean Capo d'Istria exerça une forte influence sur le tsar, l'accompagna au congrès de

1. Ancienne Andrianopolis grecque, aujourd'hui Edirne en Turquie, à la frontière bulgare. La ville avait été, au XIVe siècle, la capitale de l'Empire ottoman. Le traité reconnaissant l'autonomie de la Grèce y est signé en 1829, précédant le protocole de Londres (1830) et le traité de Constantinople créant le royaume de Grèce (1832). Andrinople / Edirne fut attribuée à la Grèce en 1920, puis finalement restituée à la Turquie en 1923.

Vienne comme adjoint du ministre russe des Affaires étrangères, Nesselrode. Après 1815, Capo d'Istria avait plaidé la cause de l'indépendance grecque auprès du vainqueur de Napoléon mais en vain, Alexandre étant alors soumis aux bizarreries de Mme de Krüdener. En 1827, il avait pris la tête d'une République grecque mais, pour l'opinion, il était demeuré un agent russe et on le supposait mandaté secrètement par Nicolas Ier. Qui défendait-il, la Grèce ou la Russie ? Accusé d'être trop russophile, son allure trop aristocratique déplaisait aussi à la population, échauffée, encore fruste. Enfin, ses deux frères étaient jugés trop puissants. En 1831, Capo d'Istria est assassiné à Nauplie par deux parents d'un Grec qu'il avait fait emprisonner. Certes, le personnage était trouble – balkanique –, mais il avait symbolisé le « parti russe » indispensable à l'indépendance grecque.

Par le traité d'Andrinople, la Russie gagnait une partie de la côte orientale de la mer Noire et l'estuaire du Danube. Mais la convention obligeait également le sultan à reconnaître les dernières conquêtes russes dans l'ouest du Caucase. Nicolas Ier étend son empire avec la fondation, en 1829, de Grozny (« La Terrible »), future capitale de la rebelle Tchétchénie, puis Tbilissi, en Géorgie. Les troupes russes affrontent des adversaires farouches, cachés dans des montagnes et des cols à 2 400 mètres. L'armée du tsar subit de lourdes pertes dans cette épopée caucasienne. La résistance est vivifiée par un mouvement religieux qui unit des tribus, jusque-là disparates, dans la lutte contre les Russes.

La nouvelle de la Révolution de juillet 1830 à Paris chagrine Nicolas Ier. Un instant, il essaie de favoriser un nouveau retour des Bourbons mais il est trop tard, le trône est occupé par la maison d'Orléans. Le tsar retient, pourtant, une vérité essentielle : Charles X a perdu sa couronne parce qu'il répétait : « Que voulez-vous… J'ai mes vieilles idées ! » À Saint-Pétersbourg, on se demande si « LoloPhiPhi » aura de nouvelles idées.

Novembre 1830. Est-ce l'effet d'une contagion ? Après les événements parisiens ayant chassé la branche légitimiste au profit de la branche cadette, l'indépendance grecque, soutenue par Saint-Pétersbourg, donne des idées aux Polonais. Unie malgré elle à la Russie par un accord constitutionnel spécifique, la Pologne se révolte contre le tsarisme. Le soulèvement de l'armée polonaise indigne Nicolas Ier, « vexé de l'ingratitude des Polonais » qui, selon lui, jouissaient d'une situation privilégiée si on la comparait à ses autres sujets. La résidence du vice-roi Constantin, le frère de Nicolas qui avait refusé la couronne des Romanov, est attaquée et il doit s'enfuir. Le 13 janvier 1831, la Diète (Parlement) ose détrôner le fugitif. On a su, depuis, que la Constitution octroyée aux Polonais en 1815 avait été violée par ces mêmes autorités russes. Après les batailles sanglantes de Gorokhov et Ostrolenka, le feld-maréchal russe Ivan Paskievitch, qui s'était distingué pendant les campagnes contre la France de 1812 à 1814, entre dans Varsovie le 8 septembre 1831. La répression a duré dix mois. À Paris, le maréchal Sebastiani, ministre du roi des Français Louis-Philippe, lance un commentaire glacé :

— L'ordre règne à Varsovie…

La formule fait mouche. Comme on le sait, elle sera, à plusieurs reprises, d'une désespérante actualité. Et Paskievitch, qui a rétabli l'ordre, est nommé gouverneur général. De nombreux Polonais s'enfuient, notamment vers Paris – c'est le cas du jeune virtuose Frédéric Chopin –, et y organisent un patriotisme d'exil profondément marqué par une nostalgie chère aux romantiques. Comme d'habitude, les insurgés prisonniers sont suppliciés ou déportés en Sibérie. Le 6 octobre, à Saint-Pétersbourg, sur le pré dit de la Tsarine, une grande revue militaire consacre la fin des hostilités. La ville se remet d'une épidémie de choléra qui s'était déclarée pendant l'été.

Janvier 1837. Une tragédie, d'une monumentale stupidité, endeuille la Russie. L'illustre poète Pouchkine, génial et d'un caractère ombrageux, est toujours en délicatesse avec la censure. Il la brave, en lisant, dans les salons, certaines de ses œuvres et d'autres qui n'ont pas reçu la détestable « autorisation ». On comprend Pouchkine. Nicolas Ier, qui semble moins obtus qu'on ne l'affirme et n'aime pas que le son du canon ou des fanfares en guise de cadence poétique, apprécie son talent et sa bravoure (en connaisseur...). Le tsar protège l'écrivain, parfois même contre ses propres services, tatillons et maniaques. L'empereur veut oublier que lors d'une audience musclée, Pouchkine avait lancé : « Pierre le Grand, lui, ne craignait pas le peuple ! » Et depuis 1833, son poème « Le Cavalier de bronze », référence à la statue, agaçait l'entourage impérial ; son éloge de Pierre le Grand était tel qu'il en devenait désobligeant pour son successeur... Pouchkine a le sang chaud et il se fait, avec un autre talent, beaucoup d'ennemis. Il surveille aussi sa femme, la très jolie Nathalie. Sa beauté fait sensation. Pour pouvoir l'inviter aux bals de la Cour, Nicolas Ier confère à son mari la dignité de « gentilhomme de la chambre », privilège jusque-là réservé aux jeunes aristocrates.

Mais les mondanités et l'atmosphère de médisance déplaisent à Pouchkine. Il donne sa démission. Le tsar, furieux, l'accepte, mais lui refuse l'accès aux archives qu'il a besoin de consulter pour son nouveau livre. L'écrivain rebelle est obligé de se soumettre. Lorsqu'il annonce vouloir quitter Saint-Pétersbourg, une ville trop chère pour lui – il a soixante mille roubles de dettes –, le tsar lui fait savoir qu'il serait regrettable de priver la capitale de la beauté de Nathalie Pouchkine. Celle-ci est du même avis, plus intéressée par l'admiration qu'elle suscite que par les angoisses intellectuelles et matérielles de son mari. Elle a l'œil aguicheur et la tête vide. Insouciante, elle est flattée par les compliments, très équivoques, que lui adresse un émigré français de vingt-quatre ans, nommé Georges d'Anthès et qui est le fils adoptif de l'ambassadeur des Pays-Bas en Russie.

Un matin de novembre 1836, dans sa maison au n° 12 du quai de la Moïka, le poète reçoit un incroyable courrier. C'est un billet, rédigé en français, faisant d'Alexandre Pouchkine le Grand Maître de l'Ordre des Cocus ! On ne ridiculise pas ce mari sans conséquence ; souvent, l'irascible auteur de l'admirable nouvelle *La Dame de pique* a été au bord du duel, pour des raisons diverses. Mais cette fois, il a de quoi se mettre en colère. Il est certain de l'innocence de son épouse mais apprend que le billet, injurieux et venimeux, circule dans Saint-Pétersbourg. L'affaire devient une question d'honneur. Dans un premier temps, il accuse l'ambassadeur hollandais d'être l'auteur de l'infamie. On l'assure qu'en fait, le coupable serait bien son fils adoptif, ce commandant Georges d'Anthès qui, en réalité, courtise la belle-sœur de Pouchkine, Catherine. Mais comme le Français ne renonce pas pour autant à provoquer l'inconsciente Mme Pouchkine, c'en est trop. Le duel est inévitable. Au matin du 27 janvier, l'offensé prend une collation chez Wulf, un chocolatier confiseur réputé de la perspective Nevski, à l'angle de la Moïka. Puis, en début d'après-midi, les deux hommes se retrouvent dans les environs de Saint-Pétersbourg, au lieu dit la Rivière noire. Son ami Danzas est le témoin du mari cocu... décoré. Le froid. La neige. Les silhouettes noires sur l'univers blanc. Les pistolets. Le premier feu. D'Anthès tire avant Pouchkine. Grièvement blessé au ventre et sur le flanc, l'écrivain a la force d'ajuster son arme ; il blesse d'Anthès au bras. Pouchkine, qui souffre atrocement, est ramené chez lui. On l'installe dans son cabinet de travail. Pendant deux jours, il attend la mort, entouré de son épouse, de ses trois enfants et de ses trois mille livres. Il est serein, sa femme, bien que non coupable d'adultère, est pardonnée de son manque de décence. Le tsar, informé que Pouchkine ne survivra pas, est furieux. Un duel ! Le tsar les avait interdits. Un duel pour rien ! Nicolas Ier estime cet auteur fabuleux, turbulent, certes, tête brûlée, bien sûr, mais quel talent ! Il lui fait porter une lettre dans laquelle il lui demande de mourir en chrétien et lui promet de prendre sa famille sous sa protection. Le 29 janvier, le plus grand poète russe meurt. Alexandre Pouchkine avait trente-huit ans. Un jeune admirateur est autorisé à couper une mèche de son abondante chevelure. C'est Ivan Tourgueniev ; toute sa vie, il conservera ce souvenir sur lui. L'émotion populaire est immense. La maison de Pouchkine ne désemplit pas, cinquante mille personnes défilent devant le cercueil ouvert. À un vieillard en larmes, Viazemski, ami du défunt, demande :

— Le connaissiez-vous ?

— Non, mais je suis russe…

Les obsèques sont initialement prévues à la cathédrale Saint-Isaac, en cours de construction. Comme elles risquent d'attirer une foule considérable, le cercueil est enlevé sur ordre du gouvernement. Nathalie Pouchkine ne songe même pas à s'opposer à cette décision. Les funérailles sont célébrées dans une petite église. L'enterrement, dans un monastère voisin du domaine campagnard de la famille, est clandestin. Si on comprend que les autorités soient plus ou moins soulagées d'être débarrassées d'un auteur dont la rébellion entraîne l'enthousiasme populaire, le tsar est sincère :

— Il était l'homme le plus intelligent de Russie.

Nicolas Ier est mécontent que le corps ait été habillé d'une redingote au lieu de l'uniforme de gentilhomme de la chambre. Et puis, la susceptibilité de l'écrivain l'a fait tomber dans un piège. Est-il raisonnable de se faire tuer pour une calomnie ? Cette affaire est d'une bêtise confondante. Le tsar, cependant, tient parole. Apprenant que la veuve et ses enfants sont dans le dénuement, il écrit, de sa main, une note en dix points. Il paiera les dettes, l'hypothèque sur le domaine paternel, versera des allocations immédiates et assurera une rente à la veuve ainsi qu'à ses filles jusqu'à leur majorité ; le fils sera pris dans le corps des cadets. Mais il y a plus inouï : le tsar, si décrié, fera brûler tout document pouvant nuire à la mémoire de l'écrivain. Et ses œuvres seront éditées aux frais de l'État et au bénéfice de ses proches. La haute société et le peuple découvrent un Nicolas Ier magnanime, ému, conscient de la perte que subit la Russie. Pouchkine était si jeune ! Toutefois, il ne s'agit ni d'un hommage officiel ni de la célébration d'un poète national. Ce serait trop… C'est une démarche personnelle et humaine. À un confident, le souverain ajoute, non sans finesse :

— On peut dire, justement, à son sujet, que nous pleurons son avenir et non son passé.

Réaliste, pratique, Nicolas Ier est attentif aux progrès techniques. En 1833, le premier télégraphe électro-magnétique de Russie est mis en service ; l'année suivante, un chemin de fer minier, construit par les frères Tcherepanov, circule dans la mine de Nijni-Taguil, dans l'Oural. En octobre 1837, le premier train de voyageurs circule entre Saint-Pétersbourg et Tsarskoïe Selo, deux mois seulement après celui qui avait conduit la reine des Français, Marie-Amélie, de Paris au Pecq, sur la ligne dite de Saint-Germain-en-Laye. Le chemin de fer était un vieux rêve de Nicolas. Au début de 1812, alors qu'il était l'un des grands-ducs voyageant en Angleterre, il avait assisté aux essais, laborieux et peu concluants, d'une approximative machine à vapeur. Ce spectacle l'avait pourtant émer-veillé. Devenu empereur, informé du développement des chemins de fer en Europe, il s'était promis de doter son pays d'un pareil moyen de voyager. La première ligne de Russie, à voie unique – elle le restera quarante ans ! –, commencée en 1836, comprend une trentaine de kilomètres, sans ballast, les rails étant simplement – et imprudemment ! – posés sur le sol. Avec ses deniers et ceux de sa famille, Nicolas Ier en est le pro-moteur et le financier. Il commande plusieurs locomotives anglaises. Rendues à Saint-Pétersbourg, elles coûtent chacune deux mille livres sterling, une fortune.

Militaire avant tout, l'empereur songe que ce moyen de transport est certes prestigieux pour relier sa capitale à l'un de ses palais, agréable pour la promenade, utile pour le commerce, mais que se passerait-il si un ennemi voulait envahir la Russie ? Si Napoléon avait eu l'arme du rail, que serait-il advenu de l'Empire russe ? Nicolas Ier n'est pas borné mais méfiant. Tout étant immense en Russie, en particulier les ambitions, la sagesse commande au tsar de choisir un premier écartement très large (1,82 mètre), pour que seuls des trains russes puissent rouler en Russie...[1] Et il confie la surveillance de cette « ligne impériale » au comte Benckendorff, général du corps des gendarmes, qui parcourt la voie à cheval, revêtu d'un uniforme bleu ciel à aiguillettes d'argent. Aussi, le secret qu'avait exigé le tsar est vite éventé et, lors des premiers essais, une foule énorme, partagée entre la peur et l'admiration, vient voir rouler, dans des nuages de fumée et un bruit impressionnant, « une sorte de gigantesque samovar ambulant ».

Outre une volonté esthétique, l'une des raisons pour lesquelles Pierre le Grand avait interdit le bois dans les constructions de sa capitale était le risque, permanent, d'incendie. Cette stricte directive n'empêche pas le palais d'Hiver d'être la proie des flammes le 17 décembre 1837. Le sinistre dure trois jours, et

---

1. Par la suite, l'écartement des voies russes sera ramené à 1,67 mètre contre 1,43 mètre dans la plupart des pays ouest-européens, sauf dans la péninsule Ibérique. Juste pressentiment du tsar : ces vingt bons centimètres de différence empêcheront Hitler, en 1941, d'envahir l'URSS par le rail. Par une décision prise plus de cent ans avant l'opération Barbarossa, le tsar sauve Staline... Par ailleurs, lorsque la voie sera doublée, contrairement à l'usage britannique adopté en France, la circulation des trains russes se fera à droite, selon l'usage allemand.

presque tous les intérieurs sont réduits en cendres. Seuls restent debout les murs de brique et le rez-de-chaussée. Cependant, en un délai record – dix-huit mois –, le splendide escalier des Ambassadeurs, l'un des cent dix-sept que compte le palais jadis œuvre de Rastrelli, est reconstruit par Strassov et Brioullov, dans le style classique italianisant, en marbre avec des colonnes de malachite. Pour fêter cette renaissance, le tsar y donne une réception en l'honneur des ambassadeurs accrédités auprès de lui. Puis, il entame la construction du cinquième bâtiment de l'ensemble aujourd'hui transformé en musée, le Nouvel Ermitage, qui sera achevé en 1850. On y chante le nouvel hymne national, adopté en 1833, sur le modèle britannique : « Seigneur, protège le Tsar ! »

Nicolas Ier s'était toujours méfié des contes et des légendes, innombrables dans l'immense Russie. Il n'y voyait qu'un moyen d'abuser les simples et de soutenir des rumeurs, rarement innocentes. Or, depuis 1836, tous les rapports déposés sur son bureau aboutissent à cette même ahurissante nouvelle, évoquée au chapitre précédent : aux confins de l'Oural, un homme, peut-être venu de Sibérie, vit comme un ermite et ressemble, d'une façon troublante, à feu son frère, Alexandre Ier… Quoi ? Encore cette fable macabre qui traîne depuis dix ans selon laquelle le mystique empereur se serait retiré du monde pour expier ses remords ? Furieux et décidé à en avoir le cœur net entre les élucubrations et d'incontestables faits dérangeants, Nicolas Ier ordonne une enquête. Fort délicate, car le personnage est déjà très célèbre et a des milliers de sympathisants. Ce mystérieux personnage, qui dit s'appeler Fedor Kouzmitch, ressemble en effet à Alexandre Ier. Il en a la taille et le visage, même s'il est envahi par une barbe blanche bien fournie. Les résultats de l'enquête laissent perplexe. Comment se fait-il que cet homme des bois, si loin de toute grande ville, parle plusieurs langues, dont le français, et sache tellement de détails sur la vie de la Cour, sur Napoléon, sur l'entrevue de Tilsit, sur Paris en 1814 ? Et cet homme qui vit comme un moine, que les paysans appellent « *staretz* » (« vénérable »), a une distinction, une classe et un charme qui rappellent ceux d'Alexandre. Puisque l'inconnu dit ne rien savoir de son passé, le mystère est complet. À toutes les questions sur son identité, l'homme répond, inlassablement :

— Dieu reconnaîtra les siens...

Il perturbe et exaspère Nicolas Ier, excédé des insinuations et des doutes, car, s'il s'agissait de son frère – qui aurait à peine soixante ans –, cette révélation serait un séisme autant pour la dynastie que pour l'empire.

1848. La Révolution est en marche. Une fois encore, un peu partout en Europe... mais pas en Angleterre ni en Russie. Nicolas Ier – il a maintenant quarante-neuf ans – voit avec inquiétude le triomphe des idées libérales au tournant du demi-siècle, ce qu'on appellera « le Printemps des peuples ». Si les difficultés s'accumulent à l'intérieur de l'empire, les interventions extérieures ne vont pas améliorer l'image de celui qui, après avoir été surnommé « le tsar de fer », est maintenant gratifié d'un nouveau surnom, « Nicolas la Trique ». L'instauration d'une surveillance des universités et l'arrêt de l'envoi de jeunes savants à l'étranger n'y sont pas étrangers. L'autocrate vole au secours du très jeune empereur d'Autriche, François-Joseph (dix-huit ans), monté sur le trône vacillant des Habsbourg et qui se trouve confronté à une révolte en Hongrie. La contestation semble contagieuse. Prêt à éteindre cet incendie politique, le tsar envoie un corps expéditionnaire commandé par Paskievitch, qui avait réprimé brutalement l'insurrection polonaise. Avec la même dureté, l'implacable Russe mate le mouvement nationaliste magyar. Le contentieux avec Vienne sera long et douloureux, soutenu par les remontrances de Paris et de Londres. Cette première intervention russe du côté de la colline de Buda[1] préfigure d'autres invasions dans la région, toujours au nom de l'ordre, qui restent de sinistre mémoire.

Les militaires constituant l'essentiel de la main-d'œuvre ferroviaire, les opérations en Hongrie ralentissent la construction de la ligne Saint-Pétersbourg-Moscou. Le rail manque de bras. Le tsar y tient, le Trésor public y contribue. La construction de la ligne est confiée à un ingénieur américain, George Whistler, très célèbre dans son métier car il a participé à la création du Baltimore-Ohio. Comme d'habitude, le souverain a fait venir cet expert… pour ne pas tenir compte de ses avis mais en lui accordant une considération particulière. Les discussions, vives, sur le tracé en projet sont marquées par une scène légendaire. Dans son cabinet de travail, Nicolas Ier a étalé la carte. Il donne ses instructions à l'ingénieur :

— Je veux que la voie soit en ligne droite, comme cette règle…

---

1. Buda, la ville haute, et Pest, la ville basse, de chaque côté du Danube, ne seront réunies qu'en 1873.

George Whistler n'est pas de cet avis. Le tsar insiste, dessine la ligne en se servant de sa règle… mais oublie de retirer son pouce ! Ainsi, la ligne fera une courbe qu'aucun obstacle naturel ne justifie. Mais peut-on contrarier le tsar de Russie qui veut, en somme, jouer avec « son » chemin de fer ? Lors des travaux, l'Américain est effaré de la corruption généralisée. Des milieux de la Cour aux employés, chacun détourne ce qu'il peut. Les crédits ont été largement surestimés. Le traitement des ouvriers est inhumain. « Les serfs, battus, rabaissés au niveau d'animaux de bât, ne constituent pas une main-d'œuvre utilisable. Si les hommes influents s'enrichissent, les serfs meurent par centaines », raconte l'ingénieur à qui veut l'entendre. Et tout est vite rapporté, voire amplifié, à l'autocrate qui symbolise cette organisation sociale. Contrairement à ce qu'espéraient ceux qui sont jaloux de l'Américain, le tsar persiste à soutenir cet ingénieur expérimenté, l'impose à son entourage et, lors d'une réception, il parcourt lentement et ostensiblement les salons avec lui. Une entente américano-russe personnalisée, assortie d'une concession pour dix ans. Si le tsar est dur politiquement, l'Américain est dur financièrement ; il a imposé à l'État russe des conditions draconiennes qui allaient assurer aux concessionnaires des bénéfices considérables[1]. Les méthodes de construction de l'autre côté du Pacifique sont bien utilisées, le matériel est copié sur le modèle améri-

1. À l'expiration de cette concession, en 1862, c'est une entreprise française qui obtient le contrat de concession (matériel, exploitation), mais après avoir dû rabaisser ses prix de… 45 % par rapport à la société américaine de George Whistler.

cain et la ligne, d'environ sept cents kilomètres, entre Saint-Pétersbourg et Moscou, est inaugurée le 1er novembre 1851. Nicolas Ier est fier et navré, son ami l'ingénieur Whistler ayant été emporté par le choléra avant la mise en service. Les débuts sont héroïques : vingt heures de voyage à la vitesse moyenne de 32 km/h, et on est prié d'apporter sa literie... Un ingénieur français, qui devait travailler plus tard sur plusieurs réseaux russes, observe que « la préoccupation du temps perdu semble avoir été pour peu de chose dans l'organisation du mouvement sur cette ligne ». Non seulement le voyage est long mais il est lent, avec ses interminables arrêts dans d'improbables buffets.

Et si le train impérial circule, tout le trafic est interrompu « pour éviter le bruit qui se produit au moment des croisements » ! Il est donc normal que la ligne soit appelée « ligne Nicolas »...[1]

Le tsar ne cesse de surveiller ses voisins et alliés. Il y a des incertitudes dans les États allemands où, déjà, la Diète de Francfort a proposé la couronne impériale au roi de Prusse, mais Saint-Pétersbourg a mis son veto.

Et à Paris ? Depuis que, au mois de février, « Lolo-PhiPhi » s'est enfui en fiacre des Tuileries, une République s'est imposée dans le sang, fin juin. Le général Cavaignac, ministre de la Guerre qui a maté l'insur-

1. Plus tard, sur cet axe entre les deux grandes villes, fut mis en circulation un confortable train de nuit, *La Flèche rouge*, le plus prestigieux train soviétique, puis russe, en dehors du mythique *Transsibérien*.

rection parisienne, annonce à la tribune de l'Assemblée :

— L'ordre a triomphé de l'anarchie.

Comme à Varsovie, note le tsar… Apprenant les massacres (5 600 morts des deux côtés, 1 500 hommes fusillés sans jugement, 15 000 arrestations, des milliers de condamnés à la prison ou à la déportation aux colonies), le tsar savoure ce mot de « LoloPhiPhi », réfugié en Angleterre :

— La République a de la chance : elle peut faire tirer sur le peuple !

Et voilà que le 10 décembre, un ancien *carbonaro*, conspirateur malchanceux en Italie et en France, devient prince-président de ladite République. Une curiosité ! Surtout quand le titulaire de cette nouvelle fonction est Louis-Napoléon Bonaparte, le neveu de l'empereur vaincu par la Russie et qu'on ne savait pas républicain. L'ambassadeur du tsar est interrogé par le chambellan impérial : comment faut-il donc appeler ce Bonaparte ? Monseigneur ou Monsieur le Président ? Victor Hugo, alors courtisan de l'Élysée, opte pour Prince. Provisoirement…

Quand ce même aventurier séducteur renverse sa République et, un an plus tard, proclame la restauration de l'Empire, le tsar est stupéfait. Et fort soucieux. Comment ? Ce Bonaparte, « le neveu de l'autre », agite le cauchemar de la Russie. Et voilà qu'il s'allie à l'Angleterre de la reine Victoria qui l'apprécie beaucoup… Une crise européenne couve. Mais au lieu que la Russie se retrouve, comme il y a vingt ans, alliée de la France et de l'Angleterre pour dépouiller le monde turc, elle est leur adversaire. Par une incroyable répétition de l'histoire, le frère du tsar Alexandre Ier, vainqueur de Napoléon Ier, est opposé à son neveu. Et à l'Angleterre !

La fameuse et lancinante « question d'Orient » ranime le contentieux Romanov / Bonaparte après avoir excité les diplomates. Si l'univers du sultan de Constantinople n'avait pas été sur la voie d'une spectaculaire et inéluctable déliquescence, ouvrant un bel appétit chez les grandes puissances avides de se partager les lambeaux territoriaux qu'il a dû abandonner et ceux qu'il pourrait encore être contraint de céder, jamais un nouveau conflit européen n'aurait éclaté et ne serait entré dans les mémoires sous le nom de guerre de Crimée.

Depuis l'indépendance grecque, le tsar avait reçu un autre surnom, mérité et toujours aussi vigoureux, celui de « gendarme de l'Europe ». Il en était fier, ce titre était dans ses compétences et ses aspirations. L'empereur de Russie ne peut être indifférent au sort des orthodoxes, où qu'ils se trouvent. Or, depuis 1840, une rivalité oppose la France et la Russie pour le contrôle des Lieux saints du christianisme, Bethléem et Jérusalem, qui sont alors situés en territoire ottoman. L'expansion catholique se fait au préjudice des moines orthodoxes, un recul suivi avec inquiétude à Saint-Pétersbourg. Ce déséquilibre s'accentue lorsque, en décembre 1852, un *firman* (édit du sultan) accorde certaines concessions importantes aux chrétiens latins. Nicolas Ier est informé que ce traitement de faveur a été obtenu sur intervention personnelle de Napoléon III, empereur depuis dix jours. Le Bonaparte a été rapide ! C'est alors que le tsar, pour définir l'état de la Turquie, lance une formule vite célèbre (qui sera, à tort, attribuée à de nombreux politiciens y compris à Churchill) :

« L'homme malade de l'Europe ». Un résumé de la situation depuis le XVIIIᵉ siècle. Anglomane et anglophile (comme Napoléon III), le tsar propose à l'Angleterre, en janvier 1853, un plan de démembrement du monde ottoman. Pour achever le « malade ». Une véritable croisade dont il s'est entretenu avec le pape lors d'un voyage. Le cabinet britannique est réticent car il ne souhaite pas que les Russes, sous un prétexte religieux détourné, utilisent l'accès que leur donne la mer Noire pour contrôler les Détroits. D'autre part, le maintien de la puissance turque, même émiettée, est une sauvegarde indispensable contre l'expansionnisme de Nicolas Iᵉʳ. Ce dernier, mécontent, envoie, de janvier à mars, un ambassadeur extraordinaire à Constantinople, Menchikov, descendant du compagnon de Pierre le Grand et premier gouverneur de Saint-Pétersbourg. Il est chargé de revendiquer auprès de la Sublime Porte le droit de protéger les chrétiens orthodoxes soumis à la domination turque. Le sultan Abdul Medjid Iᵉʳ, agacé, rejette cette demande. Ce refus lui a été fermement inspiré par l'ambassadeur de Sa Majesté Victoria, S.E. Stratford de Redcliffe.

La querelle des Lieux saints, comme on la qualifie, s'envenime. En résumé, il y a les intérêts russes, les intérêts britanniques qui sont leurs contraires et les intérêts français, liés aux anglais et opposés aux motivations russes. Sur ce dernier point, Napoléon III joue finement ; en s'alliant à Londres, il empêche que ne se reforme contre la France l'une de ces coalitions qui avaient été fatales à son oncle.

Pendant que les diverses positions se précisent, Nicolas Iᵉʳ procède à l'ouverture au public du premier vrai musée installé dans l'ensemble dit de l'Ermitage.

Treize ans après le début des travaux confiés à trois architectes, le Nouvel Ermitage a été achevé en 1852. Le bâtiment, situé sur la droite lorsqu'on est sur la place du palais, s'ouvre sur la rue Khaltourine par un portique que soutiennent quatre atlantes. L'empereur laisse visiter les collections tous les jours, sauf à l'heure du déjeuner, entre une heure et demie et deux heures un quart, si le tsar a, lui aussi, envie d'admirer les chefs-d'œuvre. Il suffit de prendre les billets auprès du chambellan, d'avoir une tenue de fête et de ne pas être ivre. Désormais, on peut parler d'un musée de l'Ermitage[1].

En représailles au refus du sultan, Nicolas Ier occupe, en juillet 1853, les principautés danubiennes de Moldavie et de Valachie dont les habitants sont de confession orthodoxe mais vassaux du sultan. Ce déplacement géographique du conflit semble inattendu ; pourtant, Londres et Paris l'avaient prévu et envoyé deux escadres à l'entrée des Dardanelles. Mais, hésitant à aller plus loin, les deux gouvernements tentent encore des médiations. En revanche, la Turquie, offensée de l'invasion russe dans sa suzeraineté balkanique, déclare la guerre à la Russie le 4 octobre. C'est alors que le terrain d'affrontement devient la mer Noire, ainsi appelée parce que ses eaux sont chargées en soufre. Nicolas Ier envoie l'escadre de l'amiral

---

1. Le premier directeur de l'Ermitage, nommé en 1863, fut Stephan Guédéronov. Il supprima l'exclusivité de la Cour pour délivrer les billets et l'obligation de porter un habit de cérémonie lors de la visite. Rappelons que la dénomination actuelle de musée de l'Ermitage comprend cinq bâtiments. Le Nouvel Ermitage fut le seul construit au XIXe siècle et le seul spécifiquement conçu comme un musée ouvert au public. Le plus grand bâtiment, qui est le palais d'Hiver, n'a été affecté au musée qu'en 1946.

Nakhimov qui détruit l'armada ottomane dans la rade de Sinope, le 30 novembre.

Le tsar était convaincu que l'Angleterre et la France ne se joindraient pas aux Turcs dont tous les bateaux ont été coulés. Il se trompait : cette nouvelle cause une profonde émotion à Londres et à Paris. Dans un ultime effort diplomatique, Napoléon III envoie une lettre au tsar. Il lui répond avec hauteur : « La Russie saura se montrer en 1854 ce qu'elle a été en 1812 ! » On est loin de la « querelle des Lieux saints » et de la protection des catholiques chère à l'impératrice Eugénie… Dès janvier 1854, les navires français et britanniques pénètrent en mer Noire, canons armés. Au fond, la Crimée étire son relief sans que l'on puisse encore prévoir que les hostilités vont s'y concentrer. Nicolas Ier espère la neutralité bienveillante de la Prusse et de l'Autriche ; elle sera obtenue sous la pression des États allemands mais, en revanche, François-Joseph exige que le tsar évacue les principautés de Moldavie et de Valachie, ce qui sera effectif au mois d'août. Entre-temps, un traité d'aide est signé le 12 mars entre la France, l'Angleterre et l'Empire ottoman. Remarquons que ce sont déjà les Balkans qui sont à l'origine de cette guerre européenne ; elle est déclarée à la Russie le 27 mars. On oublie souvent que les trois Alliés seront rejoints par un quatrième le 26 janvier 1855, la Sardaigne[1].

Si la guerre se déroule en Crimée, c'est pour empêcher les Russes de la contrôler après leur victoire

1. Le congrès de Vienne avait rendu la Sardaigne au Piémont, ce qui constituait le royaume de Piémont-Sardaigne. Son engagement aux côtés de la France est très intéressé : il sera à la base de l'Unité italienne voulue par Napoléon III.

de Sinope et parce que la presqu'île de Crimée abrite, sur sa côte ouest, le port de Sébastopol, base navale et immense arsenal russe. Le tsar se retrouve seul face à l'Empire ottoman et à deux grandes puissances européennes. Le « gendarme » est isolé. Les Alliés débarquent en Crimée en septembre. Des faits d'armes vont entrer dans la légende : la bataille de l'Alma remportée par les zouaves français, la charge anglaise de la Brigade légère, aussi inutile que meurtrière, dans la plaine de Balaklava. Le siège de Sébastopol dure depuis des mois. La ville et le port vont-ils enfin tomber ? Au terme de sacrifices humains terrifiants, avec des épidémies de scorbut et de choléra (100 000 morts chez les Russes, presque autant chez les Alliés), tous les plans de l'ambitieux Nicolas Ier s'effondrent ; son rêve oriental est fracassé, il est accablé par la chute, inévitable, de Sébastopol qu'avait fondée la Grande Catherine.

Au début de 1855, le souverain, morose, assiste à un mariage, mais on remarque qu'il n'est pas assez couvert. Il est si las que le froid n'a pour lui aucune importance. Le lendemain, il préside une revue militaire, vêtu d'une simple capote alors que la température est toujours aussi basse. Ces négligences ressemblent à un adieu à la vie. Il tombe malade. On diagnostique une congestion pulmonaire. Au palais d'Hiver, sur le lit de camp qu'il a fait installer dans son bureau comme s'il participait encore à la désastreuse campagne de Crimée, le tsar tremble de fièvre. Son fils aîné, Alexandre, est à son chevet. Avec difficulté, son père lui parle des valeureux défenseurs de Sébastopol :

— Dis-leur que dans l'autre monde, je continuerai de prier pour eux. Je me suis toujours efforcé de travailler pour leur bien. Si cela ne m'a pas réussi, ce n'est pas par manque de bonne volonté, mais par manque de connaissances et de savoir-faire. Je les prie de me pardonner.

Puis, soudain, le tsar mourant se crispe. Dans un pathétique effort, il lance au tsarévitch :

— Tiens tout ! Tiens tout !

Ses dernières paroles. Un testament ? Une recommandation ? Une menace ? Tenir qui ? Tenir quoi ? Tenir comment ? Tenir l'empire, son prestige, son rayonnement, sans doute, mais l'échec est cuisant.

À midi vingt, le 18 février 1855, le tsar de fer expire à l'âge de cinquante-neuf ans. On s'est beaucoup interrogé sur son imprudence vestimentaire qui ressemblait à un suicide public par désespoir. Certains ont même ajouté que lorsque le tsar, au moyen de sa longue-vue, avait aperçu les pavillons d'une escadre ennemie faisant une démonstration de force devant la base de Kronstadt, il aurait pris la décision de s'empoisonner. Une seule certitude, la défaite l'a tué. En Europe, cette nouvelle provoque la joie... et la montée des titres à la Bourse. À Londres, dans les théâtres, quand, après le baisser du rideau, la mort du tsar est annoncée, le public applaudit ! Nicolas Ier était dur avec lui-même comme il l'était avec les autres ; il n'était pas aimé, c'est peu de le dire, et le savait fort bien. Le pire étant l'ultime surnom qui lui avait été décerné avec outrance, celui que les Russes réservaient jadis à Napoléon Ier : « l'ennemi du genre humain »...

C'était un désastre et un cauchemar. Un Bonaparte avait gagné, effaçant la gloire de 1815 et l'Europe du congrès de Vienne. Et, très loin de Saint-Pétersbourg, un ermite était toujours considéré par des foules recueillies comme son frère Alexandre... La Russie était-elle maudite ?

12

Alexandre II, le réformateur condamné

De lui, la Russie et l'Europe attendent la paix en Crimée. La paix au plus vite… Quelle illusion ! Le premier acte politique du nouveau tsar – il a trente-sept ans – montre qu'il ne veut pas se rendre après une défaite devant une coalition qui comprend un nouvel empereur des Français, Napoléon III. Le souverain russe hérite de la guerre qu'il n'a pas déclenchée, la pire des successions négatives. Mais pour lui, une paix honteuse serait encore plus infamante. Il exige donc que Sébastopol continue à résister et y envoie des troupes fraîches en renfort. Le 11 août 1855, à son général en chef Gortchakov, il écrit : « Bien que cela soit très triste, je ne me laisse pas abattre (…) Je vous répète que si Sébastopol doit tomber, je considérerai cet événement comme le début d'une nouvelle et véritable campagne. » Dans la citadelle, qui n'est que ruines, entre deux assauts, Français et Russes fraternisent étrangement sur le terrain avant d'essayer de se massacrer. Le 8 septembre, Mac-Mahon enlève la redoute de Malakoff. Il y est, il y reste ! Ses bastions pris les uns après les autres, Sébastopol tombe au terme d'un siège de trois cent quarante-neuf jours. Dans un nouveau courrier à Gortchakov, le tsar essaie de le réconforter en faisant appel au glorieux passé militaire russe : « Ne perdez pas courage ! Souvenez-vous de 1812 et ayez confiance en Dieu. Sébastopol n'est pas Moscou, la Crimée n'est pas la Russie. Deux ans après l'incendie de Moscou, nos troupes victorieuses faisaient leur entrée à Paris. » Mais Sébastopol a coûté des dizaines de milliers de vies. Alexandre II ne peut plus longtemps maintenir l'empire en guerre. Ajoutons que cette guerre n'appartient déjà plus au XIXᵉ siècle. Avec les premières tranchées (soixante ans avant le conflit mondial de 1914) et les débuts du reportage photographique souvent insoutenable, le combat a changé d'époque. Même si l'un des adversaires du tsar, lord Raglan, a perdu un bras à Waterloo, l'art militaire n'a plus rien de napoléonien. Le comte Bloudov, membre du cabinet de Sa Majesté le tsar, formule cet avis, lucide : « Je dirai, comme Choiseul, puisque nous ne savons pas faire la guerre, faisons la paix. » L'esprit patriotique de 1812 et le souffle vengeur de 1814 n'ont pas suffi à faire triompher la Russie.

À Saint-Pétersbourg, l'annonce de négociations de paix (en fait, un ultimatum autrichien) divise l'opinion, agitant la colère des uns tandis que les autres expriment leur soulagement. Une paix peu glorieuse est conclue par le traité de Paris, signé le 30 mars 1856 dans le tout nouveau bâtiment du quai d'Orsay. Humiliation supplémentaire, les débats ont été placés sous l'autorité du ministre des Affaires étrangères, le comte Walewski, fils naturel de Marie Walewska et de Napoléon. Encore l'ombre de Napoléon ! Son neveu triomphe, il efface « l'insulte » du congrès de Vienne et apparaît comme l'arbitre de l'Europe, qui va sortir du conflit profondément remodelée, avec de nouveaux États[1].

Né à Moscou le 17 avril 1818, Alexandre Nikolaïevitch avait eu comme précepteur une célébrité, le poète Vassili Joukovski, fils illégitime d'un gentilhomme russe et d'une prisonnière turque. Brillant et cultivé, ami désintéressé de Pouchkine, il avait dirigé une importante revue moscovite, *Le Messager de l'Europe*. Sa réputation d'esprit universel lui avait valu d'être nommé lecteur de l'impératrice douairière Maria puis de la tsarine Alexandra. Lorsqu'on lui avait confié l'éducation du grand-duc Alexandre, Joukovski lui avait dédié une ode où il l'adjurait en ces termes :

Sache toujours, dans ta mission suprême,
Que la dignité la plus sacrée est l'homme...
Et pour le bien de tous, oublie ton propre bien.

Selon une tradition rapportée par les Romanov, Joukovski aurait prévenu ses parents que leur fils devrait être un monarque éclairé et non le général d'un régiment, car la Russie n'était pas une caserne ou une place d'armes mais une nation. Et dans sa direction d'études, Joukovski a, très tôt, indiqué à son élève que la véritable liberté est la justice, ajoutant que « le vrai

1. Ainsi, les principautés danubiennes de Moldavie et de Valachie seront réunies et donneront naissance, en 1859, à un État unique, le royaume de Roumanie. Et l'Unité italienne naîtra de la guerre gagnée par les armées de Napoléon III contre celles de François-Joseph avec les victoires de Magenta et de Solferino.

pouvoir d'un souverain ne réside pas dans le nombre de ses soldats mais dans la prospérité de son peuple ».

Avec Joukovski, Alexandre a appris le russe, la physique et la chimie ; avec un Suisse, M. Gilles, il a reçu l'enseignement du français et de la géographie, et M. Warrant a été son professeur d'anglais. Son instruction a été très complète, abordant même l'économie politique, la statistique et la jurisprudence. Le tsarévitch eut une jeunesse studieuse, levé à six heures du matin, à l'étude de sept heures à midi avec une récréation de une heure. L'après-midi était moins chargé, mais les études reprenaient de cinq à sept heures. Gymnastique et jeux s'intercalaient dans ce régime. Et si les notes étaient mauvaises, le tsar refusait de recevoir son fils pour le baiser du soir, ce qui était une sanction épouvantable.

Nicolas Ier était, certes, fier que son fils soit fort bien éduqué, parle aussi facilement le polonais que l'allemand, mais restait vexé qu'il soit peu tenté – et peu doué – pour la vie des armes. Son gouverneur militaire, le consciencieux capitaine Mörder, ne le poussait pas dans cette voie. « Je voudrais me persuader que les fréquentes apparitions de Son Altesse Impériale aux parades ne lui donnent pas l'impression qu'il s'agit là d'une affaire d'État... » Inquiet, l'officier poursuivait : « Il peut très bien lui venir à l'esprit que c'est réellement cela le service de l'Empire, oui, il peut le croire... » Comme tout adolescent, Alexandre (Sacha pour sa famille) aimait les défilés, l'uniforme, les fanfares. En 1826, à huit ans, il savait bien mener son cheval au trot, ce qui avait suscité l'admiration et le compliment, légèrement appuyés, de l'ambassadeur du roi de France, Charles X, le maréchal Marmont, ancien partisan de

Napoléon qui l'avait titré duc de Raguse[1]. Mais l'adolescent n'était ému que par la forme, nullement passionné par le fond. Sacha avait sept ans quand son père avait dû affronter la révolte des décembristes. L'agitation au palais d'Hiver, les coups de feu, la découverte que si des gens aimaient son père, d'autres voulaient le tuer... Une telle révélation alors qu'il dessinait avec ses crayons de couleur avait, brutalement, fait passer l'enfant au monde sévère des adultes. Devenu tsarévitch en ce triste 14 décembre 1825, il avait fondu en larmes. Il en avait été marqué. Très tôt, son père l'avait initié aux affaires publiques en le faisant travailler dans différents secteurs gouvernementaux. En 1842, quittant la capitale pour un mois, Nicolas Ier avait prié Alexandre de le remplacer ; il avait alors vingt-quatre ans. Et le 26 octobre 1850, le tsarévitch avait participé à un combat contre des Tchétchènes.

La meilleure leçon donnée par Joukovski fut encore la découverte de son pays. Le précepteur eut l'excellente idée de lui faire visiter la Russie. En 1837 – Alexandre avait dix-huit ans –, il fut le premier Romanov à fouler, librement, la terre sibérienne ; ainsi, il découvrit les épouvantables conditions de vie des décembristes et les améliora. Une première générosité dans une vie ouverte sur le malheur des autres. Pendant deux ans, le grand-duc avait visité l'Europe, ce qui lui permettait de comparer les habitudes russes avec les autres. Jamais un futur tsar n'avait autant observé au-delà de ses frontières. Grand, élancé, courageux, Alexandre II est ainsi décrit par l'écrivain et poète Théophile Gautier qui,

1. Aujourd'hui, Dubrovnik, en Croatie.

comme Balzac et Alexandre Dumas père, visite les merveilles de Saint-Pétersbourg et découvre la fascinante Russie : « Les cheveux du souverain étaient coupés court et encadraient de belle façon son haut front. Les traits de son visage étaient parfaitement réguliers et semblaient avoir été taillés par un artiste. Ses yeux bleus se détachaient particulièrement sur son visage tanné par le vent de ses longs voyages. Le dessin de sa bouche était si fin et net qu'il rappelait une sculpture grecque. L'expression de son visage était solennelle et calme, éclairée de temps en temps par un sourire charmant. »

Tel est l'homme couronné le 26 août 1856 dans la cathédrale de la Dormition, dix-septième souverain Romanov. Il a épousé, le 16 avril 1841, une très jolie femme. Encore une princesse allemande, fille de grand-duc, Maximilienne-Wilhelmine-Augusta de Hesse-Darmstadt que son mariage et la religion orthodoxe ont muée en Maria Alexandrovna. Avec Maria, de six ans sa cadette, Alexandre forme un très beau couple. Lui, le front large, des favoris un peu moins touffus que ceux de François-Joseph, a l'élégance d'un dandy. D'un naturel gai, agrémenté de manières exquises, lorsqu'il est en civil, il ne ressemble pas à un militaire déguisé mais plutôt à un intellectuel au regard posé avec une touche de nonchalance britannique qui, on ne le sait pas encore vraiment, cache un extraordinaire sang-froid. Elle, outre sa beauté, est bonne et dévouée, respectée, et dirige, avec une souriante autorité, plusieurs associations de bienfaisance. Ils auront huit enfants, dont le deuxième, un fils, mourra à Nice d'une méningite tuberculeuse à l'âge de vingt-deux ans. Malheureusement, Maria est de santé fragile.

L'impératrice avait toujours été contre la guerre de Crimée. À l'annonce du traité de paix, elle fait front ; dans son salon du palais d'Hiver, elle arbore un sourire convenu pour calmer la colère de ses dames d'honneur. Avec pertinence et lucidité, l'épouse du nouveau tsar leur dit, d'un ton calme mais ferme :

— Notre malheur consiste en ceci que nous devons nous taire. Nous ne pouvons dire au pays que cette guerre a été commencée de façon inepte par l'occupation indélicate des principautés danubiennes, qu'elle a été menée en dépit du bon sens, que la nation n'était pas préparée à cet affrontement, que nous n'avions ni armes ni obus, que toutes les branches de l'administration étaient mal organisées, que nos finances étaient à bout, que notre politique était, depuis longtemps, engagée sur une fausse voie et que tout cela nous a amenés à la situation où nous sommes.

Un réquisitoire implacable de vérité. Oui, la Russie n'était pas prête, Maria l'avait pressenti. De plus, cette maudite guerre a saigné près de cent mille vies russes. Pour rien. Pire, pour des pertes de territoires, d'influence et de prestige. Ce bilan, catastrophique, Alexandre II est obligé de l'endosser mais on comprend que, en réaction à l'aveuglement de son père, sa grande œuvre sera la paix, et la plus difficile l'aboutissement des réformes. L'une d'elles est poignante, c'est celle du servage. Déjà, son grand-père et son père avaient essayé d'améliorer le sort de millions de gens ; cinq sujets de l'empire d'Alexandre II sur dix sont, à des degrés divers, des serfs. Leurs maîtres sont, dans des proportions à peu près égales, soit des propriétaires, soit la Couronne. Mais le libéralisme ne suffit pas dans un pays de fortes traditions ; rien n'est simple sur cette question, et les milieux les plus évolués demeurent partagés. Les uns soutiennent que malgré ses défauts, le système est une nécessité ; les autres hurlent que cet archaïsme est une honte et accentue le retard de la Russie sur le reste de l'Europe. Des esclaves à l'époque du chemin de fer, est-ce admissible ? Cette réforme est également rendue indispensable par le danger du mécontentement paysan. Plusieurs révoltes ont secoué les campagnes et, selon le rapport du chef de la police remis au tsar, « d'année en année se répand et se renforce, parmi les paysans asservis aux nobles, l'idée de la liberté. Il peut se produire une situation favorable pour eux, une guerre, une épidémie ; des personnes susceptibles d'utiliser ces circonstances au détriment du gouvernement peuvent apparaître ». Une analyse visionnaire...

Mais que faire exactement ? Un personnage le sait, Alexandre Herzen[1], né à Moscou l'année de l'incendie. Écrivain et philosophe représentant ce qu'on nomme « la gauche hégélienne », inspirée des travaux de l'Allemand Hegel, libéral, athée et admirateur de la Révolution française, Herzen avait été exilé à Londres en raison de ses positions contre le tsarisme. Il y publiait un almanach, *L'Étoile polaire*, et un journal, *La Cloche*, tous deux interdits en Russie mais néanmoins lus avec succès ; ses innombrables lettres de lecteurs étaient aussi très populaires. De Londres, l'opposant lance un appel au tsar : « Sire, donnez la liberté à la parole russe. Notre esprit est à l'étroit, notre pensée empoisonne notre poitrine à cause du manque d'espace, elle râle dans les fers de la censure...

---

1. En russe, Ghertsen.

Accordez-nous la liberté de la parole… Nous avons de quoi dire au monde et à nous-mêmes. »

L'appel est entendu. Les conservateurs sont effarés de lire dans les journaux des articles impensables sous le règne précédent. Une *glasnost* avant l'heure. La censure est affaiblie, les colonies militaires sont supprimées, diverses interdictions levées et les passeports pour se rendre à l'étranger distribués ! Du jamais vu. Un formidable encouragement. Le débat sur le servage reprend de plus belle, relançant, d'une manière inattendue, la querelle sur la place respective de Saint-Pétersbourg et de Moscou. Puisque c'est toujours à Moscou que le souverain reçoit l'onction, les adversaires du servage prient Alexandre II d'examiner la question à Moscou, « vrai centre de la Russie », selon eux. Or, il n'écoute pas les nostalgiques de la grandeur moscovite. En juillet 1859, le tsar convoque à Saint-Pétersbourg les quarante-quatre assemblées et comités provinciaux désignés pour régler ce problème et qui ont rédigé des rapports depuis le 4 mars. Il faut reconnaître qu'Alexandre II est courageux de tenir le langage du progrès. L'opinion publique le soutient, des courtisans aux moujiks. Mais non la haute noblesse, dont le rôle est déterminant, fermée à toute réforme radicale, affirmant que la société russe n'est pas encore prête pour de tels bouleversements. Aux représentants des plus illustres familles, le monarque annonce :

— Vous comprenez certes vous-mêmes que l'actuel système de possession des âmes serves ne saurait rester inchangé. Mieux vaut abolir le servage d'en haut au lieu d'attendre le moment où il commencera à s'abolir d'en bas. Je vous prie de réfléchir au moyen d'accomplir cela.

L'aristocratie terrienne, qui a beaucoup à perdre dans cette « révolution », réplique que l'abandon, brutal, de l'organisation sociale traditionnelle constituerait une régression de l'identité russe. Et d'en appeler aux mânes des deux Grands, Pierre Ier et Catherine II… Obstiné, obsédé de justice, Alexandre II livre la plus colossale bataille de l'histoire russe puisqu'il s'agit de faire tomber un principe. Dans cette lutte, le tsar n'est pas seul, et un programme réformateur était prêt depuis longtemps. Il fallait que ce dossier mûrisse. Le désastre de Crimée eut, au moins, cet immense mérite : dans la Russie traumatisée et qui devait se relever, il fit progresser publiquement les idées. La guerre perdue venait de dévoiler les blocages économiques et politiques d'une Russie désirant jouer le rôle d'une grande puissance en Europe. Plusieurs ministres (Rostovtsev, Milioutine et Valouiev) et sénateurs secondent efficacement l'empereur. Son frère cadet, le grand-duc Constantin, est l'homme qui le soutient le plus, ce qui lui vaut d'être haï par les conservateurs ; ils l'accusent de « détruire » la Russie en voulant la réformer. Ce prince, instruit, intelligent, grand amateur de musique et de peinture, est encore le modernisateur de la marine en créant une flotte à vapeur ; il est conscient, lui aussi, que si l'empire ne fait pas renaître l'espoir, il disparaîtra. D'une inlassable énergie, le tsar ne cède pas. La bataille dure six ans. Enfin, le 3 mars 1861, il appose sa signature au bas d'un texte prodigieux, le *nouveau statut des paysans*, dénommé « manifeste ». D'autres textes, d'une portée planétaire, porteront aussi ce titre… L'abolition du servage affranchit… quarante-sept millions de serfs ! Alexandre II lit lui-même ce texte portant le titre générique de manifeste devant une foule reconnaissante, à genoux, en larmes. Il entre dans l'histoire sous l'épithète de « Tsar libérateur ».

Sans doute, la mise en application du document, touffu, sera-t-elle laborieuse. Depuis Pierre le Grand, chacun sait que les réformateurs sont souvent trahis par des considérations pratiques et donc incompris. Les faits, implacables, asphyxient les idées, fussent-elles les plus généreuses. L'immense population agraire est en pleine confusion. Car pour devenir propriétaire de sa terre, le paysan doit l'acheter ; mais pour disposer de la somme, il doit travailler durement cette terre. C'était donc un cercle vicieux puisque le paysan qui était libéré tombait dans les mains de prêteurs et d'usuriers. La liberté sans droit sur la terre ne peut que décevoir. En fait, le servage est maintenu mais sous une forme économique, peut-être encore plus inhumaine qu'auparavant. De leur côté, les propriétaires, privés de main-d'œuvre, commencent à vendre leurs terres à la bourgeoisie naissante. Chacun fête l'événement. Certains boivent, d'autres s'enrichissent et de nombreuses tragédies familiales s'ensuivent, totalement imprévues.

Le manifeste entraîne d'autres réformes dans l'administration, la justice, l'armée, les finances et l'instruction publique. Ainsi, le 18 juin 1863, une nouvelle réglementation accorde une large autonomie aux universités en même temps que sont créées celles de Tomsk et d'Odessa. Le 13 janvier 1864, le tsar met en place des *zemstvos*, organismes d'autogestion locale. Leur compétence couvre aussi bien les ponts et chaussées que l'hygiène publique, l'agriculture que les écoles. Le tsar s'attaque au fléau de la corruption et de la dilapidation de l'argent public dont le résultat est que l'on construit mal, trop lentement, et que les habitants manquent d'infrastructures en bon état. Le 2 décembre de la même année, un *oukase* ordonne une profonde réforme judiciaire. Les anciens tribunaux, dits de caste et datant de Catherine II, sont supprimés et remplacés par des juridictions pour toutes les classes sociales ; elles doivent désormais rendre « une justice rapide, équitable, humaine, égale pour tous ». En matière criminelle, la défense est assurée par des avocats et le verdict rendu par des jurés. Il fallait, d'urgence comme pour le reste, éviter que ne se reproduise un fait divers retentissant : une femme, la révolutionnaire Vera Zassoulitch, avait tué le gouverneur d'une ville et elle avait été acquittée après un simulacre de procès, ce qui choquait les habitants. Le monarque accomplit encore un effort considérable pour améliorer ce qu'on n'appelle pas encore la condition féminine : désormais, les jeunes filles ont l'accès libre aux études secondaires et supérieures ; le nombre des lycées passe de quatre-vingt-huit à deux cent quatre-vingts. Enfin, l'activité économique et commerciale prend un nouvel essor grâce au développement du réseau ferroviaire en étoile, à partir de Moscou, et à la construction, dès 1867, d'usines fabriquant le matériel de traction et de remorque. Pour soutenir l'industrie russe, le tsar impose de lourds droits d'entrée des importations, payables en or à partir de 1879, ce qui correspond à une augmentation de 50 %.

Avec son doux entêtement qui charme autant qu'il exaspère, le souverain poursuit le développement de son pays. Partageant l'activité naissante du monde industriel, Saint-Pétersbourg bâtit des usines, devient une tête de ligne ferroviaire et engendre un prolétariat misérable. Henri Troyat relève que « la vieille Russie côtoie la jeune Europe, les mœurs d'autrefois se heurtent à des principes d'acclimatation récente, le passé contredit le présent[1] ».

À Varsovie, ce spectaculaire libéralisme engendre des espérances. Au début de son règne, Alexandre II avait eu en faveur des Polonais quelques gestes appréciés : amnistie, restitution des biens confisqués, délivrance de passeports et nomination d'un vice-roi plutôt tolérant, Gortchakov, le défenseur de Sébastopol. Mais le tsar ne pouvait aller plus loin. À tort. Au duc de Montebello, ambassadeur de Napoléon III, qui s'informe, Alexandre répond :

— Je n'ai pas conquis la Pologne, j'en ai hérité. Mon devoir est de la maintenir.

À nouveau, le soulèvement est écrasé, balayant la bonne réputation du souverain.

À la fin de mai 1862, plusieurs incendies éclatent dans la capitale ; des baraques et des masures en bois flambent. Bientôt, la ville disparaît dans un immense nuage de fumée noire et une odeur âcre saisit les poumons. Le spectre d'un sinistre généralisé – qu'on croyait banni – affole les habitants. Qui a allumé ces brasiers suspects sinon ceux qui veulent tout détruire ? Même l'écrivain Tourgueniev, qui a dénoncé le servage et a des sympathies révolutionnaires, est pris à partie : « Voici l'œuvre de vos amis nihilistes ! Ils ont voulu brûler notre capitale ! »

---

1. Henri Troyat, de l'Académie française, *Alexandre II, le Tsar libérateur*, Flammarion, 1990.

Des nihilistes ? De qui s'agit-il ? De gens niant toute contrainte, toute autorité, tout ordre, toute hiérarchie. Morale née au début du siècle, en Russie elle se transforme en parti. Un seul programme : tuer le tsar ! Un seul moyen : les attentats... Le 16 avril 1866, Alexandre II subit la première agression contre sa personne. Il y en aura huit... Chaque jour, le monarque se promène dans le magnifique jardin d'Été, alors interdit au public. Il aime méditer dans ce beau parc créé par Pierre le Grand et fermé sur le quai par une magnifique grille en fer forgé noir et or. Aux soixante-dix-neuf statues d'origine, se sont ajoutées celles de personnalités plus récentes, tel Pouchkine[1]. Il est quatre heures de l'après-midi. Accompagné de deux neveux, le souverain parvient à l'admirable grille enserrée dans des colonnes de granit rose. Devant sa voiture, il voit un homme qui pointe un pistolet sur lui. Un passant, un paysan qui a compris qu'on voulait tuer l'empereur, hurle et fait dévier l'arme au moment où le coup part. Il s'en faut de quelques centimètres : le tsar de toutes les Russies et de toutes les réformes a failli être assassiné. Le calme d'Alexandre II est exemplaire. Il remercie le ciel et, alors que l'individu a été arrêté, il regagne son palais pour rassurer ses proches, avec un humour inouï. La foule, très émue, se masse sur la splendide place du palais d'Hiver et acclame son tsar indemne, qui salue au balcon. On pleure, on se signe,

1. Pouchkine avait publié en 1834 une nouvelle, *La Dame de pique*, qui devint un très célèbre opéra de Tchaïkovski, créé au Théâtre impérial Marinski de Saint-Pétersbourg le 19 décembre 1890. Au troisième acte, le deuxième tableau se déroule devant la grille du jardin d'Été, le long de la Neva.

on crie, on maudit les fous. Après un lourd débat de conscience, le tsar refuse la grâce de son agresseur, un certain Dimitri Karakozov. Il est pendu.

L'affaire est sans précédent. Pour la première fois dans la Russie moderne, on a voulu assassiner le souverain, personnage sacré et intouchable. Les nihilistes l'ont annoncé, ils n'ont pas besoin de tsar, la Russie non plus. Si Alexandre II est sauf, le libéralisme qu'il voulait imposer, pour le bien du pays, est la vraie victime de cet attentat manqué. Il est donc prouvé que la Russie n'est pas prête à avaliser la mutation qui ferait d'elle un pays comparable aux autres. D'un côté, la crainte du chaos favorise le conservatisme le plus rétrograde. De l'autre, les nihilistes et anarchistes jugent insuffisantes les mesures prises et veulent briser l'organisation sociale. Trop réformateur pour les uns, pas assez pour les autres, Alexandre II finit par incarner des transformations à la fois trop rapides et trop incomplètes. Le tsar, éprouvé par la perte de son fils Nikolaï quelques mois plus tôt, est las. Mérite-t-il de mourir, lui qui n'a cessé, dès qu'il en a eu le pouvoir, de se battre pour amener la Russie à l'heure du progrès ? Incompris et critiqué par tous quoi qu'il entreprenne, le souverain juge qu'un tel malentendu est injuste ; décidément, le pays n'est pas prêt à accepter le libéralisme, car les Russes ont du mal à s'adapter au siècle et à reconnaître qu'ils vivent dans un monde trop souvent immobile. Mais entre l'évolution et la révolution nihiliste, il y a place pour l'amélioration. Le tsar avait tenté l'assouplissement interne. Devant la menace physique contre lui, il va choisir la fermeté.

Sous Alexandre II, Saint-Pétersbourg connaît un éclat et un engouement exceptionnels à rendre jaloux les Moscovites. L'achèvement de la cathédrale Saint-Isaac après plus de quarante ans de travaux est un exemple d'une entente franco-russe en gestation. Le Français Auguste Ricard de Montferrand, complètement inconnu à l'époque, aidé de quatre architectes russes, a dirigé un chantier pharaonique. Sur des millions de pilotis fichés dans le sol marécageux, ont été dressées des colonnes de granit rose de Finlande de plus de seize mètres de haut et pesant chacune cent quatorze tonnes ! La coupole unique, dont l'or est fixé au mercure très dangereux à manipuler, est celle d'un édifice somptueux, pouvant accueillir quatorze mille fidèles debout, l'un des plus grands du monde ; Saint-Isaac rivalise avec Saint-Pierre de Rome et Saint-Paul, à Londres. Au palais d'Hiver, les réceptions entretiennent une animation luxueuse et les bals de la Cour surpassent ceux de Vienne. La grande salle du Trône (ou salle Saint-Georges) est l'écrin de l'élégance et d'un protocole réglé à la seconde près. On se précipite sur les bords de la Neva pour admirer une ville enrichie de nouvelles rues, de colonnades et d'arcs blancs et jaunes dus à l'architecte Rossi. Parmi les visiteurs éblouis, nous retrouvons Théophile Gautier. Spectateur fasciné, il prend place dans la galerie où ceux qui ne dansent pas contemplent ceux qui dansent. Il note : « La première impression, surtout à cette hauteur, en se penchant sur ce gouffre de lumière, est comme une sorte de vertige. D'abord, à travers les effluves, les rayonnements, les irradiations, les effets de bougies, des glaces, des ors, des diamants, des pierreries, on ne distingue rien. Puis, bientôt, la prunelle s'habitue à son éblouissement et chasse les papillons noirs qui voletaient devant elle, comme lorsqu'on a regardé le soleil. Elle embrasse, d'un bout à l'autre, cette salle aux dimensions gigantesques, toute en marbre et en stuc blanc… Ce ne sont qu'uniformes plastronnés d'or, épaulettes étoilées de diamants, brochettes de décorations, plaques d'émaux et de pierres formant sur les poitrines des foyers de lumières. » L'auteur du *Capitaine Fracasse* surenchérit : « Les uniformes et les habits de gala des hommes sont si éclatants, si riches, si variés, si chargés d'or, de broderies et de décorations que les femmes, avec leur élégance moderne et la grâce des modes actuelles, ont de la peine à lutter contre ce massif éclat. Ne pouvant être plus riches, elles sont plus belles : leurs épaules et leurs poitrines nues valent des plastrons d'or. »

Cependant, la capitale n'est pas que le reflet d'une Cour brillante et d'une vie mondaine dont toute l'Europe se fait l'écho. La ville est aussi le creuset d'une activité intellectuelle et artistique de tout premier plan. Dostoïevski, revenu miraculeusement du bagne sibérien, publie *Crime et Châtiment* (1866) ; les lecteurs de Léon Tolstoï s'enthousiasment pour son magistral *Guerre et Paix* (de 1865 à 1869), ce monument qui retrace le tableau de la société russe confrontée à l'invasion napoléonienne ; de nombreux survivants ont fourni des détails au romancier. Depuis Glinka, considéré comme le fondateur de la musique russe, toute une école est née, rassemblant des génies tels que Moussorgski, Borodine, Rimski-Korsakov et Tchaïkovski. Les ballets sont rénovés par un jeune Marseillais plein de talent, Marius Petipa, au nom prédestiné. Invité comme premier danseur au théâtre impérial ouvert en 1860, il en devient rapidement le maître de ballet puis le chorégraphe inspiré. Son talent éblouira trois tsars successifs. Son nom est, pour l'éternité, attaché aux grandes créations romantiques, *La Belle au bois dormant*, *Le Lac des cygnes* et *Casse-Noisette*[1].

Humilié par ce qui était devenu, malgré lui, son échec en Crimée, le tsar prend sa revanche vers l'Asie centrale dès 1859 avec la conquête définitive du Caucase, puis ses expéditions vers le Turkestan et les émirats dignes des *Mille et Une Nuits*, Boukhara et Samarcande, en 1868. Ainsi, lié d'amitié avec la Perse dès 1866, Alexandre II menace l'Inde anglaise sur les frontières de l'Afghanistan. Ce sont des succès et une appréciable compensation aux pertes imposées par le traité de Paris. Si la Russie a reculé en Europe, elle a beaucoup avancé en Asie, ouvrant des possibilités nouvelles à l'empire.

Dans sa vie privée, le tsar respecte son épouse. Hélas ! la santé de Maria Alexandrovna se détériore. Épuisée par le rythme contraignant de la Cour, le climat extrême qui convient mal à ses poumons fragiles et huit grossesses, l'impératrice est faible. Pour tenter de recouvrer des forces, elle hante les villes d'eaux allemandes, italiennes, de Crimée, et même la Côte d'Azur – où était mort son fils, alors prince héritier fiancé à la princesse Dagmar de

1. En 1910, il sera enterré au cimetière pétersbourgeois qui jouxte la laure Alexandre-Nevski comme un illustre artiste parmi les célébrités qui y reposent. Sur sa tombe, aujourd'hui encore, on peut lire son deuxième prénom russifié : Marius Ivanovitch Petipa. Un bel exemple de choc culturel transformé en intégration réussie.

Danemark – qu'elle apprécie. L'aristocratie découvre les charmes de la Riviera française. Après la Promenade des Anglais, les vacances des Russes.

L'état nerveux et physique de la belle impératrice lui impose, sur ordre médical, de cesser tout rapport avec son mari. Elle se sent délivrée… mais son époux, homme vigoureux de quarante-sept ans, ne se contente pas de ce régime conjugal ; il va commencer à poser ses regards sur d'autres femmes, enjouées et pleines de vie…

Le tsar ne cherche pas longtemps ! En 1866, il tombe amoureux d'une dame d'honneur de sa femme, la jeune princesse Ekaterina Dolgorouki. Ses proches l'appellent Katia. L'empereur a vite adopté ce diminutif… car il la connaissait depuis deux ans. Elle appartient à une très ancienne famille noble ruinée et a perdu son père quand elle était enfant. Le tsar avait placé le domaine de Dolgorouki sous tutelle impériale et assuré l'éducation de Katia mais aussi de ses cinq frères et sœurs. Depuis l'impératrice Élisabeth Iʳᵉ, au milieu du XVIIIᵉ siècle, il est de bon ton pour les jeunes filles bien nées d'être pensionnaires du célèbre Institut Smolny. C'est ici que Katia a fait ses études. Le tsar et son épouse viennent souvent visiter cet établissement réputé. En 1864, Katia, dix-sept ans, a croisé le tsar alors qu'il faisait son habituelle promenade au jardin d'Été. Il s'est enflammé pour elle, a insisté pour la revoir. Avec une infinie prudence, il lui donnait rendez-vous dans les plus beaux parcs de la ville et celui, extraordinaire et plein de surprises, de Peterhof, magnifique résidence estivale au bord de la Baltique. C'est là, à l'été 1866, que Katia devient la maîtresse d'Alexandre II. Ils ont trente ans de différence mais qu'importe, ils vivent une révélation sensuelle réciproque que le temps n'émoussera jamais. Le tsar lui remet une clé : par une petite porte du palais d'Hiver, elle vient à ses rendez-vous secrets. Secrets ? Pas autant que les amants le souhaiteraient puisque tout Saint-Pétersbourg est au courant ! Au même moment, la Monnaie de Saint-Pétersbourg, installée en face de la cathédrale Saint-Pierre-et-Saint-Paul, frappe une pièce en l'honneur des vingt-cinq ans de mariage d'Alexandre et de Maria. La vie officielle maintient les apparences.

La tsarine trompée conserve sa dignité, feignant de ne rien savoir. En revanche, la famille de Katia s'émeut pour la réputation de la « jeune fille » et l'éloigne du tsar séducteur. Elle est expédiée à Naples, chez les beaux-parents d'un de ses frères. Consterné, Alexandre II lui écrit chaque jour, elle lui répond de même. Mais comment se retrouver ? Le tsar va profiter d'un séjour officiel en France, à l'occasion de l'Exposition universelle de 1867, pour prier Katia de le rejoindre à Paris. Malheureusement pour le tsar, Paris ne sera pas seulement le somptueux prétexte abritant une escapade amoureuse. L'Exposition voulue par Napoléon III est une fabuleuse carte de visite. Tous les souverains d'Europe sont invités, mais l'empereur de Russie arrive précédé d'un lourd handicap : les Français ne lui ont toujours pas pardonné la répression sanglante de l'insurrection polonaise. Malgré une amnistie de circonstance en faveur des Polonais révoltés, Paris, capitale du monde pendant l'Exposition, a fait son choix : son cœur bat pour la Pologne et non pour la Russie. Dès son arrivée à la gare du Nord, le tsar s'en aperçoit. Sur le trajet jusqu'aux Tuileries, les seuls cris perçus sont une insulte au Russe :

— Vive la Pologne !

L'incident se renouvelle avec la célèbre apostrophe de l'avocat républicain Charles Floquet, lors de la visite de l'autocrate au Palais de Justice :

— Vive la Pologne, Monsieur !

Une gifle verbale, qui rend son auteur presque immortel ! Le tsar peut constater que les temps ont changé depuis 1814 quand son oncle, Alexandre Ier, était accueilli en libérateur et devenait le roi de Paris. Et pourtant, lors de ce voyage qui a mal commencé, le pire est encore à venir. Le tsar, décidé à ne pas laisser gâcher son voyage par un accueil glacial, a fait réserver deux loges au théâtre des Variétés pour applaudir Hortense Schneider dans *La Grande-Duchesse de Gérolstein*. Il est vrai que si, du printemps à l'automne 1867, toutes les têtes couronnées sont présentes à Paris, le véritable roi de la capitale est Jacques Offenbach ; sa spirituelle musique est irrésistible et ses pochades font rire.

Hélas ! cinq jours après son arrivée, alors qu'Alexandre revient d'une revue militaire à l'hippodrome de Longchamp avec Napoléon III et le roi Guillaume Ier de Prusse, en passant devant la Grande Cascade, un homme surgit de la foule et fait feu à deux reprises sur le tsar. Il n'est pas blessé, grâce au bon réflexe d'un écuyer de l'empereur des Français. L'auteur de l'attentat – dont Carpeaux fera un tableau – est évidemment un Polonais qui voulait venger son pays, Berezowski.

Choquée, l'impératrice Eugénie supplie Alexandre II de ne pas écourter son séjour. Dans les bras de Katia, qu'il avait installée dans un hôtel proche de l'Élysée, le souverain se fait consoler. Mais c'en est trop, et on comprend que pour l'illustre visiteur, Paris ait perdu tous ses charmes. Il décide néanmoins de rester, mais en faisant si mauvaise figure que Gustave Flaubert, qui aperçoit le monarque lors d'un bal aux Tuileries, écrit aussitôt à George Sand : « Le tsar de Russie m'a profondément déplu : je l'ai trouvé pignouf ! » Merci, monsieur Flaubert !

Ce séjour mouvementé a tout de même un mérite, il confirme et renforce encore la passion partagée du tsar et de Katia. Elle le suivra désormais partout. On lui trouve un logement et un nom d'emprunt à proximité de la résidence de son amant. On l'apercevra même en Rhénanie-Palatinat, dans la station thermale d'Ems, en juin 1870. Le tsar y a des entretiens très importants avec le roi de Prusse et son chancelier Bismarck, puis des rendez-vous plus tendres avec la jeune femme. À Saint-Pétersbourg, il l'installe au palais d'Hiver, dans un appartement au-dessus du sien, ce qui scandalise tous les Romanov. En 1872, Katia accouche d'un fils, Georges. Comme l'impératrice s'obstine à vivre, l'enfant est un bâtard. Stoïque, la tsarine accepte ce nouvel affront. Il lui faut une abnégation sans faille, car la maîtresse de son mari aura trois autres enfants… Un *oukase* donne à Katia le titre de princesse Yourievskaïa. Après la mort de l'impératrice, en mai 1880, Alexandre II épouse secrètement sa princesse au palais de Tsarskoïe Selo. À la consternation de la famille impériale et de la Cour, le tsar veuf ne cache plus son bonheur.

La Russie reste neutre dans le conflit franco-prussien de 1870. La défaite française de 1870, la chute de Napoléon III – qu'il n'aime pas – et du Second Empire ne peuvent que contenter Alexandre II. Lors d'une conférence tenue à Londres en 1871, il obtient une révision du traité de Paris pour retrouver sa liberté d'action en mer Noire. L'une des premières circulaires envoyées aux chancelleries par son ministre des Affaires étrangères, Gortchakov, fait savoir que la Russie se considère comme libre de tout engagement vis-à-vis des États membres de la Sainte-Alliance. Et en 1873, le tsar renforce sa position en signant une nouvelle convention, dite Alliance des Trois Empereurs, avec le roi de Prusse proclamé empereur allemand à Versailles en 1871, et François-Joseph, qui règne sur l'Autriche-Hongrie.

La guerre contre la Turquie reprend en 1877. L'objectif n'a pas changé, il s'agit toujours de libérer des territoires balkaniques du joug ottoman et donc de jouer, à nouveau, un rôle en Europe centrale. Les bachi-bouzouks de la Sublime Porte massacrent les orthodoxes. Le tsar veut mettre fin au martyre des populations en Bulgarie, en Serbie et au Monténégro, et obtenir au moins leur autonomie au nom du panslavisme. En octobre 1876, à Moscou, Alexandre II a annoncé qu'il allait « prendre les armes pour défendre les frères slaves ». L'expression doit être prise au sens propre puisque, à près de soixante ans, le tsar se met à la tête de son armée. Au commencement des opérations, dans son élan de fraternité slavophile, l'armée impériale est bien accueillie par les Bulgares et les Roumains après avoir franchi le Danube. À la grande satisfaction des gouvernements de Londres et de Berlin, contrairement aux prévisions du tsar, l'expédition est cruelle et coûteuse en vies humaines. Pendant l'hiver, les troupes tsaristes franchissent les montagnes enneigées et entrent dans Sofia. Au début de l'année 1878, l'armée du général Skobelev atteint les environs d'Istanbul. Le 3 mars, le traité de San Stefano met fin à cette guerre russo-turque. Selon les préliminaires, tous les pays balkaniques deviennent indépendants de l'Empire ottoman. Sont prévus une Grande Bulgarie, un Monténégro et une Serbie étendus, entre autres. Mais au congrès qui se réunit peu après à Berlin, l'Angleterre et la Prusse se font un malin plaisir d'isoler la Russie ; le congrès réduit, sensiblement, les succès du tsar. C'est une immense déception pour lui. Les observateurs estiment qu'Alexandre II aurait pu enrayer le coup de bluff anglais et bloquer la flotte de Sa Majesté britannique dans la mer de Marmara, entre les Dardanelles et le Bosphore. Au lieu d'une entrée victorieuse dans les vieux murs de Constantinople et de toutes les conséquences qui pouvaient en découler, l'Empire russe doit se contenter d'une partie de la Bessarabie et de quelques territoires d'Asie mineure. Son orientation pro-allemande ne lui apporte que peu d'avantages. Dans ce chaos, l'Autriche-Hongrie reçoit un mandat sur la Bosnie-Herzégovine. Comment imaginer ce qui adviendra, quelque trente-six ans plus tard, dans une petite ville hérissée de minarets, Sarajevo ?

À l'intérieur de l'empire, dans les grandes villes, les nihilistes n'ont pas renoncé à leur funeste projet. En 1872, à Saint-Pétersbourg, circulait un livre paru en 1867, traduit de l'allemand en russe. Son auteur, Karl Marx, y traite du « Capital ». Contrairement à ce qu'on pourrait penser, l'édition n'est pas interdite et la censure, magnanime, en autorise la publication, estimant qu'il « y aura bien peu de gens en Russie pour le lire et encore moins pour le comprendre » ! Un bel exemple d'aveuglement ! Cependant, de répression gouvernementale en réformes partielles ou dénaturées, la haine des agitateurs s'aiguise. Le terrorisme et donc le régicide sont au programme de « la lutte active pour la liberté de tous ». Un engrenage infernal est enclenché pour éliminer la personne du tsar. Alexandre II est condamné à mort. Avec une stupéfiante audace, une série d'attentats, de plus en plus spectaculaires, est perpétrée contre le souverain. Le 2 avril 1879, cinq balles le manquent de peu. Le 19 novembre de la même année, le train de sa suite déraille, à cause d'une explosion sur la voie ; c'était le convoi impérial, en avance sur l'horaire, qui devait sauter. Le plus effarant est le complot du 5 février 1880, dans l'intimité même de l'empereur, au palais d'Hiver. La salle à manger impériale est ravagée par une bombe à minuterie ; le bilan est de onze morts et cinquante-six blessés. Nouveau miracle, le tsar est indemne parce que, arrivé en retard, il était encore dans un salon contigu, accueillant ses invités. La déflagration est telle que les colonnes de marbre ont tremblé. Dans les gravats, devant les murs béants et tandis qu'on évacue les victimes, la panique succède à la stupeur. L'opinion conservatrice découvre que le mouvement « Volonté du Peuple », qui a succédé au groupe terroriste « Terre et Liberté », ne recule devant rien, n'a aucun scrupule, et que les révolutionnaires sont nombreux, organisés, déterminés. Il est clair que la famille impériale est très menacée, jusque dans ses appartements privés ; les résidences impériales ne sont plus en sécurité.

La nouvelle épouse du tsar ne peut porter le titre de tsarine ; elle doit se contenter de son statut de princesse. En revanche, Alexandre II s'occupe soigneusement de son avenir matériel et de celui de leurs enfants car, à tout instant, les anarchistes peuvent lui prendre la vie. De son côté, Katia continue de rêver au titre d'impératrice. Mais même si le souverain se laissait fléchir, cette situation poserait un problème protocolaire et politique : en effet, à une exception près, en 1711, jamais une impératrice de Russie n'a ceint la couronne impériale à Moscou dans une cérémonie distincte de celle du sacre de son mari. Ils passent l'été 1880 au palais de Livadia, en Crimée. Pour la première fois, Katia a donc le privilège de monter à bord du train impérial et peut occuper, en maîtresse de maison, la belle résidence des bords de la mer Noire, tant aimée des tsars et dont elle avait été exclue pendant quatorze ans. Katia, il faut le noter, n'est pas insensible aux honneurs ni aux avantages. En septembre, le tsar rédige un nouveau testament en faveur de sa femme. À la Banque d'État, il dépose plus de trois millions de roubles pour elle et ses enfants ; Katia peut disposer de ce capital du vivant du tsar et après sa disparition. Le tsar est soulagé car la police découvre, à temps, un nouveau sabotage de la voie alors que le train spécial allait repartir pour Saint-Pétersbourg. Par ailleurs, Alexandre II ose enfin présenter Katia aux enfants dynastes qu'il avait eus avec la défunte Alexandra. L'accueil est poli mais glacé ; les enfants « officiels » jugent leur père... Au palais d'Hiver, il fait aménager de nouveaux appartements avec une chambre conjugale, c'est-à-dire à un seul lit, ce qui est une innovation chez les Romanov. Mais en dépit de cette attention intime – très commentée ! –, Katia vit l'enfer des épouses morganatiques dans une Cour au protocole rigide. À chaque instant, elle est humiliée. Elle doit céder le pas aux grands-ducs et aux grandes-duchesses ; à table, sa place n'est jamais en face de celle de l'empereur et elle ne peut présider aucun déjeuner ou dîner, même si un service de porcelaine, aux armes du couple, a été commandé à Paris en 1880. On la relègue en bout de table, comme une parente éloignée et peu appréciée ou, pire, une étrangère... Avec une permanente mesquinerie, on lui fait comprendre et on lui rappelle qu'elle n'est pas complètement de la famille. Si le tsar n'avait pas eu cette longue et peu discrète liaison avec elle du vivant d'Alexandra, les réactions seraient sans doute plus aimables.

Le tsar donne des instructions, elles sont « mal comprises ». Il finit par être lassé de ces petitesses, médiocres revanches. Il songe d'abord à faire effectivement couronner Katia mais, devant le concert d'indignations de l'Église, songe à abdiquer en faveur du tsarévitch Alexandre, trente-cinq ans, et à s'installer sur la Côte d'Azur, de plus en plus fréquentée par une colonie russe grâce à un nouveau train de luxe, le Saint-Pétersbourg-Vienne-Cannes que les agents des compagnies ferroviaires ont surnommé « l'express des grands-ducs » ! Alexandre II se renseigne, cherchant à acheter une propriété.

En dépit d'incroyables mesures de protection que le souverain, résigné, juge inutiles, il ne veut pas déroger à quelques habitudes. Chaque dimanche, il assiste à la relève de la Garde au manège Michel, aujourd'hui le stade d'Hiver, beau bâtiment que l'architecte Rossi avait remanié en 1824. La cérémonie se déroule en présence du corps diplomatique et d'officiers. Autant par discipline que par courtoisie, le tsar aime être à l'heure. Or – et de tragiques événements ultérieurs le confirmeront –, si l'exactitude est la politesse des rois, la ponctualité est le plus sûr allié technique des terroristes. Le dimanche 1er mars 1881, en début d'après-midi, le cortège impérial revient du manège. Il fait beau et froid. Un coupé fermé dont l'intérieur est en velours rouge, un détachement de cosaques et des traîneaux avancent très vite sur le quai du canal Catherine qui est perpendiculaire à la perspective Nevski. L'endroit est peu fréquenté. Soudain, une explosion. La première, devant le palais Michel. Quelqu'un a jeté une bombe qui tue deux cavaliers et un jeune commis pâtissier qui allait livrer des gâteaux. L'engin a soulevé un nuage de neige rougie du sang des hommes et des chevaux. Incroyable : le tsar est indemne ! Tandis qu'on maîtrise le lanceur de bombe, un certain Ryssakov, l'empereur, refusant de fuir, s'approche du jeune homme qui nargue les policiers et le souverain. D'un calme absolu, maîtrisant toute émotion comme lors des sept attentats précédents, le monarque veut connaître ce nihiliste et remercie Dieu de l'avoir épargné, une fois encore, une fois de plus. Le coupable ricane et lance ce défi au tsar :

— N'est-ce pas trop tôt pour rendre grâces à Dieu ?

Quelques secondes plus tard, une deuxième explosion fait jaillir une gerbe de neige salie par les piétinements. Un complice, Grinivitski, que personne n'avait remarqué alors qu'il se tenait accoudé au parapet à deux mètres du souverain, a lancé une seconde bombe, sacrifiant sa vie pour faire triompher sa cause. Cette fois, le tsar est à terre, les jambes nues, éclatées, broyées. L'hémorragie est épouvantable. L'empereur ne peut plus bouger. Il perd connaissance, bredouillant :

— Portez-moi au palais… Et là, mourir…

Ce sera son dernier ordre.

Au palais, les cosaques déposent son corps déchiqueté. Katia accourt. Son mari est inerte, le pied gauche arraché, un œil fermé, l'autre sans vie. Les chirurgiens s'affairent tandis que Katia psalmodie des mots tendres. L'amour de sa vie ne peut plus les entendre. Elle avait eu un pressentiment, supplié le tsar de renoncer à cette cérémonie. Et avant de partir, une ultime étreinte, rapide, les avait réunis…

À trois heures trente-cinq, le tsar expire dans son palais d'Hiver où, la veille, il avait signé un oukase convoquant une assemblée de notables pour les associer au gouvernement de l'empire. Des innovations, encore des changements étaient prévus. Balayé par le mouvement réformateur qu'il avait initié, Alexandre II est, selon le mot de l'ambassadeur de France qui venait de le quitter, « abattu comme un fauve traqué dans sa capitale ». Le tsar est la victime exemplaire du libéralisme dévoyé. Si toute réforme suscite des malaises et des inquiétudes, l'empereur s'était fait des ennemis partout. Sa fin épouvante les esprits et choque l'immense masse paysanne qui refuse de suivre les révolutionnaires. Près de cinquante millions de serfs affranchis portent son deuil. Et puisque l'assouplissement du régime a échoué, on peut s'attendre à une répression sans merci. Identifiés, les assassins seront pendus. La population est traumatisée, surtout lorsqu'elle découvre qu'un des anarchistes s'est suicidé en tuant le tsar et que deux femmes, deux autres complices, avaient participé à la préparation minutieuse de l'attentat, celui qui, enfin, ne laisserait aucune place à la chance. Décidément, en Russie, les réformateurs ne sont jamais populaires…

Quand, en 1867, Alexandre II avait vendu l'Alaska, cette Russie d'Amérique, aux États-Unis, on ne lui avait rien reproché. Une maigre satisfaction…

Le rêve de Katia est brisé. Elle ne sera jamais impératrice, elle n'a plus sa place à la Cour endeuillée. Quelques jours après les funérailles à Saint-Pierre-et-Saint-Paul où le tsar est inhumé à côté de sa première épouse, la seconde quitte la Russie avec ses enfants et n'y reviendra jamais. Reprenant pour elle et eux le dessein d'Alexandre II, elle achètera une fort belle demeure à Nice, la Villa Georges. Elle y finira ses jours en 1922, âgée de soixante-quinze ans, après avoir assisté, de très loin, à la fin tragique des Romanov, eux aussi assassinés. Le nouveau tsar, Alexandre III, est un colosse. Parce qu'il manie la hache comme un bûcheron sibérien et boit plus qu'un cosaque, on est tenté de le comparer à Pierre le Grand. Mais ses épaules de lutteur forain seront-elles assez larges pour supporter un héritage aussi vacillant ?

13

Alexandre III, le colosse de la paix

« Il est si gros que lorsqu'il est à cheval, on se demande lequel des deux est la bête ! » affirment quelques esprits ironiques lors de l'inauguration d'une statue équestre du nouveau tsar au centre de la place Notre-Dame-du-Signe, à Saint-Pétersbourg, proche de la gare de Moscou[1]. Les commentaires sont unanimes sur cette statue, massive et très lourde, du sculpteur Troubetskoï : « Bête sur la Bête », « L'Épouvantail », ces expressions définissent bien l'aspect du dix-huitième tsar de la dynastie des Romanov. Un athlète, un colosse au front dégarni et à la barbe rousse, un de ces géants dotés d'une exceptionnelle force physique comme l'imagerie russe les représente souvent. Ces capacités naturelles peuvent-elles l'aider à reprendre, en l'améliorant, la mission que s'était donnée son père ? Pour cet homme

---

1. Lors de la révolution de février 1917, les hommes du régiment Pavlovski refusèrent de tirer sur des manifestants sans armes qui traversaient la place. Elle reçut le nom de place de l'Insurrection. La statue disparut de la place, transférée dans les réserves du Musée russe.

de trente-six ans, le 1er mars 1881 est un jour effroyable, une honte pour la Russie et la menace d'une anarchie dévastatrice dont le pays sortirait exsangue. Grand-duc héritier depuis la mort de son frère aîné à Nice en 1865, il était au chevet de son père après l'attentat. Il a vu Alexandre II les jambes déchiquetées, éventré, vidé de son sang, agonisant, victime du fanatisme qu'il n'avait jamais craint mais essayé de comprendre. À force d'être une cible, guetté en permanence dans une implacable chasse au tsar, Alexandre II était devenu fataliste, entre les mains de Dieu qui déciderait quand et comment finirait cette traque. Alexandre III est révolté, traumatisé. Il ne pardonnera jamais aux assassins d'un homme en définitive trop bon, trop tolérant et cherchant à bien faire, mais qui restait pour les nihilistes un symbole, le plus exécrable de tous les symboles, un autocrate. Ils avaient enfin tué l'autocrate, après sept tentatives…

Une Russie sans tsar semblait inconcevable. Et pourtant…

Immédiatement après la mort de son père, Alexandre III quitte le palais d'Hiver plongé dans le silence pour celui de Gatchina, le ravissant château à l'ouest de la capitale, cadeau de Catherine II à son favori Orlov et refuge de Paul Ier. Gatchina sera la résidence officielle d'Alexandre III pendant des années. C'est une mesure de prudence face à des terroristes qui poursuivent la famille impériale depuis vingt ans… Gatchina, par ses dispositions et son isolement à quarante-cinq kilomètres de la capitale, permet d'être mieux protégé qu'à Saint-Pétersbourg, la ville qui a osé commettre l'irréparable. Un souterrain, datant des angoisses paranoïaques de Paul Ier, permet de s'enfuir jusqu'au lac voisin, au cas où… À la campagne, des inconnus se remarquent bien plus qu'en ville ; pour le souverain, le danger est dans la foule. On va vite dire de lui qu'il est « le prisonnier de Gatchina », gardé jour et nuit par des sentinelles. À peine installé, son ancien précepteur Constantin Pobedonostsev, réactionnaire procureur du saint-synode, lui conseille, le 11 mars, de fermer lui-même les portes le soir, « non seulement dans sa chambre à coucher mais dans toutes les pièces voisines jusqu'à l'antichambre ». On se souvient que Paul Ier, maniaque de la persécution, fut victime de ses propres pièges en verrouillant les chambres… Considérant que son avènement se produit à cause d'un assassinat et non d'une mort naturelle, le tsar reporte son couronnement à Moscou. La cérémonie sacrée n'aura lieu que plus de deux ans après la mort de son père, le 15 mai 1883 : « Pour moi, ce jour n'est pas une fête et je refuse de recevoir des félicitations. »

A-t-il réellement peur, cet homme si imposant, ce « grand moujik » selon un de ses ministres ? Lors de la guerre de 1877-1878 contre les Turcs, le grand-duc, homme de devoir, avait commandé le détachement engagé à Roustchouk, au nord-est de la Bulgarie. Son courage lui avait valu la croix de Saint-Georges de deuxième classe. On ne pouvait l'accuser de lâcheté.

Le nouveau souverain est furieux car, dès son adolescence, il avait pressenti que les réformateurs auprès de son père étaient maladroits, leurs idées confuses et mal expliquées, et surtout radicales ; la brutalité de certains changements ne pouvait qu'indisposer une population méfiante. Il a assisté, impuissant, à la dérive d'un libéralisme avorté, sombrant peu à peu dans l'anarchie. Il met fin aux fonctions du Premier ministre libéral Mikhaïl Melikov, un ancien général qui avait préparé le régime à passer de la monarchie autocratique à la monarchie constitutionnelle en 1878. Il avait converti son père à cette transition ; le tsar avait même déclaré à son fils : « Le premier pas vers la Constitution est franchi. » Mais, pour Alexandre III, que valent ces belles et généreuses idées, cette obsession des réformes face à des assassins ? L'échec est le sang versé. Des anarchistes non seulement ont tué son père mais se sont aussi attaqués au peuple qu'ils prétendent défendre et représenter. En effet, le rapport de police remis à Alexandre III le jour même de l'attentat établit que « vingt personnes sont gravement blessées ou tuées. Au milieu de la neige, des impuretés et du sang, sont dispersés des morceaux de vêtements déchirés, des épaulettes, des épées, des fragments ensanglantés de chair humaine ».

Le tsar ne peut pardonner ces abominations. Elles ont trahi l'idéal de son père. Melikov, l'homme des compromis, est remplacé par le rigide Pobedonostsev. Les régicides sont exécutés. Pour rétablir l'ordre, le souverain institue une redoutable police politique, l'Okhrana, dès le 14 août 1881. L'oukase porte, pudiquement, le titre « Réglementation sur les mesures de maintien de la sécurité gouvernementale et publique ». L'année suivante, la censure préventive est rétablie. Le régime, policier, multiplie les provocations et les infiltrations d'agents gouvernementaux dans les groupes terroristes. La chasse a changé de sens, ce sont les lanceurs de bombes qui sont harcelés. Le règne est placé sous une notion nouvelle, l'« autocratie populaire ». Cette formule, qui surprend, est inventée par un écrivain journaliste, Mikhaïl Katkov, qui édite *Le Bulletin de Moscou*. Dans un manifeste en date du 29 avril 1881 (deux mois après le début du règne), l'éloquent Katkov explique : « C'est à nous qu'incombe le gouvernement autocrate. » Autrement dit, on enterre les réformes d'Alexandre II et on condamne le libéralisme, même modéré. Le tsar assassiné avait ouvert son pays, son fils veut le replier sur lui-même, afin qu'il retrouve le bon chemin. C'est la réaction, classique, d'une opinion traumatisée et qui soupçonne l'étranger – la France, l'Allemagne – d'influences néfastes. En somme, un protectionnisme intellectuel.

Le retour aux sources entraîne une russification à outrance. Ainsi, diverses tenues officielles et les uniformes militaires sont modifiés. Les matières et la coupe élégantes, pratiques et très occidentales, sont remplacées par le retour de vestes et pantalons qu'Alexandre III lui-même essaie ; satisfait, il juge que ces habits russes lui « vont très bien ». Ses mensurations servent de référence ! Ceintures de couleurs et chapkas de mouton sont extraites du folklore pour, de nouveau, habiller l'armée russe à la russe. Un officier, inquiet de cette régression, soupire en voyant ces « uniformes de moujiks »… Où est-il, le temps où le grand-duc était simplement moustachu, en redingote et chemise à col cassé, en 1860, ou coiffé d'un tube gris, assis à califourchon sur une chaise, à Londres, en 1870 ? Le tsar ordonne aussi que tous les officiers et fonctionnaires portent la barbe. Au secours, Pierre le Grand ! Le nationalisme russe gagne les frontières, parfois avec arrogance comme dans les pays baltes.

Tout ce qui avait été décidé dans les années 1860 est annulé, amendé, corrigé, transformé. Il ne s'agit pas d'une rébellion *post mortem*, mais de dénoncer enfin de grossières et funestes erreurs. Pour ne pas les aggraver. L'« autocratie populaire » renforce la pression gouvernementale dans de nombreux domaines, en particulier le contrôle des conseils et organismes électifs. L'État fait intervenir le Trésor pour contrôler le prix du pain, l'activité bancaire, les taxes et les nombreuses compagnies privées exploitées, selon les concessions, par des entreprises étrangères, françaises notamment. Mais ce règne n'est pas avare de paradoxes. Le tsar sait recouvrir une main de fer d'un gant de velours lorsqu'il fonde, en 1882, la Banque foncière afin de permettre aux paysans affranchis d'acheter à prix réduit les terres qui leur sont concédées. Et cette même année, il met en place la première législation ouvrière pour limiter les horaires de travail et protéger les apprentis, les femmes et les enfants. Alexandre III supprime encore l'impôt de capitation, contribution féodale qui datait de Pierre le Grand, et crée une Inspection des fabriques chargée de régulariser les rapports entre les patrons d'usines, les ouvriers et les employés. En 1884, les universités et les étudiants sont soumis à une étroite surveillance et l'enseignement supérieur découragé ; la création d'un parti marxiste russe l'année précédente n'est sans doute pas étrangère à cette reprise en main. La création d'écoles primaires dans les paroisses des villages est plus paisible. Les « mauvaises idées » ne s'épanouissent qu'à l'adolescence.

Le tsar, qui ne saurait passer inaperçu, reste un homme simple. Il finit par sortir sans escorte en traîneau et sait être aimable avec tous. Un diplomate français, témoin de cette disponibilité du géant barbu, estime qu'« à Paris, le président de la République ferait plus de protocole ! » Selon ses contemporains, malgré le sang allemand qui coule dans ses veines, il est un exemple idéal de l'homme russe. Très fort physiquement mais attentif à parler doucement, il déteste le mensonge, l'hypocrisie, les réceptions épuisantes et les discours interminables. Il apprécie la franchise, les gens qui connaissent bien leur profession et la fidélité.

Son mariage, le 28 octobre 1866, fut original dans la mesure où le grand-duc héritier épousait une princesse ayant un peu moins d'ascendance germanique que d'habitude. Elle était une princesse danoise, de la dynastie des Slesvig-Holstein, fille du roi Christian IX de Danemark. Née en 1847, elle se prénommait Maria Sophia Frédérica Dagmar[1].

Les circonstances de leur union ne sont pas banales. Dagmar de Danemark avait d'abord été fiancée, à l'été 1864, au frère aîné d'Alexandre, Nicolas, grand-duc héritier. Il était venu voir sa future épouse à Copenhague. Mais le prince était tuberculeux et contracta une méningite. Emporté brusquement à l'âge de vingt-deux ans, il laissa d'immenses regrets car il était intelligent, cultivé, bon et généreux. Pendant la brève agonie du tsarévitch à Nice, Dagmar avait longuement côtoyé Alexandre, tous deux au chevet du condamné.

Un an après le décès de son fils aîné, Alexandre II avait estimé qu'il était temps de chercher une fiancée pour le nouveau grand-duc héritier. Puisque Dagmar avait été jugée capable d'être une future tsarine, peu importait le fiancé ! Au départ, l'amour est donc absent de ce calcul froid et peu sentimental... Or, il arriva ce

1. La princesse Dagmar de Danemark est la sœur de la princesse Alexandra, future reine d'Angleterre puisqu'elle épousera le prince de Galles, futur roi Édouard VII. Elle est aussi la sœur du futur roi Georges Ier de Grèce. Voir le chapitre 16, « La mémoire retrouvée... »

qui arrive rarement dans de telles conditions, les jeunes gens vont s'aimer. L'amour entre Alexandre III et Dagmar, devenue Maria Feodorovna, sera réel, solide, cité en exemple. Et couronné par la naissance de six enfants. Physiquement, ils sont très différents. Le colosse épouse son contraire : Dagmar est petite – elle lui arrive à peine au menton –, jolie, élégante. Elle aime les bals, lui les boude. Elle aime les bijoux, elle ne déteste pas briller, lui aime la discrétion. Elle connaît bien les chevaux, lui en a peur ; elle est une remarquable amazone, lui un médiocre cavalier (« la Bête sur la Bête » !). Tendrement attachés l'un à l'autre, ils ne se quittent jamais. L'impératrice, que le tsar appelle Minni, accompagne son mari partout, même à la chasse à l'ours car il est un chasseur et un pêcheur enragé. Et il est imprudent de le déranger dans ces activités. Un jour où il pêche dans le lac de Gatchina, son aide de camp l'informe qu'un télégramme, important, vient d'arriver « d'un pays d'Europe ».

Réponse du tsar, calme mais contrarié qu'on l'importune :

— Quand le tsar de Russie pêche son poisson, l'Europe peut attendre !

Le couple impérial est passionné de peinture. Maria Feodorovna est un peintre doué et son époux un connaisseur qui, depuis longtemps, collectionne les tableaux d'artistes russes achetés en visitant les expositions ambulantes. Désireux de créer à Saint-Pétersbourg l'équivalent de la superbe galerie Trétiakov de Moscou, il décide d'affecter le palais Michel, sur la place des Arts, à un musée entièrement consacré à l'art de son pays. Il fait don de ses peintures et sculptures, et ordonne le transfert des collections russes de l'Ermitage dans le nouveau musée, enrichi d'admirables icônes[1].

Gros mangeur et bon buveur, Alexandre III apprécie par-dessus tout la bonne humeur perpétuelle de sa femme. Le tsar ne se met en colère que quand on lui révèle un libertinage ou une infidélité conjugale. Il avait d'ailleurs sévèrement blâmé son père à cause de sa liaison avec Katia. Pour ce tsar, la famille impériale doit donner à toute la Russie l'exemple d'une famille chrétienne. Il est très religieux, modeste, économe, amoureux de la vie. Hélas ! sa taille et sa force cachent une santé plus que précaire ; Alexandre III souffre de troubles cardiaques compliqués d'une affection rénale. Le colosse est fragile.

Le comte Serge Witte, remarquable ministre diplômé de l'université d'Odessa, le juge en ces mots : « L'empereur était un homme d'esprit médiocre mais à sa manière, il était visionnaire et expressif (…) Par son caractère exceptionnel, sa bienveillance, sa justice et avec cela, sa fermeté, il s'imposait certainement. »

C'est vraisemblablement sa nature qui auréole son règne d'une constatation rare : il est l'un des seuls de l'histoire russe sans guerre ! Ni engagée, ni subie, ni achevée, ni gagnée, ni perdue. Alexandre III a ce formidable talent extérieur de n'être ni belliqueux ni sanguinaire ; il évite à son pays de participer aux conflits qui agitent l'Europe. Soucieux de réduire l'iso-

---

1. Les travaux ne seront terminés qu'en 1895, après la mort du tsar. Le Musée russe de l'empereur Alexandre III fut inauguré sous ce nom en 1898. En 1917, il devient le Musée russe. Ensuite, dans ce qui avait été une annexe construite de 1912 à 1916, il accueillit une section consacrée à l'art soviétique.

lement de l'Empire russe, il recherche des alliés. Dans une première réflexion, une union avec l'Allemagne de Guillaume II est envisagée. Mais elle se révèle impossible à cause de la rivalité commerciale des deux pays autour de la Baltique et des prétentions de Berlin dans les Balkans : l'Autriche-Hongrie y est un partenaire sûr. Mécontent, le tsar rompt l'alliance des Trois Empereurs lors de la crise bulgare. Une seconde réflexion s'impose au tsar, celle d'une alliance avec la France. A priori, il l'envisage à contrecœur. « Ces républicains sont des voyous ! » clame-t-il. Et son fils, le tsarévitch Nicolas, soupire : « Dieu nous garde d'une alliance avec la France. » Tout semble séparer les deux pays, le régime politique, le poids économique, la place en Europe. L'autocratie paraît incompatible avec une démocratie parlementaire. Mais, en 1889, l'Exposition universelle de Paris a consacré la fin de l'isolement français que Bismarck, patient et efficace, avait organisé après 1871. Même si plusieurs monarchies ont boudé la manifestation qui célébrait le centenaire de la Révolution française, il fallait se rendre à l'évidence : la France était de retour sur la scène internationale. Parallèlement, lors des nombreuses crises balkaniques, l'Allemagne impériale, jeune puissance vite grandie, a fermé ses marchés aux exportations russes, ce qui affaiblit l'économie du pays des tsars. Guillaume II lui-même a refusé des crédits au tsar. À son tour, la Russie est isolée. Le secours de Paris peut atténuer cette situation. Certes, entre les deux nations, on avait déjà compté des précédents d'unions sans lendemain, en 1054, en 1717 quand Pierre le Grand avait dit à Versailles, haut et fort, qu'il venait « avec une passion extrême s'unir à la France », comme le rapporte Saint-Simon, puis en 1756 et en 1807. L'originalité d'une entente franco-russe est que les deux États n'ont pas de frontières communes et se trouvent à quelque trois mille kilomètres l'un de l'autre. En revanche, ils se trouvent de part et d'autre de l'Empire allemand dont ils ont intérêt à contenir l'expansion. Il faut donc faire taire les idéologies et mettre en avant les intérêts étatiques.

Les banques françaises, avec l'accord du gouvernement, négocient le premier d'une série d'« emprunts russes » – qui seront calamiteux pour des millions de Français ! – dont l'une des plus spectaculaires affectations est la construction du chemin de fer transsibérien, à partir de 1891, suivant la mise en service de l'audacieuse ligne de la mer Caspienne à Samarcande, en 1888. Il faut redire l'impact du palpitant roman de Jules Verne, *Michel Strogoff*. En 1876, les aventures héroïques du Courrier du Tsar et la précision de sa documentation ont révélé aux lecteurs français, passionnés, l'immensité russe ainsi que l'urgence d'y développer des communications ferroviaires. Un vaste marché attendait donc les entreprises françaises, très réputées. Les Français prêtent sans compter et souscrivent à des titres aux couleurs attirantes…

Si les conventions apportent un fort soutien financier à la Russie, elles permettent à la France, république entourée de monarchies à l'exception de la Suisse, d'accéder au rang de puissance mondiale. Une puissance qui s'est redressée et dont l'Angleterre jalouse l'expansion coloniale. Ces conventions s'accompagnent d'accords militaires après deux visites maritimes décisives, annonciatrices d'une solidarité stratégique. Le 23 juillet 1891, l'escadre française de l'amiral Gervais est reçue à la base navale de Kronstadt avec les honneurs. Le pavillon russe est hissé au grand mât du

Marengo, Alexandre III écoute *La Marseillaise* interprétée par la musique russe. Et il se produit un
événement considérable, inconcevable quelques années
plus tôt : le tsar se met au garde-à-vous et se découvre
pour la première fois en entendant le chant patriotique
des temps révolutionnaires – et même napoléoniens –,
devenu l'hymne républicain officiel depuis 1879. La
même *Marseillaise* est chantée dans les rues de plusieurs villes russes. Le ministre français des Affaires
étrangères, Alexandre Ribot, annonce :

— L'arbre est planté !

Il va grandir… lentement. Un an après, un accord
secret, dont le Parlement français n'a pas connaissance,
prévoit qu'en cas de conflit, la Russie portera ses
efforts sur l'Allemagne et non sur l'Autriche-Hongrie.
C'est une alliance défensive. Le tsar prend son temps
pour peser le pour et le contre dans tout ce qui est
proposé. Il n'est pas le seul à hésiter puisqu'il faudra
encore dix-huit mois pour que ces dispositions, auto-
matiques, soient ratifiées par les deux gouvernements.
Des craintes demeurent à Paris, la Russie est si loin ! Et
à Saint-Pétersbourg, on s'interroge pour savoir si on
peut faire confiance aux Français qui ont guillotiné leur
roi et tenté d'envahir la Russie… Les journaux inter-
viennent des deux côtés. En Russie, on rappelle que
Pouchkine traduisait Victor Hugo ; en France, on souligne que Dostoïevski et Tolstoï sont appréciés.

La marine va servir d'instrument politique pour
éteindre les doutes. Le 13 octobre 1893, une escadre
russe composée de trois croiseurs, d'un cuirassé et
d'une canonnière rend à Toulon la visite de Kronstadt.
L'accueil réservé aux marins de l'Empire russe est
triomphal ; la foule déborde de joie et d'espoir.
L'escale se poursuit en un voyage terrestre de douze

jours, par train jusqu'à Marseille, Lyon, Paris et Versailles. Le 27 octobre, le président Sadi Carnot monte à bord du navire amiral, le cuirassé *Nicolas Ier*. Un toast, vibrant, est porté par le premier des Français « à la santé de Leurs Majestés l'empereur Alexandre III et l'impératrice de Russie ». Après l'appareillage, le tsar répond, en français, au président de la République : « Les témoignages de vive sympathie qui se sont manifestés encore une fois avec tant d'éloquence joindront un nouveau lien à ceux qui unissent nos deux pays et contribueront, je l'espère, à l'affermissement de la paix générale, objet de leurs efforts et de leurs vœux les plus constants. » L'Alliance franco-russe est scellée le 4 janvier 1894. Un dessert fait son apparition sur les tables, l'entremets franco-russe. Les paquets contenant les ingrédients de ce flan sont ornés des drapeaux des deux pays. Et un célèbre biscuit nantais prend la forme, étoilée, de la forteresse Pierre-et-Paul[1] ! L'ambassadeur allemand à Paris envoie une dépêche à Berlin : « Pour la première fois depuis 1871, la France s'entend avec une grande puissance ; elle a le sentiment d'être redevenue une grande nation. » Alexandre III reçoit un surnom inédit chez les Romanov : « le tsar pacifique ».

La paix, donc. Mais, en Russie, le tsar restait hanté par la vision du corps disloqué de son père. À l'endroit de l'attentat, il a confié aux architectes Malychev et Parland, et à l'archimandrite Ignati, le soin d'élever une église commémorative. Commencée en 1883, elle ne sera achevée qu'en 1907. On la connaît sous un double

---

1. À Paris, en 1911, près de la tour Eiffel, une artère du VIIe arrondissement sera appelée avenue Franco-Russe.

nom, celui de la Résurrection du Christ, ou celui, plus évocateur, du Saint-Sauveur sur le Sang versé. Elle s'élève à quatre-vingts mètres de hauteur ; elle a l'apparence extérieure de la célèbre église Saint-Basile qui, à Moscou, borde la place Rouge. Sous ses coupoles dorées ou cirées, de superbes mosaïques bleues, jaunes et vertes évoquent des scènes de l'Ancien et du Nouveau Testament. Devant l'entrée latérale, un ciborium rappelle l'endroit exact où Alexandre II fut mortellement blessé[1].

Comme la Russie, le tsar ne peut oublier. Son ennemi le plus féroce est la misère. La sécheresse aggrave une situation rurale déjà catastrophique, la famine frappe le bassin de la Volga. Dans les villes, une classe nouvelle, le prolétariat, souffre. La classe ouvrière urbaine est sensible à la propagande socialiste. Loin des salons trop chauffés de la capitale, des gants blancs, des banquets où l'on apprend le service à la française, des baisemains et des cinquante mille visiteurs annuels de l'Ermitage – chiffre sans précédent –, d'autres statistiques révèlent de cruels échecs : trente millions de paysans ont faim et cent quinze millions de Russes, qui ne profitent pas encore des progrès économiques et des débuts du capitalisme industriel, sont inquiets. L'empereur suit, obstinément, le principe nationaliste qui guide son action, « la Russie aux Russes ». Mais ce retour aux sources, parfois très arrogant, n'enraye pas l'agitation, de mieux en mieux

---

1. La restauration de l'église a commencé à l'époque de la présidence de Mikhaïl Gorbatchev. Les travaux ont duré des années. On peut aujourd'hui la visiter. Au début de 2008, elle n'était pas rendue régulièrement au culte.

structurée et de plus en plus difficile à prévenir. Patiemment, les organisations secrètes sapent les institutions et le régime. En 1887, la police découvre, *in extremis*, un complot contre l'empereur. Encore ! Parmi les conspirateurs emprisonnés dans le bastion Troubetskoï de la forteresse Pierre-et-Paul, se trouve un certain Oulianov. Son frère cadet sera universellement connu sous le nom de Lénine. La mort de son frère aîné renforce davantage les convictions de ce dernier : il faut répandre la propagande marxiste dans les milieux ouvriers.

Les quelques mesures, efficaces, qui sont prises, comme l'ouverture de l'université de Tomsk, la première en Sibérie, le 12 juin 1888, n'apaisent pas les revendications ; la philosophie révolutionnaire gagne les milieux élevés où tout le monde sait lire et écrire. Les imprimeries clandestines sont glissées dans les usines et les ateliers. D'autres maux, anciens, reviennent ronger l'Empire, tels l'antisémitisme, profond en Russie, qui exclut les Juifs des postes universitaires et leur interdit d'exercer la profession d'avocat, ou la haine de la Pologne ; son nom disparaît des cartes et, pour les géographes officiels, elle se réduit à une « Région de la Vistule », autrement dit une simple province russe !

Les nihilistes ont toutes les raisons de continuer leur lutte sans merci, mais il arrive que le destin ne tienne pas compte de leurs projets. Le 17 octobre 1888, le train impérial, pavoisé aux armes de la Russie, roule vers Kharkov, en Ukraine. À environ quarante kilomètres de là, en un endroit appelé Borki, la rame déraille. Sept voitures sont réduites en miettes. La famille impériale, qui déjeunait au wagon-restaurant, échappe à la mort, le toit s'étant replié sur lui-même en formant une sphère protectrice. Alexandre III entre dans la légende en soutenant, de ses larges épaules, ce toit incurvé au-dessus de sa femme et de ses enfants. Un attentat ? Non, un accident spectaculaire dû à une vitesse élevée et à l'état déplorable de la voie. Serge Witte, directeur des Chemins de fer du Sud-Ouest, accompagnait le tsar dans ce voyage ; il n'avait cessé de signaler que les consignes de sécurité n'étaient pas respectées et pressentait un accident. Le bilan de la catastrophe est très lourd : vingt-huit morts et trente-sept blessés. Une photographie montre la famille impériale, assise sur des chaises au pied du talus, qui se remet de ses frayeurs. Le tsar et les siens en sont convaincus : leur vie sauve est un signe de Dieu. Rien de dramatique ne peut arriver aux Romanov. Une médaille est frappée, commémorant leur miraculeuse survie. Mais les monarchistes restent méfiants ; ils créent une organisation contre-terroriste appelée Sainte Milice.

Cette même année, diverses réformes déplaisent à la société cultivée, en particulier le contrôle sur les universités. Cette catégorie sociale évoluée, elle, n'apprécie pas la circulaire du ministre de l'Instruction publique, Delianov, qui n'admet pas dans les écoles secondaires « la présence d'enfants de femmes de ménage, de blanchisseuses et de cuisinières » ! En revanche, la bourgeoisie est satisfaite lorsque la Charte de la Famille impériale (2 juillet 1886) restreint le nombre des membres de la haute aristocratie recevant une rente viagère. Satisfactions, mécontentements, approbations et critiques se succèdent et s'opposent.

À l'été 1894, le tsar est fatigué. Il souffre des reins. On pense que l'effort, surhumain, qu'il a fait pour maintenir une partie du toit de la voiture-restaurant qui a failli l'écraser avec les siens a aggravé sa mauvaise santé. Le professeur Zakharine, appelé de Moscou, rassure la famille impériale et recommande le climat sec de la Crimée. Alexandre III maintient son programme initial, il ira d'abord chasser en Pologne (en Russie polonaise serait plus exact…). Mais ses forces l'abandonnent. Un spécialiste est appelé de Berlin, le professeur Leyden, qui constate une inflammation aiguë des reins. Il faut, d'urgence, transporter le monarque en Crimée. Le voyage, en train et en bateau, est interminable. Lorsque la famille atteint enfin le palais de Livadia, le souverain n'a plus de résistance et les cinq médecins autour de lui n'y peuvent plus grand-chose[1]. Sa future belle-fille, Alix, arrivant d'Allemagne pour le voir, Alexandre III se montre impatient. Il n'écoute plus les conseils pressants de la Faculté, se lève et revêt un uniforme de parade. La jeune fille découvre son beau-père très amaigri, tellement changé, assis dans un fauteuil mais raide et immobile. Elle s'agenouille devant lui et dira, quelque temps plus tard, qu'il lui semblait « rendre hommage à un cadavre »…

Le 20 octobre 1894, entouré de son épouse adorée et de ses quatre enfants, le tsar respire de plus en plus mal. À chaque instant, on doit lui donner de l'oxygène. À deux heures et demie du matin, il se confesse au père Jean de Kronstadt puis reçoit l'extrême-onction. Il s'éteint doucement ; sa mort est calme. Il n'avait pas cinquante ans. Sur la gauche du palais, dans le port de

---

1. Il s'agit de l'ancien Petit Palais, édifié après 1861 par l'architecte Monighetti. En 1911, Nicolas II fit construire un autre palais. C'est celui où s'est tenue la Conférence dite de Yalta, en 1945.

Yalta, les canons de la flotte de la mer Noire tonnent. La marine impériale salue une dernière fois celui qui s'était battu pour qu'elle ait, de nouveau, le droit de naviguer dans cette mer si chère aux Russes. Le tsar est mort en Crimée : n'est-ce pas un signe ?

Alexandre III était sûr d'avoir sauvé l'empire des Romanov. En treize ans de règne, il a rarement écouté les autres. Son principal bilan est, d'une part, l'étouffement, par la force, des aspirations révolutionnaires. Certes, l'agitation se répand, se déplace et se cache comme sous le couvercle d'une marmite, mais elle a été moins agressive que du temps de son père. D'autre part, grâce à l'apport de capitaux étrangers, le tsar a rétabli les finances publiques qui frôlaient la banqueroute. Ordre, tradition et paix ont caractérisé cette période, que certains ont qualifiée de torpeur, ce qui est injuste. Parlons plutôt de prudence et de réflexion. Elles ont été très favorables au développement de la Russie qui devait surmonter de gigantesques traumatismes. On interroge le comte Witte, ministre des Finances depuis un an après avoir détenu le portefeuille des Transports :

— Comment sauver la Russie ?

Cet homme remarquable, que le tsar avait étonné par ses capacités et sa vocation qui était presque celle d'un saint au service de son pays, désigne un portrait d'Alexandre III que l'on vient de voiler de crêpe :

— Ressuscitez-le !

Le nouveau tsar, Nicolas II, vingt-six ans, fait un aveu angoissé à son cousin le grand-duc Alexandre Mikhaïlovitch (qui est aussi son futur beau-frère puisqu'il doit épouser sa sœur Xenia) :

— Que dois-je faire ? Je n'ai pas été préparé à régner. Je ne comprends rien aux affaires d'État. Je n'ai pas la moindre idée de la façon dont on parle aux ministres...

Et ce cri, pathétique :

— Je n'ai jamais voulu être tsar !

Qui peut sauver la Russie ?

14

Nicolas II, le tsar bourgeois

Il n'est pas grand – le contraste avec son père est sai-
sissant – mais, comme l'était Alexandre III, il est doux,
attaché aux traditions, amoureux de la vie familiale et
conjugale à un tel degré qu'il écrit dans son journal, au
début de l'hiver 1894 : « Il est agréable, au-delà de
toute expression, de vivre tranquillement toute la
journée sans voir personne et toute la nuit à deux. »
Très pratiquant, il se soumet à la volonté divine avec
une sorte de fatalisme complaisant que l'on observe
souvent chez les Slaves. Conscient d'incarner la souveraineté nationale, on le dit passif, indécis, en un mot,
faible, alors que la situation exigerait un subtil mélange
de souplesse et de fermeté. Tel est, à grands traits,
Nicolas II qui monte sur le trône à vingt-six ans et
aborde le xxe siècle comme dix-septième tsar de Russie
depuis Michel Romanov, le fondateur de la dynastie.

Nicolas II : coupable ou martyr ? Coupable et
martyr ? Longtemps, l'histoire officielle, d'inspiration
communiste, l'a accablé, chargé de tous les crimes,
accusé de toutes les erreurs. Aujourd'hui et particulièrement depuis 1998, la spectaculaire révision de son

rôle, de son attitude, de son influence, les drames personnels qu'il a subis, l'engrenage de la Première Guerre mondiale – dont il ne fut pas responsable –, nous montrent un autre souverain et un homme différent de celui qu'on présentait dépassé par les événements, miné par la fatalité et finalement broyé par une histoire particulièrement tragique. On le sait maintenant, Nicolas II n'est plus l'unique fautif du malheur russe, bien au contraire, même s'il ne saurait être exonéré de ses propres défaillances.

Nicolas II, le dernier tsar… Une destinée plus fascinante et plus bouleversante que les précédentes parce que, justement, le pouvoir des Romanov s'achève en tragédie. La dynastie avait subi des assassinats, sous des formes variées, mais la cible était le souverain. Cette fois, une famille entière et cinq de leurs proches dévoués jusqu'à la mort sont massacrés en 1918. La cible est plurielle. Une exécution collective, annonciatrice. De la guerre contre les Empires allemand, austro-hongrois et ottoman à la guerre civile, de la guerre civile aux purges staliniennes, il y aura des millions de morts. Et, après une défense patriotique exemplaire entre 1941 et 1945, l'horreur continuera avec le Goulag. Staline avait un alibi : il était un des vainqueurs de Hitler. On le laissa en profiter. L'URSS, qui a succédé à l'empire des tsars et au bolchevisme, était un système ; la Russie est une civilisation, ce qui explique son retour. La tradition fut plus forte que l'imposture. Alors commença un étonnant retour en arrière…

Nikolaï Alexandrovitch naît le 6 mai 1868, au palais de Tsarskoïe Selo. Il est le premier des six enfants d'Alexandre III et de Maria. On ne peut passer sous silence le choc qu'il éprouva le dimanche 1er mars 1881. Nicolas (« Nicky » pour la famille), qui allait avoir treize ans, revenait au palais d'Hiver après une partie de patinage. Sa mère, tenant la paire de patins qu'on venait de lui retirer, poussa le petit garçon au milieu d'une foule de courtisans en larmes. Sur un lit, une forme, inhumaine tant elle est déchirée, éclatée, en sang... Un tas de chair mêlé à des lambeaux de vêtements. Le tsar ! Alexandre II, son grand-père, agonise. Il est défiguré et râle. Dans son costume bleu de petit marin, Nicky devint « mortellement pâle », selon un de ses cousins. « L'œil du tsar mourant était fixé sur nous, privé de toute expression. » Nicolas avait beaucoup pleuré la mort du tsar si bon, si digne, si courageux. Comment pouvait-on assassiner un homme aussi généreux ? Au-delà du chagrin, le petit-fils enregistra une certitude : il n'y avait aucune différence entre des révolutionnaires et des assassins ; une conviction qui allait peser lourd et engendrer des « malentendus » qui deviendront des catastrophes.

Après une éducation classique, il reçoit les enseignements d'un programme spécial dont la méthode est étrange. Ses professeurs, par exemple le ministre des Finances Bounge, celui des Affaires étrangères Guirs, les généraux Dragomirov et Obroutchev ou l'historien Klouitchevski, n'ont pas le droit de lui poser des questions. Et l'élève ne leur en pose jamais ! Il ne refuse pas d'apprendre, mais son inertie est déroutante. Il est donc difficile de savoir comment cet enseignement sur mesure a été reçu par le tsarévitch. Serge Witte ne semble pas ébloui des résultats lorsqu'il estime : « Pour notre époque, il possède l'instruction d'un colonel de la Garde issu d'une bonne famille. » Il aime les arts et la musique, parle couramment l'anglais, convenablement le français et l'allemand ; Nicky est très sportif, il aime en particulier la boxe. Sa formation militaire ne le passionne guère sinon pour l'esprit de camaraderie qu'il y trouve. À vingt-deux ans, Nicky, que la mort de son grand-père a élevé au premier rang dans l'ordre de succession au trône, est un jeune homme sans grande personnalité, physiquement terne, très aimable, mais qui semble s'ennuyer de presque tout. Pourtant, depuis sa majorité, à dix-huit ans, il siège deux à trois fois par semaine au Conseil d'Empire. Les ministres ne font guère attention à sa présence. On le respecte, c'est tout.

À la suite d'un pari avec des compagnons du régiment Preobrajenski, digne de ceux que raconte Tolstoï dans *Guerre et Paix*, Nicky connaît une première expérience féminine avec une chanteuse d'opérette. Elle avait monnayé ses charmes avec la complicité d'un célèbre restaurateur français de Saint-Pétersbourg. Mais ce genre de commerce n'est pas du tout apprécié d'Alexandre III le Sévère. Rapidement, la liaison, jugée scandaleuse et dégradante, est arrêtée et Mlle Labounski, puisque tel est son nom, est priée d'exercer ses talents ailleurs.

Un soir de mars 1890, le tsarévitch accompagne Leurs Majestés à une répétition de l'École impériale de danse. Lors du souper qui suit au réfectoire, Nicky est assis à côté d'une élève d'origine polonaise âgée de dix-huit ans, vive, spirituelle, Mathilde Kschessinska. Elle tombe sous le charme de l'héritier au regard tendre et bienveillant, et lui se sent très attiré par la jeune fille. Brune, un joli visage et de très beaux yeux, Mathilde est petite, elle a des jambes courtes mais une excellente technique de danseuse, apprise très tôt dans sa famille qui compte plusieurs professionnels du ballet, dont sa sœur. Quatre mois passent. Par hasard, lors de manœuvres près de Krasnoïe Selo, une troupe se produit dans un petit théâtre provisoire, en bois. Mathilde danse, enchante Nicky qui va la voir après la représentation. Mlle Kschessinska est vraiment délicieuse. Dans son journal, où il note ce qu'il a fait en accumulant événements et détails insignifiants d'une façon presque infantile, il écrit, à la date du 17 juillet 1890 : « Kschessinska me plaît décidément. »

Alexandre III juge néfaste l'intérêt de son fils aîné envers la jeune fille. Puisqu'un grand voyage est prévu à l'étranger pour que le futur tsar ouvre ses yeux sur le monde, son père pense que ce sera la meilleure façon de rompre cette amourette avec une ballerine dont la nationalité est embarrassante... Le périple est préparé avec soin, les ambassadeurs prévenus, les programmes de ce que Nicolas doit voir – et ne pas voir ! – dressés et les discours écrits pour les cérémonies officielles. Le tsarévitch est accompagné de son deuxième frère, de trois ans son cadet, Georges, qui est atteint de tuberculose ; on espère que la croisière lui redonnera des forces ; le voyage est placé sous l'autorité d'un vieux général, très dévoué mais presque aveugle, le prince Bariatinski. Le navire, un yacht à trois cheminées et trois mâts, quitte Saint-Pétersbourg le 23 octobre 1890. Cap sur Athènes où le prince héritier de Grèce, dit Giorgi, rejoint la compagnie, puis l'Égypte, le canal de Suez, les Indes. À bord, on s'amuse et on boit beaucoup, trop pour le frère malade du tsarévitch qui tombe et se blesse à la poitrine. On doit le débarquer dans le premier port pour qu'il regagne la Russie au plus vite[1]. L'itinéraire

---

1. Georgui Alexandrovitch mourra en 1899, âgé de vingt-huit ans.

du bateau est axé sur l'Extrême-Orient. Le tsar a décidé que son fils présiderait le Comité de construction du Transsibérien et en informe le Conseil des ministres le 29 mars 1891 ; Nicolas a reçu mission de poser, à Vladivostok, la première traverse de la ligne qui longera le fleuve Oussouri. Après Saigon, où il danse avec des Françaises qui l'applaudissent, Nicolas arrive au Japon en avril. L'empire du Soleil-Levant est plus exigu que la Russie et aussi plus mystérieux. En visitant les environs de Kyoto, l'ancienne capitale, le tsarévitch est, sans raison apparente, violemment agressé par un policier qui, des deux mains, abat son sabre sur sa tête. Par chance, la lame glisse sur le côté droit de l'oreille. Au moment où le Japonais s'apprête à porter un second coup de sabre, le prince grec, Giorgi, se jette sur le déséquilibré et l'immobilise ; Nicky saute du pousse-pousse qui le promenait et s'enfuit en courant. La foule s'est dispersée, et il faudra du temps pour que l'escorte intervienne et ligote l'homme qui voulait tuer le grand-duc Nicolas. Le forcené hurle :

— Je suis un samouraï !

Malgré la violence du choc et l'hémorragie, la blessure est sans conséquence grave, sinon une légère compression du cerveau qui vaudra à Nicky des migraines tenaces. La cour du Japon est pétrifiée de honte, surtout lorsqu'elle apprend que le fanatique était l'un des agents de sécurité postés tous les huit pas sur le passage du cortège russe ! Le voyage est interrompu ; cette partie du programme avait, d'ailleurs, été mal préparée. La blessure politique ne se cicatrisera jamais, le futur tsar exècre dorénavant le Japon qui ne lui a montré que sa haine. Il lui fera une guerre désastreuse. Le Japon portera malheur à la Russie…

Le 31 mai 1891, selon les instructions de son père, Nicky inaugure le chantier du Transsibérien oriental, à Vladivostok. Il charrie lui-même une brouette de terre jusqu'au ballast et pose la première traverse de la plus longue voie ferrée du monde. Lors de son voyage de retour à travers la Sibérie, Nicolas s'arrête à Tomsk et s'incline devant la tombe de l'ermite Fedor Kouzmitch. Vingt-sept ans après sa mort, ce mystérieux personnage est toujours l'objet d'un culte entretenu par ceux qui prétendent qu'il était bien le tsar Alexandre Ier. Nicolas n'en croit rien, mais il est troublé par la permanence de cette ferveur populaire autour d'une énigme non résolue, ni dans un sens, ni dans l'autre.

Alexandre III s'était trompé ; en neuf mois d'absence, son fils n'a pas oublié Mathilde Kschessinska et, à peine débarqué le 4 août, au lieu de passer la soirée avec ses parents, il court au théâtre. Mathilde est dans la troupe de *La Belle au bois dormant*. Très en progrès, elle montre une phénoménale endurance. Et quand elle joue les innocentes, elle est adorable ! Peu après, Nicky se présente chez elle en se faisant annoncer sous le nom d'un de ses compagnons de voyage. Nicolas a su qu'elle ne pouvait pas danser pendant quelques jours, souffrant d'un furoncle sur une jambe et un autre sur un œil. Une visite du tsarévitch ! « J'avais tant rêvé de ce tête-à-tête », écrira-t-elle dans ses *Mémoires*. Le visiteur s'enflamme ; le lendemain, il lui fait porter un billet : « J'espère que votre petit œil et votre petite jambe vont mieux. Je suis, depuis notre entrevue, comme dans un brouillard. Je tâcherai de revenir au plus tôt. » Il revient. Souvent, presque chaque soir. Les parents de la jeune fille s'effacent. Nicky étant souvent accompagné de ses cousins, l'amourette devient la rumeur de Saint-Pétersbourg.

Des mots peu aimables circulent, affirmant que le tsa-révitch est furieux que son père le traite encore comme un enfant. Alors, l'héritier, qui parle peu et regarde Mathilde, boit du cognac, du champagne, se déguise. Et puis, savez-vous, ma chère, que le prince a offert à cette petite Kschessinska un bracelet en or serti d'un gros saphir et de diamants ? Et qu'il lui fait livrer des fleurs dans sa loge comme si elle allait devenir ou était déjà sa maîtresse ? Une danseuse ! Il lui a même donné sa photographie avec un mot scandaleux, « Douchka[1] ». L'épouse du général Bogdanovitch, monarchiste viscérale très pointilleuse sur le comportement des Romanov, s'étrangle d'indignation. Certes, cette jeune fille est très gentille, gracieuse, mais « ... elle est très fière de ses relations avec le prince : elle s'en vante partout (...). Cette ballerine est devenue très orgueilleuse depuis qu'elle est dans les bonnes grâces de l'héritier ». Il faut marier d'urgence le tsarévitch, mais pas à une danseuse, roturière et intrigante !

Le père de Mathilde est bien obligé d'expliquer à sa fille que cette romance ne peut plus continuer. Furieuse, elle quitte le domicile familial et emménage, avec sa sœur, dans un bel hôtel particulier sur la Neva, au n° 18 du quai Anglais, non loin du club Anglais dont il est question dans *Anna Karénine*. Le comble est que cette résidence avait été construite par le grand-duc Constantin, frère d'Alexandre II et donc grand-oncle de Nicky, pour... une danseuse, la célèbre Kouznetosova ! Une aventure qu'Alexandre III condamnait publi-

1. Littéralement « petite âme », que l'on pourrait traduire par « ma chérie ». Voir *Nicolas II, le dernier tsar*, par Henri Troyat, Flammarion, 1991.

quement, mais les danseuses sont alors très « protégées » ; à Saint-Pétersbourg comme à Paris, l'attention portée par les aristocrates ou bourgeois fortunés à certains talents chorégraphiques est notoire. Et, pour « entretenir » cette tradition, Nicky offre à Mathilde un superbe service à vodka, huit petits gobelets en or incrustés de pierres rares. La liaison devient officielle, mais peut-elle durer ? Et aboutir à un mariage ? À l'Opéra, Mlle Kschessinska est distribuée dans des rôles de plus en plus importants. Les experts du ballet dirigé par le Marseillais Marius Petipa sont étonnés : elle peut exécuter ce qu'on appelle « trente-deux pirouettes fouettées », et même bisser cette figure. Un exploit ! Dans les coulisses, il se dit qu'elle accédera certainement au rang de première danseuse du théâtre Marinski, pas seulement grâce à ses relations avec Nicky. Elle devient « la Kschessinska »… Mais, dans le fond, elle sait qu'elle ne sera jamais impératrice. Elle savoure les dernières semaines d'une idylle inconfortable, guettant chaque soir l'arrivée du tsarévitch sur son cheval blanc ; il vient souper, s'assure que Mathilde ne manque de rien. Les liens qui l'unissent à la danseuse sont « superficiels[1] ». En réalité, la romance s'étiole. Le futur tsar aime ailleurs…

Sans aucun doute, Alexandre III ne peut qu'être soulagé des informations que lui transmet le préfet de police, chargé de contrôler les battements de cœur de l'héritier. Nicky n'aurait certainement pas pris le risque de contrarier son père, car la parole du tsar est un ordre. Un des fonctionnaires de la Cour en témoigne :

---

1. Voir *Nicolas II, la transition interrompue*, par Hélène Carrère d'Encausse, de l'Académie française, Fayard, 1996.

— Lorsque le tsar commence à parler, on dirait qu'il s'apprête à vous frapper….

Trois ans après avoir rencontré Mathilde, le tsarévitch est, en réalité, très épris de la princesse Alix de Hesse-Darmstadt dont la mère, d'un mysticisme exalté, est la troisième fille de la reine Victoria. Le sang d'une impératrice des Indes croise celui d'une des plus anciennes familles allemandes. Or, ni Alexandre III ni son épouse Maria Feodorovna ne sont prêts à une nouvelle union germano-russe. Ils sont même hostiles à l'univers germanique. Le tsar songe, au contraire, à renforcer l'alliance franco-russe en envisageant un mariage de Nicolas avec la princesse Hélène d'Orléans, une des filles du comte de Paris, prétendant au trône de France. Mais la brutale dégradation de son état de santé rend ce projet impossible. Alors, tout va très vite : Alix, devenue Alexandra, et Nicolas sont fiancés le 8 avril 1894 au château de Cobourg, en présence de la reine Victoria qui a un peu remplacé la mère d'Alix, disparue trop tôt. De ce fait, Alix est la petite-fille favorite de la reine. Nicolas est transformé. Lui, jadis ennuyeux, terne et apathique, le voici enjoué, joyeux, attentif aux beautés de la vie ; son journal le prouve, il n'est plus timide, il extériorise ses pensées et ses sentiments. Le tsarévitch est amoureux. Il ne lui reste plus qu'à devenir heureux. Alix de Hesse-Darmstadt est convertie à l'orthodoxie par le chapelain de la Cour ; puis, convoquée à Livadia, elle y est reçue sans joie puisque le tsar va mourir. C'est à travers des voiles de deuil que la nouvelle grande-duchesse entre dans la famille Romanov.

Dix jours après les funérailles de son père – qui ont été complexes à organiser –, Nicolas II, désormais le maître d'un empire qui était soumis à l'écrasante autorité du colosse Alexandre III, veut se marier. Il interrompt le deuil de la Cour pendant vingt-quatre heures. Nous sommes le 14 novembre 1894. La cérémonie se déroule à Saint-Pétersbourg, dans la chapelle du palais d'Hiver, à l'extrémité du bâtiment, qui n'est coiffée que d'une seule coupole dorée. À une confidente, Alexandra avouera plus tard : « Notre mariage me parut être encore un de ces services funèbres auxquels je venais d'assister. Seulement, je portais une robe blanche au lieu d'une robe noire. » Alexandra mariée n'est pas mieux accueillie qu'Alix quand elle était fiancée. Si la famille l'accepte à contrecœur, c'est parce qu'elle est notoirement affligée d'une mauvaise santé. Cela avait été le dernier cauchemar d'Alexandre III. Belle, nerveuse, elle ne pouvait dissimuler des taches rouges marbrant son visage et son cou. En un instant, sa figure est méconnaissable et inquiétante. Nicolas savait bien que la mère d'Alexandra avait eu un petit garçon hémophile, mort en bas âge. Son épouse était donc potentiellement porteuse de cette malédiction. En effet, l'hémophilie n'est transmise que par les femmes, mais ne frappe que les mâles. C'était Victoria, « la grand-mère de l'Europe », qui était sans doute le premier chaînon de ce drame. Le jour de son mariage, pauvre oasis de bonheur dans une prostration macabre, la démarche d'Alexandra est hésitante ; elle a du mal à marcher, voire à se tenir debout, et s'est plainte, auprès de ses demoiselles d'honneur, de douleurs aux jambes. Ce n'est pas seulement l'émotion qui la paralyse presque. Mais chez les Romanov, on ne montre ni ses maux ni ses indispositions physiques et, bien sûr, on ne parle pas de sa santé, surtout si elle est préoccupante. Avouer qu'on est malade ? Jamais ! Cela serait indécent ! Ajoutons qu'Alexandre III n'avait pu oublier, comme toute la Cour, que les épouses des tsars assassinés, Paul Ier et Alexandre II, étaient aussi des princesses de Hesse. Ces femmes portaient malheur à la Russie… Mais Nicolas, amoureux fou d'Alix, avait balayé toutes les objections. Seul comptait son bonheur. Leur bonheur.

Malgré l'installation du couple chez la mère du tsar, l'impératrice douairière (ce qui n'est jamais conseillé), au palais Anitchkov à l'angle de la Fontanka et de la perspective Nevski, Nicolas et Alexandra sont unis par un amour d'une force absolue. Ils le racontent eux-mêmes dans leurs journaux intimes, duo de cœurs passionnés. Et rien, ni les chagrins et les angoisses, ni la guerre, ni la révolution n'entamera la solidité de cette union. Pourtant, dans ce palais édifié par Élisabeth Petrovna pour un chanteur devenu son amant, la cohabitation entre les deux femmes est vite infernale. On en plaisante dans les salons de la capitale où la tsarine de vingt-deux ans et sa belle-mère jouent un classique du répertoire, rebaptisées « la Générale » et « la Colonelle ». Belle ambiance ! L'affrontement le plus vif concerne la dévolution des bijoux de la Couronne. Traditionnellement, ils sont portés par l'impératrice régnante mais, curieusement, Maria Feodorovna a le plus grand mal à s'en séparer ! La belle-fille comprend qu'elle ne peut vivre en paix chez sa belle-mère ; le couple décide de s'installer au palais Alexandre, dans la partie nord du merveilleux parc de Tsarskoïe Selo.

Cette superbe résidence, un peu sévère, est aussi classique que le grand palais est baroque[1]. Le couple s'installe dans l'aile gauche, heureux de ne plus être

---

1. Le palais Alexandre, construit sur ordre de Catherine II par Quarenghi de 1792 à 1796, était destiné à son petit-fils préféré, le futur tsar Alexandre Ier.

sous les regards de la ville. Fin 1895, Alix accouche d'une fille, la grande-duchesse Olga. L'année suivante, le tsar et la tsarine sont couronnés à Moscou, selon l'usage. Le 14 mai 1896, Nicolas II reçoit la sainte onction dans la cathédrale de la Dormition des mains du métropolite de Saint-Pétersbourg, Son Éminence Palladi, assisté des métropolites de Moscou et de Kiev. Nicky pose lui-même la couronne de sa femme, plus petite que la sienne, sur la tête d'Alexandra. Après l'office, le tsar et la tsarine, revêtus de manteaux d'hermine et portant tous les insignes de leur dignité, se dirigent vers le grand palais du Kremlin. La procession est extraordinaire. Sur la place, le couple s'arrête et s'incline devant la foule. Un très beau livre commémorant la cérémonie religieuse sera publié, aujourd'hui conservé à Peterhof. L'empereur et sa femme deviennent, pour l'Europe, les époux modèles. Hélas ! ces moments sont entachés de deux incidents, l'un symbolique, l'autre tragique. Lorsque le tsar franchit l'iconostase, le mur sacré qui sépare les fidèles des popes, son collier de l'ordre de Saint-André-l'Apôtre, créé par Pierre le Grand en 1698, se détache et tombe sur les marches. Voir la croix, le ruban bleu ciel et la plaque répandus sur le sol, alors que leur devise est « Pour la Foi et la Fidélité », est un mauvais présage. Le deuxième, bien plus grave, est l'effroyable panique survenue à un endroit appelé la Kodinka. Il s'agit d'un terrain où avaient été dressés des stands destinés à offrir des boissons aux Moscovites. La bousculade d'une foule immense, toujours impatiente de boire gratuitement, et un mauvais aménagement des lieux entraînent la chute et le piétinement de milliers d'hommes, de femmes et d'enfants. On relèvera plus de mille trois cents morts et environ mille blessés, soit près de dix pour cent des gens présents. Encore un mauvais signe… Devant cette catastrophe, le couple, traumatisé, veut annuler toutes les festivités prévues. Mais, mal conseillé par ses oncles – le monarque s'entend dire qu'il ne doit pas se montrer « sentimental » –, le couple se rend au palais Cheremetiev où l'ambassadeur de France, le comte de Montebello – alliance franco-russe oblige –, en poste depuis 1891, offre un grand bal. Bien que Nicolas et Alexandra présentent des visages décomposés, on ne leur pardonnera pas d'avoir valsé un soir de tragédie nationale. Une faute de goût. Une erreur politique.

Ayant affirmé qu'il défendrait l'autocratie, le monarque au regard bleu demeure sourd aux réformes réclamées, avec une déférence alambiquée, par les Conseils et les Assemblées. Il les qualifie même de « rêveries insensées ». L'opinion attendait des changements, elle est déçue. Qu'une nouvelle loi normalise les horaires de travail et qu'une nouvelle monnaie, le rouble-or, désormais convertible, soit mise en circulation ne suffisent pas. Sur fond de pessimisme et de haine sociale, l'agitation étend son réseau d'influences souterraines. La bureaucratie, ce cauchemar russe, n'est plus qu'une vieille armure rouillée. Ses fonctionnaires, certes appliqués, sont souvent bornés et se révèlent incapables de comprendre ou de réagir. Les emprunts à l'étranger se multiplient ; la France, particulièrement sollicitée, y répond. Dans les usines et les ateliers, qui accompagnent l'incontestable développement industriel, le monde ouvrier multiplie les doléances.

Un fossé d'idéologies se creuse entre l'univers impérial, figé, dévot, et le programme marxiste expliqué et défendu avec efficacité par des orateurs brillants, juchés sur des tables ou des caisses pour mieux se faire entendre. L'écho de ces idées se vérifie avec la fondation par Lénine, en 1895, de l'Union de combat pour l'émancipation de la classe ouvrière, puis avec le premier congrès du Parti ouvrier social-démocrate russe qui se tient à Minsk, en 1898. Loin de ces réalités, le tsar s'adresse aux puissances européennes en leur proposant d'organiser une conférence pour la préservation de la paix. Activement poursuivie par le ministère de l'excellent Serge Witte, la modernisation apporte une prospérité réelle mais inégale. Elle engendre de nouvelles classes, enchaînées au labeur industriel dix heures par jour. Les déséquilibres s'aggravent et Lénine fait ses comptes : l'empire est peuplé de cent vingt-six millions d'habitants, selon le premier recensement de la population établi en 1898, dont vingt-six millions sont des prolétaires. Une force qui monte en puissance. Mais sans diverses causes extérieures, le révolutionnaire doit admettre que des troubles et des émeutes ne trouveraient pas l'indispensable soutien à leur éclatement.

Le détonateur ne peut être que la politique étrangère ; Nicolas II cherche donc à rassurer l'Europe. Du 5 au 9 octobre 1896, la France reçoit les souverains russes, accompagnés de leur petite-fille, la grande-duchesse Olga. Lundi 5, le président Félix Faure, en habit, accueille la suite impériale à Cherbourg où accostent deux navires, *L'Étoile polaire* et le *Standard*. Le tsar porte l'uniforme de capitaine de vaisseau avec bicorne, son épouse une robe gris tourterelle sur laquelle est posée une pèlerine du même ton ornée d'un col de dentelle ; elle est coiffée d'un chapeau de roses. Le lendemain, par train spécial – les voitures sont reliées entre elles par des téléphones intérieurs –,

Nicolas II et sa suite arrivent à Paris par la gare du Bois de Boulogne, ancienne gare de ceinture embellie pour la circonstance par un décor pompeux. Un million de Parisiens se ruent sur les Champs-Élysées pour applaudir ces visiteurs illustres. On entend un cri qu'on n'avait pas perçu depuis longtemps en France : « Vive l'empereur ! »… De nombreuses pancartes émergent de la foule enthousiaste : « En France pour cinq jours, dans nos cœurs pour toujours. »

Cette visite d'État confirme que l'alliance voulue par Alexandre III est bien une réalité. Le programme officiel est un tourbillon incessant : *Te Deum* célébré à la cathédrale russe de la rue Daru, pose de la première pierre, avec une truelle en or fin, du futur pont Alexandre-III[1]. Suivent des dîners officiels, un gala à l'Opéra – le fronton est décoré d'une immense aigle impériale russe en flammes de gaz –, une soirée à la Comédie-Française, une visite au Panthéon à la mémoire du président Sadi Carnot assassiné deux ans plus tôt. Nicolas II, qui avait eu comme maître de français Gustave Lanson, professeur à la Sorbonne, participe à une séance du Dictionnaire de l'Académie française ; le protocole a prié les académiciens présents – vingt-neuf – de ne pas revêtir leur « habit vert » et donc de ne pas porter leur épée. Sa halte la plus surprenante est celle aux Invalides : le tsar se recueille sur le tombeau de Napoléon, un geste très apprécié et qui en dit long sur l'évolution des men-

1. Lors de l'Exposition suivante, celle de 1900, le pont Alexandre-III sera inauguré. Sur la rive droite de la Seine, ce magnifique ouvrage est prolongé par l'avenue Nicolas-II, ouverte entre le Grand Palais et le Petit Palais, construits spécialement pour l'Exposition. Aujourd'hui, c'est l'avenue Winston-Churchill.

talités. Jeudi 8, au château de Versailles, Nicolas II entend Sarah Bernhardt déclamer un poème de Sully Prudhomme dans le salon d'Hercule, puis applaudit Réjane qui joue *Lolotte*, un acte d'Henri Meilhac. Tout Paris est sous le charme de l'exquise courtoisie du tsar, mais un peu dépité de l'air maussade de son épouse. Elle a peur d'un attentat et assure qu'elle a entendu des coups de feu, en pleine nuit, près de l'ambassade russe, rue de Grenelle… Mais le voyage est un triomphe. Le mot *Pax* qui décorait la loge présidentielle à l'Opéra n'est-il pas la preuve d'un avenir serein ? Vendredi 9, la venue de Nicolas II au célèbre camp de Châlons n'avait pour but qu'une parade des troupes de la République. Le modéré mais distingué *Journal des débats*, en hommage à la grande-duchesse, propose de baptiser Olga toutes les petites Françaises nées pendant la semaine !

En 1902, un nouveau ministre des Affaires intérieures, Viatcheslav Plehve, politicien intelligent, habile et prêt aux indispensables compromis, exerce une bonne influence sur le tsar. Des réformes sont indispensables, encore et toujours car, dit-il, « les moyens de l'Administration sont vétustes ». Mais – et c'est là l'essentiel – les améliorations ne doivent venir que « d'en haut ». Hélas ! ce précieux collaborateur à l'esprit lucide sera assassiné, en 1904, par un groupe terroriste.

Le 13 février 1903, au palais d'Hiver, un bal costumé est organisé, pour le bicentenaire de la fondation de Saint-Pétersbourg. Le souverain, son épouse et toute sa famille sont habillés en costumes d'époques anciennes. Un concert est donné dans le théâtre de l'Ermitage, suivi d'un bal dans la salle du Pavillon. Nicolas II et Alexandra sont méconnaissables sous leurs fastueux manteaux brodés, coiffés de bonnets fourrés et de couronnes. Le spectacle – c'en est un – est mis en scène par un soliste du Ballet impérial, frère de « la » Kschessinska. Les jeunes filles mènent des rondes, les cavaliers exécutent des danses cosaques. Trois cent quatre-vingt-dix personnes sont invitées, dont soixante officiers de la Garde. On ne devait plus jamais revoir une pareille soirée à la Cour…

Tout Saint-Pétersbourg suit la carrière, mi-mondaine mi-artistique de la Kschessinska. En 1898, on l'a vue danser *La Fille du pharaon* ; son costume, un tutu assez court, laissait admirer ses très petites jambes. Depuis le mariage du tsar, elle est la protégée du grand-duc Serge, oncle de Nicolas II, commandant en chef de l'artillerie. Certains assurent qu'il aurait épousé civilement – et secrètement – la ballerine car, de religion catholique, elle refuse de se convertir. En tout cas, on ironise sur l'intérêt que l'aristocrate porte manifestement davantage à la danse qu'aux canons ! Un mot circule : « Grâce aux soins du grand-duc, nous possédons un admirable ballet mais nous n'avons pas une brillante artillerie » ; cette boutade allait devenir d'une tragique vérité… Puis, Mathilde Kschessinska est protégée par un autre grand-duc, Andreï, qui a sept ans de moins qu'elle. La danseuse est attentive à sa position sociale : seul un parent du tsar peut être son mécène ! En 1902, elle met au monde un fils, appelé Vladimir. Compatissant et en souvenir de tendres moments, le tsar lui accorde la noblesse héréditaire[1].

1. Lors de la Révolution de 1917, Mathilde et Andreï s'enfuient avec leur fils, et ils s'installent en France en 1921. Finalement convertie à l'orthodoxie, elle épouse le grand-duc, en 1925. L'ancienne ballerine mourra à Paris, en 1971, peu avant son centième anniversaire.

Qu'est-ce que la fatalité sinon la conjonction d'erreurs et de malchances ? Pour Nicolas II et la Russie, l'année 1905 est maudite. Elle accumule les tragédies, civiles et militaires, personnelles et nationales. On peut dater de cet hiver le commencement de la fin de la Russie impériale. Le tsar n'est pas un meneur d'hommes. Il est trop hésitant, exagérément réservé. Il est absent, au sens propre, confiné dans sa vie campagnarde à une trentaine de kilomètres de la capitale, où les bruits des mécontentements et des mauvaises nouvelles se perdent dans les forêts. N'y a-t-il donc personne pour les entendre ? Certes, le souverain reçoit ses ministres, préside le Conseil, mais ces réunions ne l'éclairent pas sur la réalité des situations de la Russie et du monde auquel elle est confrontée.

L'impératrice, fière, repliée sur elle-même, n'est aimée ni par la Cour ni par le peuple. Son monde à elle est uniquement sa famille où elle joue souvent le premier rôle ; son influence sur son mari est parfois néfaste. Sa piété orthodoxe – récente puisque issue de sa conversion – s'oriente vers le mysticisme ; dans sa chambre du palais Alexandre, au-dessus de son lit, elle a accroché plus de cinquante icônes, jusqu'au plafond. Le mur est changé en une surprenante iconostase. Le recul de l'histoire nous permet de mesurer la raison de cette exaltation religieuse. Quatre grossesses n'ont donné que des filles au couple impérial : Olga, qui a dix ans en 1905, Tatiana, huit ans, Maria, six ans et Anastasia, née en 1901. Superstitieuse, Alexandra consulte des charlatans. Le désir de mettre au monde un fils tourne à l'obsession. Après une rencontre avec un personnage douteux, se disant guérisseur, elle s'imagine être enceinte. Elle en ressent les symptômes, grossit un peu… pour rien. Elle est mortifiée. Enfin, après de pathétiques dévotions, Alexandra a accouché d'un garçon, Alexis, en 1904. Un héritier ! La joie de cette naissance n'a guère duré. Très vite, un saignement anormal au nombril du bébé a révélé aux malheureux parents qu'Alexis était hémophile. Dès lors, une menace constante pèse sur l'enfant, et l'angoisse de son père et de sa mère n'aura plus de fin. L'avenir du trône des Romanov est bien fragile. Face à une médecine impuissante, le petit tsarévitch est en danger de mort[1]. Ses parents vivent donc un calvaire, et la tsarine n'a aucune envie de côtoyer des gens qu'elle sait médisants. « Si elle le pouvait, elle passerait sa vie à prendre le thé au palais de Tsarskoïe Selo », remarque une de ses rares confidentes.

La vie de cour est terne, l'empereur passant des heures dans son cabinet de travail où le bois domine, tendu de vert sur les murs en harmonie avec le tapis du billard américain. La méfiance du tsar à l'égard de la vie publique, c'est-à-dire la vie en ville, l'isole encore davantage. Et le peuple, à la fois par souci légitime et parce qu'il est imprégné d'une habile propagande, se demande où est son souverain que l'on ne voit plus. L'hiver commence dans les illusions. Nicolas II essaie une nouvelle automobile dont le moteur doit résister aux froids intenses ; il se promène entre les gracieux

1. Rappelons que, dans sa rage contre les femmes, Paul Iᵉʳ avait exclu que la succession puisse être dévolue à une grande-duchesse. Mais Nicolas II, qui a perdu deux de ses frères, a un frère vivant, Mikhaïl, né en 1878 et qui fut déclaré héritier de la Couronne de 1899 à la naissance d'Alexis.

pavillons qui jalonnent le parc de six cents hectares, dîne en famille, coupe du bois, tire à la carabine sur des corbeaux, tient son journal avec une consciencieuse mais désarmante régularité et demande l'aide de Dieu pour le bonheur de la Russie, rien pour lui car il s'estime heureux dans sa vie d'homme marié, si ce n'était la malédiction du sang de son fils...

C'est largement le besoin d'une confiance retrouvée par une population qui se sent orpheline et peu considérée qui est à l'origine d'une effroyable tragédie, inscrite dans l'histoire sous le nom, sinistre, de « Dimanche rouge ». Cette journée, il faut le rappeler, se place trois semaines après une défaite militaire. Le Japon, suspect aux yeux du tsar – on se souvient qu'il faillit y être tué –, avait décidé de s'étendre en Chine. Le gouvernement russe avait obtenu du Céleste Empire l'autorisation de construire une ligne de chemin de fer, dite « de l'Est chinois », à travers la Mandchourie. En réalité, ce que visait Nicolas II était l'établissement d'une base navale sur la péninsule de Lia-Tong, qui se nommera Port-Arthur. Le Japon avait réagi, et l'aigreur était devenue un contentieux puis une guerre... non déclarée.

Dans la nuit du 8 au 9 février 1904, sans ultimatum – comme à Pearl Harbor en 1941 –, une flotte japonaise coulait sept bâtiments russes en rade de Port-Arthur[1]. Le 16 juillet 1904, près des écuries de Tsarskoïe Selo, le tsar, à cheval, présentait, de sa main droite, l'icône du Sauveur aux soldats du 148e régiment d'infanterie en partance pour la Mandchourie. Les hommes, décou-

---

1. Longtemps port russe, puis japonais, puis chinois depuis 1954, sous le nom de Liuchouen.

verts, étaient à genoux pour recevoir la bénédiction. Très rapidement, les hostilités avaient tourné au désastre pour la Russie, avec une succession de défaites navales et terrestres. Le 2 janvier 1905, le général Anatoli Stoessel, commandant la place de Port-Arthur, était contraint de capituler après un long siège. Le bilan était lourd : sept mille sept cents morts, quinze mille blessés sur les quarante-cinq mille hommes au feu. Les Japonais s'étaient aussi emparés d'un important matériel, allant des grenades aux contre-torpilleurs. Stoessel, d'abord condamné à mort pour sa reddition, avait vu sa peine commuée en dix ans de forteresse.

Ces nouvelles ont considérablement affaibli l'autorité du régime impérial des Romanov. Les révolutionnaires, qui espéraient des revers extérieurs, profitent du climat de colère et de frustration. Une grève immobilise les aciéries Poulikov ; en quatre jours, le mouvement ouvrier acquiert la puissance d'une vague qui paralyse... trois cent quatre-vingt-deux usines. Pour tenter de faire aboutir des revendications que personne ne prend en compte, une marche, pacifique, est annoncée en direction du palais d'Hiver. C'est là un événement sans précédent dans la Russie impériale. Dimanche 22 janvier, Saint-Pétersbourg est figée dans un froid vif. La nuit, il a encore neigé. La place du palais d'Hiver se noircit d'une foule silencieuse et nullement hostile qui débouche par la perspective Nevski, l'arc de l'État-major et la rue Herzen. Sous la conduite du pope Gheorghi Gapone – probablement un provocateur – qui porte de saintes icônes, près de trente mille personnes marchent vers le palais. Que demandent-elles au tsar ? Du pain, des réformes politiques, sociales et agraires car la crise économique, qui sévit depuis environ cinq années, a encore durci les conditions de la vie rurale. Les demandes portent aussi sur l'abolition de la censure et la mise en place de représentants du peuple. Le but de la manifestation n'est absolument pas de renverser le régime, mais d'être écouté par le tsar et d'être entendu, à défaut d'être reçu par Sa Majesté. Dans un mélange de familiarité et de paternalisme sacré (la plupart des Russes y sont très attachés), la Russie, inquiète et désemparée, demande son aide au souverain. Lui, il doit savoir ce qu'il faut faire... Les ouvriers et les employés implorent la compréhension et la protection de leur empereur. Une requête humble, sans agressivité mais pressante.

Toujours muette, la foule noircit les rues blanchies de neige tassée. Signe de respect, les gens ont mis leurs habits de fête. Au-dessus des coiffures et des têtes, des icônes apparaissent, balancées au rythme des pas. On voit même un portrait de Nicolas II, preuve que les manifestants ne sont pas hostiles. Ils montrent leur confiance, leur allégeance et leur angoisse. Ce qui se passe ensuite est un monument de bêtise, de fautes, d'aveuglement et d'horreur, l'ensemble restant inexcusable, inoubliable et consternant. Dans la nuit, le ministre de l'Intérieur, d'une criminelle incompétence, a massé des troupes, ce qui était déjà stupide. Les cosaques ont reçu l'ordre de protéger le palais d'Hiver, ce qui est encore plus bête puisque personne ne songe un seul instant à attaquer le centre du pouvoir. La foule attend seulement le tsar... puisque son gouvernement, qu'elle subit, demeure sourd. Hélas ! le tsar n'est pas là, il est dans sa « résidence ordinaire » du palais Alexandre. Eût-il été présent et bien informé, fût-il apparu au balcon du palais que les événements, le destin du pays et du monde auraient pu être très différents… Un courrier, un simple messager au grand galop aurait, en moins d'une heure, averti Nicolas II. Il eût fallu, ensuite, le persuader de revenir à Saint-Pétersbourg afin d'entendre ou de faire recevoir une délégation. La faute psychologique est gigantesque. C'est à se demander quelles leçons d'histoire le tsarévitch avait pu recevoir de son précepteur… La troisième erreur, bien entendu, est l'ordre donné aux cosaques de charger… une foule sans armes, conduite par un saint homme. Scandaleuse et inadmissible décision, la ruée des cosaques à coups de sabre et de knout est, en somme, le premier acte de la future guerre civile.

En ce triste dimanche, le peuple, innocent, est traité en coupable. Les victimes s'affaissent, hébétées, sous les jambes des chevaux. Ces hommes, ces femmes, ces enfants tombent par familles entières, le corps plié, soutenant leur ventre ou protégeant leur poitrine. Les survivants, hagards, s'enfuient par les rues. Dans la neige piétinée, un affreux bourbier, leurs corps creusent des sillons rouges. L'écrivain Maxime Gorki laissera ce témoignage à charge : « Ils se traînaient dans la fumée. C'était un spectacle hallucinant. » Cinq mille victimes : le chiffre est avancé. Plus grave que cette macabre comptabilité, si je puis dire, est le massacre de gens qui n'avaient aucune mauvaise intention. Par des témoins et les ambassades, le monde, atterré, apprend le bain de sang qui endeuille Saint-Pétersbourg. De nombreuses protestations parviennent au gouvernement, responsable et coupable de ce carnage. Sa réponse est édifiante : « Les discours fanatiques du pope Gapone, faisant fi de la dignité ecclésiastique, ont à ce point déchaîné les ouvriers, qu'ils ont occupé la résidence. Par suite de leur refus d'obéir aux autorités ou par suite d'attaques directes contre la troupe, de sanglantes échauffourées ont opposé les soldats à la foule. » La mauvaise foi de cette version est sanctionnée : les crédits accordés à la Russie sont immédiatement suspendus. Les chiffres annoncés par le ministère (quatre-vingt-seize morts, trois cent trente blessés) ne sont pas crédibles. Le général Mossolov raconte : « J'ai été choqué par les attaques absurdes et sans raison de la cavalerie sur la foule et par les ordres injustifiés donnés par les commandants. »

En visite à Paris, un oncle de Nicolas II, le grand-duc Paul, ne trouve aucune excuse à son neveu. Devant les officiels français, il déclare :

— C'est impardonnable autant qu'irréparable !

Le tsar a perdu l'estime de son peuple qui partageait ses inquiétudes privées. Mais il y a encore plus accablant. Le tsar ne tire pas réellement la leçon de cette tragédie et ne remarque pas que ses ministres et conseillers, directement coupables, sont eux-mêmes isolés de la réalité, ce qui creuse la solitude politique du souverain. En fait, c'est un complot par inconscience. Et Alexandra, dans une compassion déplacée, répète que son mari n'a pas voulu cela. Question : sait-il ce qu'il veut ? Elle ajoute ce commentaire inquiétant :

— Le pauvre Nicolas porte une lourde croix, d'autant plus qu'il n'y a personne sur qui il puisse tout à fait compter ou qui lui soit d'une aide véritable.

Pour la Russie, le tsar est devenu « Nicolas le Sanglant », une tache indélébile sur son règne. L'idée d'abattre l'empire ne peut que se répandre. La première révolution russe est commencée. La mèche est allumée…

Le 1er février, le tsar reçoit enfin une délégation ouvrière. Il ne condamne pas les responsables ; au contraire, il accuse les manifestants :

— Ces événements déplorables sont certes affligeants mais ils devaient inévitablement se produire, car vous vous êtes laissé séduire par des traîtres, ennemis de notre patrie. Lorsqu'ils vous ont invités à m'adresser une pétition faisant état de vos doléances, vous vous êtes soulevés dans une révolte contre moi et mon gouvernement ; vous vous êtes ainsi laissé convaincre d'abandonner votre travail dans ce moment où tous les vrais Russes doivent œuvrer sans relâche contre l'obstination de notre ennemi. Dans le souci que j'ai de la condition des ouvriers, je vais prendre les mesures nécessaires et je ferai tout ce qui est en mon pouvoir pour l'améliorer.

Résultat : les grèves se multiplient et des mutineries sont signalées dans l'infanterie et la marine. Trois jours plus tard, le grand-duc Serge, un fils d'Alexandre II, gouverneur militaire de Moscou depuis 1891, est assassiné sur la place du Sénat, au Kremlin. Le socialiste révolutionnaire Kalaïev a jeté une bombe sur cet oncle du tsar, pilier de l'autocratie et qui avait toute la confiance de Nicolas II. La famille impériale, terrorisée, n'assiste pas aux funérailles célébrées dans l'église Saint-Alexis du monastère de Tchoudov[1].

---

1. Né en 1857, le cinquième fils d'Alexandre II avait aussi épousé une princesse de Hesse, Élisabeth, sœur aînée de l'impératrice Alexandra. Elle mourut le 18 juillet 1918, torturée par les bolcheviks. Elle fut plus tard canonisée par l'Église orthodoxe russe. En 1955, le cercueil du grand-duc Serge fut transféré au monastère Novospasski, l'un des plus anciens de Moscou. La crypte de l'église de la Transfiguration, datant de 1645, devait servir aux Romanov. Plusieurs membres de la dynastie y sont inhumés.

La guerre russo-japonaise continue, catastrophique pour Nicolas II. Les 26 et 27 mai 1905, la flotte russe de la Baltique arrive au secours de Port-Arthur assiégé. Mais elle a mis près de huit mois pour rejoindre l'escadre du Pacifique, la plupart de ses navires étant trop gros pour emprunter le canal de Suez !

La flotte est anéantie par la précision de l'artillerie de marine commandée par l'amiral Tojo. Dans le détroit de Tsushima, douze cuirassés, huit croiseurs et neuf torpilleurs tsaristes, totalisant deux cent vingt-huit canons, sont soit mis hors de combat, comme le *Borodino*, soit obligés de se rendre. Quelques-uns se réfugient à Vladivostok et l'amiral Rojdestvenski, blessé, est fait prisonnier. Un bilan honteux puisque la flotte japonaise (quatre-vingt-treize unités, neuf cent dix canons) n'a pas perdu un seul bâtiment. S'il y a cent seize victimes du côté japonais, on dénombre cinq mille disparus et six mille hommes capturés du côté russe. Le choc psychologique a l'ampleur d'un séisme : le Japon a montré une supériorité d'armement, de blindage, une rapidité de manœuvre et une remarquable formation des équipages, sans compter un patriotisme farouche. Un vent de panique souffle parmi les marins russes ; à Kronstadt, à Sébastopol et à Odessa, des magasins sont détruits et des officiers agressés. Les journaux allemands publient des caricatures féroces dont une montre un militaire japonais debout sur le dos d'un moujik et le fouettant comme un animal.

Trois mois plus tard, après une médiation du président américain Théodore Roosevelt qui vient d'être élu, le traité de Portsmouth – une base navale de la Nouvelle-Angleterre, sur la côte nord-est des États-

Unis – met fin à la guerre russo-japonaise. La Russie perd la moitié de l'île de Sakhaline, Port-Arthur et la voie ferrée sud-mandchourienne. Au lieu d'une « petite victoire sur les Asiatiques » annoncée par un communiqué démentiel, la Russie compte ses morts, son économie est ruinée, elle est humiliée. La paix de Portsmouth, signée par le ministre Witte que Nicolas II a rappelé après l'avoir congédié, n'apporte pas le calme. À Saint-Pétersbourg, l'onde de choc ébranle la confiance des étrangers. Cette guerre lointaine (à douze jours de train, au minimum et à toute vapeur, maintenant que le Transsibérien roule sur la ligne achevée) était injustifiée, a été stupidement conduite, et ses pertes sont, à tous points de vue, colossales. Le tsar annule tous les bals de la Cour. Dans son palais, Nicky est accablé, mais il ne change rien à ses habitudes de petit-bourgeois rêvant à de petits problèmes. Son comportement, un mélange d'incrédulité et de naïveté, ressemble fâcheusement à de l'indifférence. Et son entourage, trop confiant ou obséquieux, n'arrange rien.

L'éloignement géographique du tsar continue de le couper des spasmes de l'opinion ; la distance sociologique entre le souverain et la population ne cesse de s'allonger. C'est un choix funeste qu'il aurait pourtant été facile – et indispensable – de corriger.

Mais où va la Russie ? Elle glisse, inexorablement, vers la révolution qui, pour éclater, a besoin que soient réunis un contexte intérieur en ébullition et des désastres extérieurs. Exactement un mois après Tsushima, l'équipage du cuirassé *Potemkine*, magnifique unité de la flotte de la mer Noire, se mutine. Deux remarques préliminaires doivent être rappelées sur cette célèbre affaire. D'une part, l'escadre de la mer

Noire est tout ce qui reste de la marine de guerre russe. Son existence et son intégrité sont donc vitales. D'autre part, ce 27 juin, la paix n'est pas encore signée avec le Japon ; par conséquent, le *Potemkine*, lancé en 1903, long de cent treize mètres et armé de quarante-huit canons, est toujours en état de guerre. Mais son équipage (six cents hommes) comporte peu de marins professionnels ; ce sont surtout des paysans, des moujiks incorporés en renfort et qui viennent à peine de toucher leurs uniformes blancs avec leurs bonnets à longs rubans noirs. Dans ce pays où 90 % des gens vivent très mal, où les ouvriers travaillent entre treize et quatorze heures par jour pour un salaire misérable, beaucoup de ces hommes sont sensibles aux idées révolutionnaires. Celles-ci sont répandues par deux mouvements : le Parti socialiste révolutionnaire, spécifiquement russe et qui s'appuie sur le monde rural, et le Parti ouvrier social-démocrate, marxiste, affilié à la IIe Internationale. Lui-même est divisé entre les bolcheviks de Lénine et les mencheviks de Plekhanov. Certains marins ont adhéré à l'un ou à l'autre parti. Tous sont poursuivis par l'Okhrana, la police politique tsariste. Malgré les arrestations et les déportations, brochures et journaux clandestins circulent. Ces publications sont aussi lues par une fraction de la bourgeoisie et des professions libérales qui commence à rêver d'une monarchie constitutionnelle. Mais ce qui va se passer en ce début de l'été 1905 ne s'explique que par le climat de la défaite de Tsushima ; elle agit comme un catalyseur des mécontentements.

À midi, ce 27 juin, des carcasses de bœufs, destinées au *bortch* de l'équipage, sont servies, visiblement avariées : la viande est infestée de vers et dégage une odeur effroyable. Les marins refusent le plat. Le médecin du bord, le docteur Smirnow, assure que la viande est consommable : il suffit de la laver avec du vinaigre avant de la cuisiner ! D'ailleurs, les officiers ont droit au même menu. Les hommes retournent les gamelles et protestent. Alerté par le brouhaha, le commandant en second, Gilianovski, d'origine polonaise et intraitable sur la discipline, informe son supérieur, le commandant Golikov. Le *pacha* convoque l'équipage sur le pont arrière. Il demande à ceux qui acceptent leur bortch de faire un pas en avant. Seuls quelques vieux loups de mer, marins professionnels qui ont sans doute mangé pire, se décident à sortir du rang. Le commandant déclare que les récalcitrants n'auront rien d'autre.

La suite des événements est beaucoup moins claire, et on en discute encore. Il semble qu'après avoir, de nouveau, rassemblé et averti l'équipage récalcitrant, quelques insoumis aient été choisis pour être passés par les armes. Mais au moment où le peloton d'exécution va faire feu, le quartier-maître Matuschenko, l'un des quatre agitateurs à bord (et membre du Parti social-démocrate ayant rencontré d'autres sympathisants à Sébastopol pour tenter de déclencher une mutinerie générale de la flotte de la mer Noire), s'écrie :

— Camarades ! Vous n'allez pas tirer sur les vôtres ! Procurez-vous des armes et des munitions ! Emparons-nous de ce navire !

À cette harangue, les meneurs se précipitent vers l'armurerie, s'emparant de fusils et de pistolets. Immédiatement, le médecin et le commandant en second sont exécutés et jetés à la mer. Certains matelots s'enfuient en plongeant et peuvent gagner le torpilleur N 267 qui escorte toujours le cuirassé *Potemkine*. Le *pacha* s'adresse à l'équipage :

— Mes enfants ! Je suis votre père, je suis vieux, épargnez-moi !

Il est tué à coups de sabre. Selon une autre version, longtemps soutenue par les Soviétiques, la mutinerie aurait éclaté parce qu'un officier aurait abattu un marin très excité qui aurait refusé la nourriture avariée. Quel qu'ait été l'enchaînement des incidents, Matuschenko prend la situation en main. Il annonce – ce qui est faux – la mutinerie générale de toute la flotte de la mer Noire et – ce qui est prématuré – la révolution dans le pays. Il préside un comité révolutionnaire de vingt membres, fait nettoyer les traces de sang sur le pont et hisse le drapeau rouge. À ce moment, on sait que cinq officiers ont été exécutés. Le *Potemkine* est mutiné ; ses chaudières sont sous pression, ses trois cheminées fument mais il doit se ravitailler en charbon, en eau douce et, bien entendu, en nourriture consommable. Alors, où aller ? Matuschenko, devenu le héros de cette page d'histoire, décide de quitter la zone de Sébastopol et de rallier Odessa, troisième ville de Russie et le plus important port céréalier de l'empire. Le cuirassé, silhouette effilée, noire avec des superstructures jaunes, longe la côte de Crimée.

À Odessa, on ignore évidemment ce qui se passe à bord du *Potemkine*. Mais les situations se rejoignent : le gouverneur vient de décréter la loi martiale en raison de troubles. La ville est en ébullition, tous les métiers sont en grève, des boulangers aux cheminots. Les affrontements ont fait des centaines de morts. Vers huit heures du soir, la foule qui protestait se décourage ; les gens, qui n'ont que des pierres en guise d'armes, commencent à rentrer chez eux. Mais soudain, dans la belle lumière d'un soir d'été, le *Potemkine* apparaît. Arborant le drapeau rouge ! Un navire amiral ! Peu de temps avant, Matuschenko, en fouillant la cabine du *pacha*, a découvert vingt-quatre mille roubles en or dans son coffre. Un trésor de guerre immédiatement affecté à la révolution ; il va servir à acheter combustible et ravitaillement pour que le *Potemkine* conserve son autonomie. Des marins sont envoyés à terre pour organiser ces formalités ; le corps du marin Vakulinchuk, tué, dit-on, par le commandant en second, lui-même exécuté en représailles, est exposé dans une chaloupe, cercueil ouvert selon la tradition. Que se passe-t-il après ? Les révoltés d'Odessa, qui demandaient du pain et de meilleurs revenus, sont réveillés dans leur colère par l'arrivée, inattendue, du navire. Ils proposent aux marins de s'emparer de la ville mais l'équipage, soudain prudent, préfère attendre l'arrivée de l'escadre de Sébastopol avec l'espoir qu'elle se joindra à la mutinerie. Mais la jonction ne se fait pas. L'autre cuirassé, le *Saint-Georges*, reste en apparence indifférent. Son équipage n'oublie pas qu'une mutinerie est un crime dont les auteurs sont pendus. Et que la paix avec le Japon n'est pas signée… Peu après la cérémonie mortuaire du marin Vakulinchuk, la confusion se répand près du port, construit depuis Catherine II. Sans sommations, un régiment de cosaques tire sur la foule qui remontait les célèbres Escaliers Richelieu, douze volées de vingt marches chacune, un peu comme le Grand Degré de Versailles mais en beaucoup plus grand. D'en haut, on ne voit que les paliers ; d'en bas, on ne distingue que les marches. L'ampleur de l'effet d'optique est remarquable, résultat de différences précises entre les niveaux. Matuschenko fait tirer le cuirassé ; ses batteries tonnent, visant le théâtre d'Odessa où le général gouverneur a transporté son quartier général. Mais les deux salves, chacune de cent cinquante kilos, ratent leur objectif et détruisent des maisons. Furieux, Matuschenko arrête le tir car des révolutionnaires ne peuvent massacrer le peuple innocent et opprimé…

Alors, que peut un navire seul contre une escadre, une armée, une police, en fait toute la chaîne de l'autorité ? En réalité, personne ne veut accueillir ni aider le *Potemkine* mutiné. On ne saura sans doute jamais qui a proposé de rechercher un havre neutre ; c'est, finalement, vers Constantza, grand port roumain à l'ouest de la mer Noire, qu'il se dirige. Il y arrive en une journée. Le roi de Roumanie, Carol de Hohenzollern-Sigmaringen, consent à accorder aux mutins la nationalité roumaine, mais refuse que le navire soit ravitaillé. Cette situation est un double échec, aussi bien pour les mutins (qui, parvenus ensuite à un port russe, ne sont pas acceptés ni aidés) que pour le tsar puisque Nicolas II ne parvient pas à faire reprendre le contrôle de ce bâtiment prestigieux et qui porte un nom légendaire. Le cuirassé erre, tourne en rond et, maintenant, cinq autres cuirassés le menacent. Le mutin est tombé dans son propre piège, il revient début juillet à Constantza où l'équipage se rend. C'est fini. Après que le dernier homme a quitté son bord, le fier bateau s'enfonce dans les eaux roumaines. De rage, à cause de l'échec de sa révolution, Matuschenko a fait ouvrir les vannes du cuirassé. Il sombre. Perdu pour la bonne cause, il est aussi perdu pour la marine du tsar. Plus tard, il sera renfloué – l'opération prendra seulement deux jours – et remorqué jusqu'à Sébastopol. Et, sur ordre de Nicolas II, il recevra un nouveau nom, infâmant, *Pantleymon* (« Péquenot »). Le *Potemkine* est dégradé... Deux ans plus tard, le tsar accorde une amnistie à la majorité des marins mutinés ; Matuschenko, réfugié en Roumanie mais ayant le mal du pays, revient en Russie. Comme il aurait dû le craindre, il est arrêté, jugé et pendu. Il était le cerveau de cette révolution avortée. Mais malgré son échec, elle est essentielle. Lénine écrira que, sans elle, la victoire de 1917 eût été impossible ; elle en est le prélude. Mieux, elle prendra, à la fois rétroactivement et rétrospectivement, la valeur d'une répétition pour prouver que le mouvement était une vague de fond (ce qui n'était pas exact en 1905) et tenir compte des erreurs à ne plus commettre, en particulier le manque dc coordination... Sur le moment, l'odyssée du *Potemkine* restc isoléc. Mais c'est aussi une nouvelle preuve de la dégradation de la confiance entre le régime impérial et la Russie mal à l'aise[1].

---

1. La mutinerie du cuirassé *Potemkine* est le premier événement historique dont la connaissance réelle ait été supplantée par la puissance évocatrice du cinéma. La vision qui nous a été imposée est celle du fameux film de Serge Eisenstein, réalisé en 1925, à la demande du gouvernement soviétique cherchant à consolider sa légitimité. Sur la réalité et surtout la chronologie des événements, il est difficile d'être fixé, malgré le reportage de l'envoyé spécial de *L'Illustration*, le rapport du consul général de France à Odessa destiné au Quai d'Orsay et de remarquables recherches, y compris dans les années 1960. Eisenstein, prestigieux et emblématique réalisateur d'*Ivan le Terrible*, ne voulait consacrer, à l'origine, que quelques minutes à la révolte et à l'errance du navire puisqu'il devait montrer la totalité des mouvements révolutionnaires de 1905. Dans l'immense scénario de son projet initial, cette séquence – il l'a révélé lui-même – tenait en une demi-page. En raison du mauvais temps à Leningrad, le metteur en scène partit pour Odessa, simplement parce

L'alliance franco-russe, mise en œuvre en 1894, avait connu de nouveaux sommets, telles la visite du président Félix Faure à Saint-Pétersbourg en août 1897, la deuxième visite de Nicolas II en France en août 1901

---

qu'il était sûr d'y trouver le soleil dont il avait besoin pour ses prises de vues. Or, à cette date, soit vingt ans après l'affaire, il y a encore des témoins, qui racontent plus ou moins bien mais fournissent des détails. Eisenstein – ici encore, il le reconnaîtra lui-même – laissera courir son imagination pour combler les lacunes de son enquête, ce que Staline n'appréciera pas ! Autrement dit, la fameuse scène du landau d'enfant dégringolant l'Escalier Richelieu – scène devenue mythique – ne repose sur aucune base avérée, ce qui ne l'empêchera pas d'avoir une portée mondiale et de faire appeler les marches d'un nouveau nom, Escalier Potemkine, ce qui est, d'un point de vue historique, une usurpation. Ainsi, le film, considéré comme un chef-d'œuvre mondial – il est remarquable –, n'est pas totalement honnête, et il a servi de « leçon d'histoire officielle » bien qu'une partie en soit inventée. J'ajoute une conséquence surprenante de la notoriété du film. Le réalisateur jugea que son premier montage était pauvre en scènes de marine, et la flotte de la mer Noire trop réduite pour donner la sensation de l'oppression du peuple. Il décida donc de rajouter des plans de films tournés entre 1900 et 1910, car Nicolas II était passionné de marine, de cinématographie et de photographie. Ainsi gonflé d'une mise en scène imposante et à grand spectacle, le montage final du *Cuirassé Potemkine* a été visionné avec une extrême attention par les services secrets et de l'Amirauté britanniques. Ils en concluront que la jeune URSS avait une marine trop importante et qu'il était donc urgent que le Royaume-Uni mette en chantier de nouveaux bâtiments ! Pour être prêts ! Ainsi, un instrument de propagande, mêlant habilement le vrai au faux, est devenu, involontairement, le premier agent de la désinformation militaire du cinéma. En 1932, la réaction de Londres permit à Staline d'accuser le gouvernement d'outre-Manche d'une course à l'armement naval ! L'engrenage, infernal, de la propagande en images n'allait plus cesser de tourner. Le matériel « visuel » était devenu une arme de guerre, ouverte ou secrète. Goethe, déjà, préconisait « le contraire de la vérité au nom de la vraisemblance »…

et celle du président Émile Loubet en mai 1902. Mais les relations entre la capitale russe et Paris sont très refroidies depuis 1904, la France s'inquiétant des événements intérieurs et extérieurs affectant la Russie. La crise, aiguë depuis la guerre contre le Japon (« À quoi sert l'argent que nous prêtons ? » s'interrogent de nombreux Français…), atteint son maximum le 24 juillet de cette même année 1905. À la stupéfaction de la République, ce jour-là, le tsar reçoit l'empereur d'Allemagne à Björkö, au nord-ouest de Saint-Pétersbourg. Le Kaiser propose à Nicolas II un traité d'assistance mutuelle sur terre et sur mer au cas où l'un des deux États serait attaqué. Les discussions entre les deux empereurs – en uniformes de capitaine de vaisseau – se déroulent sans la présence de leurs ministres respectifs. Guillaume II évoque ce traité germano-russe : « La matinée du 24 juillet 1905 à Björkö a donc été, par la grâce de Dieu, un tournant dans l'histoire européenne, ainsi qu'un soulagement pour ma chère patrie, enfin libérée de l'atroce tenaille que formaient d'un côté la France et la Russie de l'autre côté. » À Paris, la perplexité est grande… En fait, ce rapprochement germano-russe restera sans suite.

L'impératrice Alexandra entrevoit une lueur d'espoir dans le chemin de croix qu'elle vit avec son fils. Une de ses amies – peut-être la seule et unique – est la fille de l'intendant de la Chancellerie impériale. Anna Taneieva est jolie mais rondelette ; elle a d'immenses yeux bleus et des cheveux cendrés. La tsarine passe beaucoup de temps avec elle, séduite par son caractère ingénu ; elles jouent du piano à quatre mains et chantent. Anna voit combien Alexandra est en permanence inquiète de la santé d'Alexis. L'impératrice, quant à elle, aimerait que sa confidente soit aussi heureuse qu'elle dans sa vie de femme mariée : elle se met en tête de marier Anna et lui choisit un officier de marine ; le mariage aura lieu en 1907. Mais l'impératrice ne sait pas juger les gens : Anna découvre que son mari se drogue ; son impuissance sexuelle en a fait un pervers. Après quelques mois pénibles, Anna Vyroubova s'enfuit du domicile conjugal avec le consentement du couple impérial, très informé de ses déboires personnels. Au même moment, Anna, qui a rang de dame d'honneur, révèle à la souveraine qu'on lui a parlé d'un guérisseur aux pouvoirs extraordinaires. Il est arrivé de Sibérie en 1903, est reparti, puis revenu à Saint-Pétersbourg en 1905. Anna, frustrée, est prête, par esprit de revanche, à succomber à toutes les séductions. Peu importe que cet homme ait très mauvaise réputation ; puisque les médecins pataugent dans leur ignorance d'un traitement approprié, pourquoi ne pas lui demander conseil ? La dame d'honneur obtient que le personnage soit reçu en audience par Nicolas II et sa femme. C'est ainsi que Grigori Effimovitch entre dans la vie d'Alexandra et d'Alexis avant de peser d'une manière incontrôlable sur le destin de la Russie. Voici celui que ses ennemis – déjà nombreux – surnomment « *Raspoutnyl* », « le débauché ». Nous l'appelons Raspoutine.

Le 6 août, sur le rapport du ministre de l'Intérieur Boulyguine, le tsar annonce la création d'une Douma, Assemblée nationale consultative, non législative. Ce premier Manifeste impérial déçoit beaucoup. Le comte Witte, nommé chef du gouvernement, prépare un deuxième texte pour le tsar car, à l'automne, l'agitation n'est pas retombée. Le 7 octobre, une grève générale est proclamée ; les cheminots paralysent l'ensemble du pays. Deux millions de personnes qui refusent de continuer leur travail constituent un mouvement jamais vu. Des conseils ouvriers (*soviets*), dont le premier exemple a été constitué fin mai lors de la grève des tisserands à Ivanovo, se répandent à travers la Russie. La répression comme unique réponse n'est plus acceptable, même si Trepov, chef de la police, ordonne « de ne jamais tirer à blanc et de ne pas ménager les munitions »... Le *Manifeste du 17 octobre*, ainsi qu'on l'appellera, promet d'accorder des libertés civiques et de convoquer une Assemblée législative élue, le premier Parlement de la Russie. Dans son journal, Nicolas II écrit d'une plume toujours flegmatique, lassée, distante : « 17 octobre. Lundi. Anniversaire du déraillement à Borki. Ai signé le Manifeste à cinq heures. Après cette journée, j'ai la tête lourde et les pensées confuses. Seigneur, apaise la Russie. » Le tsar semble dépassé, résigné et surtout, il s'en remet au ciel... Le Manifeste suscite peu d'enthousiasme. Les libéraux « octobristes » se disent favorables à une autocratie aménagée tandis que les « démocrates » militent pour une monarchie constitutionnelle. Le soviet de Saint-Pétersbourg stimule la nouvelle organisation ouvrière, instaurant la journée de huit heures et diverses libertés. Il agit, en fait, comme un état-major insurrectionnel. Un oncle du tsar, conscient de la dégradation du climat politique et des impatiences à satisfaire, prend une décision audacieuse : il interdit à tous les officiers Romanov de participer à la répression des révoltes populaires...

L'année 1905 s'achève par un mois de décembre troublé : le 3, l'état de siège est décrété à Kiev à la suite d'émeutes ; le 16, le soviet de Saint-Pétersbourg est dissous, ses membres arrêtés. Enfin, un soulèvement armé met Moscou en effervescence. Cinq ans plus tôt, Lénine avait écrit *Que faire ?* L'année 1905 aurait dû être celle du sursaut. Elle n'est que celle du sursis.

1906. La Russie contracte un nouvel emprunt international, c'est une habitude. Le 27 avril, le tsar inaugure solennellement la première séance de la Douma, c'est inhabituel. La cérémonie se déroule dans l'immense salle du trône, au palais d'Hiver. En s'adressant au souverain, les parlementaires usent d'un tutoiement qui surprend les observateurs étrangers ; les ailes de l'autocratie sont rognées. Les séances se déroulent au palais de Tauride, édifié en 1789 à la demande de Catherine II pour son favori Potemkine, prince de Tauride. Paul Ier, qui détestait l'amant de sa mère, avait transformé le palais, de sobre apparence, en caserne. Enfin restauré, le bâtiment accueille la Douma dans l'ancien jardin d'hiver donnant sur le parc. On y parvient en traversant le vestibule, la salle ronde et la salle Catherine où l'on avait tellement dansé du temps de la grande impératrice. Potemkine s'était endetté pour ces festivités dont toute l'Europe avait parlé. La souveraine ayant remboursé les dettes, le palais était devenu propriété de l'État. La première session dure jusqu'au 8 juillet, soit soixante-douze jours, mais Nicolas II a encore changé de Premier ministre : quarante-huit heures avant la fin des débats à la Douma – le président de séance siège sous le portrait de l'empereur –, Goremykine, en fonction depuis seulement trois mois, est remplacé par Stolypine, jusque-là ministre de l'Intérieur. La moustache en crocs au-dessus de la barbe, le regard intelligent, Pierre Stolypine est un homme de grande valeur, résolu et ferme. Son objectif est audacieux : lutter contre les révolutionnaires tout en réalisant les réformes. Les plus urgentes concernent le monde agricole, gigantesque. Le chef du gouvernement veut que les paysans possèdent leurs propres exploitations et crée la Banque paysanne. Le but est de voir naître, en vingt ans, une nouvelle couche sociale, des moujiks élevés au niveau d'une paysannerie aisée.

1907. Le long du canal Catherine, les travaux de construction et de décoration de l'église du Sauveur-sur-le-Sang-versé – en mémoire de l'assassinat d'Alexandre II – sont enfin terminés. Ils ont été surveillés par le président de l'Académie des beaux-arts, un oncle de Nicolas II, le grand-duc Vladimir. Quand on fait les calculs (vingt-trois ans et dix mois de chantier...), on découvre que le montant (4 718 786 roubles et 31 kopeks) dépasse de un million le budget prévu. Le coupable est le secrétaire de l'Académie. Arrêté, jugé, il est emprisonné et ses biens confisqués.

Raspoutine a suscité tous les fantasmes, toutes les interprétations, et il a été accusé d'avoir entraîné la Russie dans le chaos. De cet homme fascinant – et inquiétant –, on croit tout savoir et on suppose le reste. Il me semble que l'on peut isoler quelques réflexions. D'abord, l'homme, né en 1872, est beaucoup moins gros qu'on ne l'a souvent représenté, y compris au cinéma. Au contraire, il est mince et ce moine, venu de Sibérie, est, avant toute considération, un regard. Envoûtant. Un regard divin ou diabolique ? On ne pourra jamais le dire, peut-être les deux, mais il est perçant et dérangeant. Ensuite, la barbe non soignée, le cheveu long et gras lui confèrent un aspect repoussant, en tout cas peu séduisant. Si certaines femmes, en particulier dans l'entourage de la tsarine avec Anna Vyroubova, y trouvent un élément d'extase ou d'admiration supplémentaire (affaire de goût !), on peut certifier que Raspoutine n'a rien d'un courtisan et ne cherche surtout pas à en avoir l'aspect. Dans une dépêche au Quai d'Orsay, l'ambassadeur de France Maurice Paléologue note : « Il rudoie Leurs Majestés avec une désinvolture jamais vue à la Cour. » Pourtant, depuis près de trois siècles, la cour de Russie en avait vu d'autres !

Ensuite, Raspoutine a des dons et des compétences. Ses dons ? Le pouvoir de convaincre, la capacité de pressentir l'avenir, il est un visionnaire. Et, dans cette période où la Russie impériale semble atteinte de cécité et de surdité, il est sans doute le seul à comprendre et à tirer profit de ce drame familial d'un héritier hémophile, en même temps que la crise politique, impensable hier et qui prépare une mutation radicale de la société russe, lui semble proche. Ses compétences ? Raspoutine a acquis son savoir lors de ses errances, avec une formidable rapidité d'assimilation, d'observation, et un jugement affiné. La tsarine est mystique ? Il lui parle théologie. Le tsar interroge le peuple russe ? C'est la voix de Raspoutine qui lui répond car elle vient du passé, de la terre, de ses croyances. Peu importe qu'il soit à la fois dévot et lubrique, pervers et généreux. Il est l'âme russe, la mémoire russe dans un monde trop rapide et trop bousculé pour Nicky, le velléitaire.

Raspoutine est un personnage de Dostoïevski plongé dans l'univers de Tolstoï. Il est aussi magnétiseur, un peu pharmacien, un peu médecin, maniant les herbes, les onguents et les potions avec adresse, en conservant ses recettes et ses secrets. Si la classe ouvrière se prépare, peu à peu, à prendre le pouvoir dans le pays, Raspoutine prend vite le pouvoir sur l'impératrice. Le *starets* va bénéficier de la confiance absolue d'Alexandra qui croit en la sainteté de ce messager dont l'entourage peine à soutenir le regard. Lorsque, le 7 octobre 1907, après une chute de bicyclette, le corps du tsarévitch se recouvre de taches bleues gonflant ses jambes et son abdomen, on appelle le guérisseur. L'enfant souffre, sa mère est dans un état épouvantable. Et voilà que « l'envoyé de Dieu » – comme il se définit souvent – guérit le petit garçon. Les plaques, révélatrices des hémorragies, s'estompent ; la douleur disparaît. L'angoisse s'éloigne. Qu'a-t-il fait, ce magicien ? Il a supprimé l'aspirine infligée à l'enfant par des médecins ignares. Mis au point une dizaine d'années auparavant par des chimistes allemands, le remède analgésique et antithermique a une autre propriété déjà connue, celle d'être un anticoagulant, donc d'aggraver les risques d'hémorragie.

Alexandra prie. Cet homme sait tout ce que les autres devraient savoir. Alors, elle regarde son enfant aux yeux bleus et aux cheveux bouclés. Ses parents, qui l'avaient d'abord appelé « Baby », le surnomment « notre petit rayon de soleil ». Raspoutine peut-il sauver l'héritier ? Il n'avait pas un an quand son père l'avait pris dans ses bras, lors d'une revue du régiment Preobrajenski ; les soldats criaient « Hourra ! » sur le passage du tsar et de son fils. Plus tard, accompagnant sa mère lors d'une promenade, les gens s'inclinaient et souriaient sur leur passage. Était-il possible de le guérir ? Raspoutine devient le seul espoir de sauver ce fils, unique et tellement désiré qu'elle en est presque devenue folle. Le Sibérien est très fort (et tout le monde autour de lui est très faible), puisqu'il associe les connaissances ancestrales aux découvertes les plus récentes. Esprit supérieur doté de pouvoirs efficaces pour les uns, charlatan exploitant l'incrédulité et les traumatismes de la tsarine pour les autres, cet homme, qui passe pour savoir à peine lire et écrire, habite rue Gouroukaïa un appartement avec ascenseur et téléphone, ce qui, un peu avant 1910, n'est pas courant. À sa clientèle féminine en proie à des troubles en tous genres, il apparaît comme un pionnier, un homme d'avenir.

Mais quel avenir ? Indépendamment de la propagation des idées marxistes, les relations du gouvernement avec la Douma sont très compliquées. Le 3 juin 1907, Stolypine demande au tsar de dissoudre la deuxième Assemblée ; elle siégeait depuis le 20 février et avait voté une nouvelle loi électorale en cent un jours. Le Premier ministre juge son activité peu encourageante. Le 1er novembre, la troisième Douma est ouverte, elle siégera jusqu'au 9 juin 1912. Sa majorité est composée de conservateurs, loyaux envers le chef du gouvernement. Sous l'influence de plus en plus politique de Raspoutine, le tsar et son entourage, lassés des réformes sans cesse exigées, finissent par être mécontents de l'autorité de Stolypine ; ce qu'il faut bien appeler une jalousie politique est une faute. Le 1er septembre 1911, grâce à un carton d'invitation que lui a, curieusement, remis Kuliabko, chef de la police secrète de Kiev, l'anarchiste Dimitri Bogrov s'introduit dans la salle d'un théâtre où le Premier ministre assiste à une représentation. Avant que le rideau ne se lève, Bogrov s'approche de Stolypine à l'orchestre et tire, presque à bout portant, un coup de revolver. Stolypine, grièvement blessé, meurt quatre jours plus tard. La question posée est celle-ci : comment un homme armé a-t-il pu entrer dans le théâtre et venir aussi près de sa cible alors que l'endroit était bien gardé ? On apprend que, le 26 août, Bogrov avait révélé à la police qu'un révolutionnaire, Nikolaï Jakovlevich, allait mettre à profit la venue du chef du gouvernement pour l'assassiner. La police a cru à ce complot et a demandé à Bogrov d'escorter et de surveiller Jakovlevich. Or, le 14 septembre, peu avant le spectacle, le policier a demandé à Bogrov où se trouvait le suspect :

— Chez lui…

Quelques instants plus tard, Bogrov entrait dans le théâtre et accomplissait son forfait. Aveuglement ou complicité ? L'attitude du policier est très douteuse. Après une procédure expéditive, un tribunal militaire condamne Bogrov à mort. Il est exécuté le 26 septembre. Avec la mort de Stolypine, « *le père de l'industrie russe* » s'évaporent les derniers espoirs d'une Russie renouvelée sans avoir à subir les horreurs d'une révolution.

Raspoutine est maintenant indispensable et irremplaçable. À l'automne 1912, il intervient pour enrayer une grave hémorragie du tsarévitch alors que des ouvriers en grève sont massacrés dans une mine d'or en Sibérie. Bilan : deux cent soixante-dix morts. Rarement un drame privé aura eu autant d'impact sur une situation politique. On consulte le guérisseur sur tout, pour tout, y compris, en 1913, pour que le nouveau cabinet, présidé par Kokovtsev, baisse le prix… du ticket de tramway ! La rivalité tsarisme/parlementarisme qui muselle la quatrième Douma est exploitée par le journal du Parti bolchevik, créé en avril 1912 et appelé à un retentissement mondial, la *Pravda* (« Vérité »).

En 1913, l'économie de la Russie s'est redressée. Un certain bien-être est visible, l'alphabétisation a fait d'immenses progrès et le prestige de l'empire se vérifie avec, par exemple, les tournées des Ballets russes à Paris et à Londres. On parle d'un « Âge d'argent » dans le domaine culturel. La réforme financière du ministre Witte porte ses fruits : un rouble vaut 2,16 marks, 2,67 francs français, 2,54 couronnes autrichiennes ; la monnaie est stable, un gage de sérieux. La flotte de la Baltique s'est reconstituée avec cinq cuirassés, dix croiseurs, quarante-neuf contre-torpilleurs et vingt-trois torpilleurs. L'aviation maritime fait ses débuts. À Saint-Pétersbourg, on compte deux mille huit cent cinquante-cinq automobiles, dont deux cent vingt et une sont la propriété de l'État, et trois cent vingt-huit des taxis. Selon le code de la route, établi en 1901, la vitesse en ville est limitée à moins de quinze kilomètres à l'heure.

Au matin du 21 février, la capitale est réveillée par une salve d'artillerie. Trente et un coups de canon sont tirés depuis la forteresse Pierre-et-Paul. Ainsi débute une grandiose célébration, celle du tricentenaire de la dynastie des Romanov. À Notre-Dame-de-Kazan, un patriarche va conduire un office. Le long de la perspective Nevski, des soldats alignent une barrière humaine, et la foule essaie d'apercevoir les souverains et leur famille dans le cortège impérial. Alexis souffre, le visage tordu de douleur, porté par un cosaque. La tsarine, toute en dignité, contemple la scène d'un regard absent. Le lendemain, toute la famille se rend au théâtre Marinski et assiste à une représentation de l'opéra de Glinka,

La Vie pour le Tsar. Ce mélodrame en cinq actes avait été joué dans le précédent Opéra impérial le 9 décembre 1836, sous le règne de Nicolas Ier et en sa présence. Le Tsar de fer avait lui-même donné, à plusieurs reprises, le signal des applaudissements. Que Nicolas II ait choisi cette œuvre est symptomatique. L'action se situe en 1613, au temps du fondateur de la dynastie, Michel Ier, lorsque la Russie luttait contre les Polonais pour leur arracher son indépendance. L'œuvre est essentielle dans la culture russe : elle marque la naissance de son opéra national et accompagne les Romanov dans leur épopée.

Le 23, dans la vaste salle du club de la noblesse, un bal est donné en présence de Nicolas et Alexandra[1]. À Moscou comme à Iaroslav, Nicolas II reçoit la traditionnelle offrande du pain et du sel. Des poses de premières pierres succèdent à des inaugurations de monuments, comme celui de Nijni-Novgorod dédié à la mémoire de Pojarski, et dans diverses villes. Au Kremlin, la foule entoure les Romanov. Le tsarévitch est toujours porté par un immense cosaque au crâne rasé. Dans la calèche qui s'avance sur la place Rouge, l'enfant est assis, en costume marin. Sa faiblesse est alors masquée.

---

1. Aujourd'hui, ce bâtiment, somptueux, abrite la Philharmonie Chostakovitch, entre la perspective Nevski et la place des Arts, face au Grand Hôtel Europe. Elle doit son nom au concert historique dirigé par Dimitri Chostakovitch le 9 août 1942. Des soldats en permission, aux uniformes hétéroclites, y exécutèrent la magnifique Septième Symphonie du maître, dite *Leningrad*. Cette date était celle fixée par Hitler comme devant être celle de la chute de la ville… qui ne fut jamais prise.

Ces réjouissances, elles, masquent aussi une implacable réalité. Sans aucun doute, elles attestent d'une ferveur nationaliste retrouvée. Trois siècles d'histoire défilent dans les mémoires et dans les cœurs, présentés comme une chaîne ininterrompue de victoires et de performances diverses. Mais quelle illusion de croire que le *Dimanche rouge*, Tsushima, la mutinerie du *Potemkine* et les blocages politico-sociaux puissent être effacés et pardonnés pendant ces journées de fêtes, soupers et autres bals ! Les fautes du régime demeurent des plaies à vif. En réalité, cette réconciliation est factice. Nous ne saurons jamais si elle se serait ancrée dans l'état d'esprit populaire puisqu'une guerre, aux dimensions inimaginables, allait bientôt balayer l'Europe et engloutir un monde qui était encore celui du XIXᵉ siècle.

Comme le tsarévitch, l'empire est malade. Est-il, pour autant, condamné ? Il faut redire, aujourd'hui, combien seules des circonstances exceptionnelles ont permis à Raspoutine d'occuper une place aussi déterminante et de jouer un rôle, jugé néfaste, dans les dernières années du tsarisme. De même et bien que cela puisse sembler paradoxal, si Raspoutine avait été davantage écouté et entendu, le régime n'aurait peut-être pas précipité sa fin. En effet, remarquablement informé, le moine-apothicaire considère que la Russie ne doit pas s'engager dans un conflit nécessairement mondial puisqu'elle ne parvient pas à résoudre ses contradictions internes. En pleine guerre, Raspoutine fera nommer un homme d'origine allemande, Sturmer, comme chef du gouvernement. Pour négocier ? Pour contrebalancer les alliances avec la France et l'Angleterre ? On discute encore de l'attitude exacte de Raspoutine vis-à-vis de l'Allemagne de Guillaume II. Elle demeure troublante. Et si, tout simplement, le guérisseur faiseur de miracles, envoyé de Dieu et du diable, avait vu juste ?

15

Les otages

Sarajevo, 28 juin 1914. Dans cette ville de Bosnie-Herzégovine sous la tutelle des Habsbourg, un attentat et deux morts emblématiques sont le prélude funèbre de la plus effroyable confrontation armée de tous les temps, si inconcevable qu'on dira « la Grande Guerre » pour signifier que tout ce qui avait précédé n'avait jamais atteint une telle dimension dans l'horreur. Pendant un mois, la Russie adopte l'attitude de l'Europe ; officiellement, elle retient son souffle alors qu'une commission d'enquête essaie de répondre à des questions brûlantes. Qui a assassiné l'archiduc héritier d'Autriche-Hongrie François-Ferdinand et son épouse ? Pourquoi ? Pendant quatre semaines, certains espèrent encore éviter le pire, d'autres piaffent d'impatience pour en découdre… L'équilibre des forces, péniblement maintenu en Europe, va-t-il être détruit ?

Depuis des mois, une nouvelle visite d'un président de la République française était prévue en Russie. Fin 1912, Raymond Poincaré, républicain laïc et patriote, Lorrain traumatisé par la perte de l'Alsace-Lorraine, était déjà venu à Saint-Pétersbourg ; il était alors président du Conseil et ministre des Affaires étrangères, très attaché à la réalité de l'alliance franco-russe. Le 17 janvier 1913, Poincaré est élu président de la République. Il est rarissime de passer de la conduite du gouvernement à l'Élysée... Et, en changeant de fonction, le nouveau chef de l'État entend être le principal acteur de l'action militaire et diplomatique française. Il est très populaire.

Un mois après l'attentat de Sarajevo, Raymond Poincaré part pour la Russie, accompagné du président du Conseil Viviani, nommé cinq semaines plus tôt. En la personne de Raymond Poincaré, le tsar Nicolas II, qui règne depuis vingt années, reçoit le sixième président français impliqué dans l'alliance. Nicolas II est l'empereur de toutes les Russies, ces immenses régions reliées entre elles par un réseau ferroviaire en plein développement grâce à la confiance de la France républicaine. Exemple de ce bon fonctionnement : une lettre, postée le 3 mars 1905 à Tien-Tsin, en Chine, par un militaire français du corps d'occupation et adressée à « Monsieur Languillat, aux Hauts-Bâtis, Grand Pré, Ardennes » ne met que trois semaines pour parvenir à destination. La mention « France » ne figure même pas sur l'enveloppe ; on lit seulement ces deux mots magiques « Via Sibérie ». Les emprunts ont permis au Transsibérien de générer une famille de lignes, étendues comme une toile d'araignée.

Depuis trois ans, l'alliance franco-russe a été réactivée. En juillet 1911, le général Dubail, chef d'état-major de l'armée française, est venu à Saint-Pétersbourg. Il a obtenu l'engagement formel du tsar et des autorités compétentes que la Russie ferait diligence pour activer la mobilisation et la concentration des troupes. On avait calculé que, en cas d'attaque du territoire français, les forces tsaristes atteindraient la frontière allemande de l'Alsace-Lorraine dès le seizième jour. L'année suivante, en juillet 1912, ce fut au tour des Russes de revenir en France. Une convention navale, complétant les accords de 1892, fut signée et, en octobre, le grand-duc Nicolas assistait aux manœuvres en Poitou. Mais ce qui est le plus important est l'engagement pris par le général Gilinski, chef de l'état-major impérial, auprès du général Joffre, généralissime désigné, que « les armées russes prendraient l'offensive le quinzième jour ». Quelques réticences ont été formulées. On sait bien, aujourd'hui, que ce plan n'était guère réaliste, car une offensive déclenchée en deux semaines ne permettait pas que la mobilisation générale soit achevée : en Russie, il fallait au moins deux mois. Pourtant, ces dispositions aléatoires furent confirmées à Joffre lors de son séjour de trois semaines à Saint-Pétersbourg, en août 1913. L'entourage militaire du tsar s'était montré très ouvert aux préoccupations françaises. L'engagement russe d'une offensive rapide était confirmé. Une promesse de poids, de la part du futur commandant en chef des troupes tsaristes.

Aussi, la visite de Raymond Poincaré, accompagné du président socialiste du Conseil René Viviani, est-elle un exemple de ce qui a été voulu et construit par les deux pays, en particulier depuis 1900. Cette année-là, lors de l'inauguration du pont Alexandre-III, une carte postale, vendue à des centaines de milliers d'exemplaires, montrait l'ouvrage d'art, la signature du défunt tsar, sa photographie et celle de son fils Nicolas II, celles des présidents Carnot et Faure. Le texte, vibrant, était une proclamation en vers :

Salut ! aux promoteurs de la grande Alliance
Qui fit enfin garder au canon le silence.
Et les Européens prêts à se décimer,
Conservons-en l'espoir, pourront un jour s'aimer.

Depuis Sarajevo, cet espoir était devenu bien fragile. Et cette question pertinente : l'alliance est-elle solide ? Une personne craint le pire. Alors qu'enflent les rumeurs de guerre, Raspoutine envoie au tsar un télégramme, long-temps resté secret : « Ne fais pas la guerre ! Un nuage effrayant s'étale sur la Russie. Malheur ! Elle sera toute submergée de sang. Et sa perte sera totale. »

Eût-elle connu cette prophétie, Alexandra, qui suit tous les avis de l'cnvoyé de Dieu, aurait-elle pu influencer son mari ?

Le 20 juillet, le cuirassé *France* arrive à Kronstadt, après une traversée de cinq jours depuis Dunkerque. Le tsar, qui a déjà signé une mobilisation partielle, accueille les deux présidents, celui de la République et celui du Conseil des ministres. Les discussions sur la situation et les risques de guerre aboutissent à « une communauté de vues » entre la France et la Russie. Lorsque, trois jours plus tard, les deux Français quittent Nicolas II, le chef du gouvernement français suggère que Belgrade obtempère aux demandes austro-hongroises compatibles avec sa sou-veraineté et son honneur. À l'escale de Stockholm, MM. Poincaré et Viviani apprennent que le tsar n'admettra aucune atteinte à la souveraineté serbe. En même temps, Berlin affirme son soutien à Vienne dans la procédure de l'ultimatum lancé à la Serbie par l'empereur François-Joseph après l'assassinat de son petit-neveu et héritier. Les deux Français hâtent leur retour. Le 29 juillet, à l'ambassadeur russe reçu en audience exceptionnelle, René Viviani déclare :

— La France remplira toutes ses obligations.

Les guerres balkaniques n'avaient été qu'un terrain d'exercice. On y avait essayé de nouveaux armements et éprouvé les nationalismes.

1er août 1914. La Serbie ayant rejeté – pour une seule véritable raison[1] – les demandes de Vienne, l'Allemagne déclare la guerre à la Russie le 1er août ; l'empire de Nicolas II, allié à la France et à l'Angleterre, vit des jours d'unité nationale. Le 2 août, une foule gigantesque, avec portrait du tsar et icônes, s'amasse sur la place du palais d'Hiver pour exprimer son dévouement au souverain qui apparaît, en uniforme, au balcon. On chante : « Dieu sauve le tsar ! », on pense : « Dieu sauve la Russie ! » Comment ne pas songer à l'immense gâchis qu'avait été, au même endroit, le « Dimanche rouge » ?

Mais Nicolas II a un autre souci, directement lié à son état de guerre contre l'Allemagne. Son épouse est née princesse allemande. Comme elle n'est pas populaire, même si elle est devenue orthodoxe et a changé de prénom, cette ancienne référence à sa nationalité d'origine est fâcheuse. En toute honnêteté, il serait cependant injuste de l'accuser d'un quelconque germanisme guerrier. Petite-fille favorite de la reine Victoria, elle est très anglophile, ce qui n'exclut pas ses sentiments, qu'on imagine perturbés, envers la famille de Hesse. Ni elle ni personne n'y peut quoi que ce soit, elle est devenue russe et impératrice

---

1. Il s'agissait de la présence de policiers autrichiens dans la commission d'enquête.

de Russie. Le nom de Saint-Pétersbourg, avec sa consonance empreinte de germanité, est évidemment regrettable dans un tel conflit. Face aux humeurs antiallemandes qui se manifestent (un défilé à l'angle de la perspective Nevski et de la rue Mikhaïlovskaïa) et dans un élan patriotique, Nicolas II change le nom de la capitale : le 18 août, il la russifie en Petrograd, la Ville de Pierre. Elle perd seulement sa sainteté... Il n'y a plus rien d'ambigu.

Le peuple soutient son empereur ; une carte postale est rapidement diffusée, représentant le tsar entre deux drapeaux russes avec, à gauche, une cavalerie cosaque chargeant sabre au clair et, à droite, des navires de guerre. La légende prouve l'osmose entre le pays et son souverain : « Règne pour intimider nos ennemis ». Témoin de cette entente dans la mobilisation, qui concerne environ dix millions d'hommes, les ouvriers de l'armement, des arsenaux et des usines ne font pas grève. Le 20 août, Nicolas II constate « l'union de sentiments et de pensées entre lui-même et son peuple tout entier à propos du conflit ». À Tsarskoïe Selo, la tsarine et les grandes-duchesses revêtent des uniformes d'infirmières, la tête et les épaules couvertes d'un voile blanc.

Les opérations commencent par une occupation de la Prusse-Orientale et de la partie autrichienne de la Pologne, en Galicie. Le grand-duc Nicolas, commandant en chef, donne une instruction qu'il faut rappeler car elle prouve l'honnêteté russe dans le respect de son alliance : « Étant donné que l'Allemagne déclara la guerre d'abord à nous et que la France, en sa qualité d'alliée, a cru de son devoir de nous appuyer immédiatement, il est nécessaire de soutenir les Français, alors qu'ils ont supporté l'effort principal des Allemands.

Mes premiers devoir et obligation sont de venir en aide à la France. » La 1re armée russe fonce vers Königsberg et bloque, par surprise, la VIIIe armée du Kaiser.

Devant cette avancée russe, l'Allemagne transfère une partie de ses unités du front occidental vers le front de l'Est, soit deux corps d'armée. La stratégie tsariste atteint son but : l'invasion allemande est arrêtée devant Paris et le front stabilisé. On peut donc faire remarquer aux porteurs d'emprunts russes, dépités et ruinés, que, d'une certaine façon, l'emprunteur a payé une partie de ses dettes. Avec son sang.

Mais le renforcement opéré par Berlin nuit, évidemment, aux positions de Nicolas II. Il s'ensuit une débâcle, inattendue, des troupes tsaristes en Prusse. Le 30 août, l'armée de Samsonov est encerclée et battue à Tannenberg par Hindenburg. Le bilan est terrible : quatre-vingt-dix mille prisonniers russes... Ce désastre est à peine compensé par une victoire au sud-ouest où les Russes détruisent une grande partie des effectifs austro-hongrois. Quinze jours plus tard, Hindenburg remporte une deuxième victoire, dans la région des lacs de Mazurie, contre les divisions tsaristes engagées sur le Niémen. Les Russes sont chassés de Prusse-Orientale... La guerre est également sous-marine ; le 11 octobre, le cuirassé russe *Palada* est coulé par un submersible de Guillaume II, puis le conflit s'étend à l'Empire ottoman : le 28 octobre, sans déclaration de guerre, deux navires de guerre turcs, cadeaux de l'Allemagne, bombardent les ports russes de la mer Noire. La veille de Noël, cent trente-quatre mille soldats allemands sont aux mains des Russes.

Le 2 mai 1915, la situation militaire russe devient catastrophique. La contre-offensive austro-allemande entraîne une lourde défaite des armées du tsar, qui doit céder la Lituanie et la Pologne. La moitié des effectifs est hors de combat. L'activité économique ralentit, les usines d'armement produisent moins et les besoins du front ne sont pas satisfaits. De plus, l'incapacité du commandement, les pertes humaines, les larcins et les vols commis par des déserteurs font monter un mécontentement général. Parmi les reproches, circule, de plus en plus, la rumeur faisant de Raspoutine un espion allemand. On le traite de lâche alors qu'il est un pacifiste et n'a cessé de prédire à la Russie des calamités si elle entrait en guerre… Personne – il faut le reconnaître – ne l'a écouté tant il cristallisait de haine, des maris trompés jusqu'aux politiciens évincés.

Le tsar n'a aucune compétence stratégique ni tactique. Raspoutine le pousse à destituer le grand-duc Nicolas Nikolaïevitch de son commandement. C'est une double faute car, d'une part, cet oncle est très populaire parmi les troupes et, d'autre part, en décidant de se placer lui-même à la tête de ses armées, Nicolas II sera responsable de tous les revers. À dater du 22 août, il personnifiera l'échec. Pis, il délègue le pouvoir à l'impératrice, mais tout le monde comprend que Raspoutine en est le réel dépositaire. À ceux qui en doutent encore, l'irremplaçable devin hurle, en tapant du poing sur la table :

— Je tiens l'empire de cette main-là !

Et c'est presque vrai. La correspondance quotidienne que la tsarine adresse à son mari à cette époque est une succession de reproches parce que Nicky n'écoute pas les conseils de Raspoutine, et de suggestions pressantes faites au tsar. Exemples : 1er novembre 1915 : « Notre Ami est très affligé par la nomination de Trepov au

ministère des Transports, il sait qu'il est contre toi[1]. »
6 janvier 1916 : « Notre Ami regrette qu'on ait commencé
l'offensive sans demander son avis, il t'aurait conseillé
d'attendre. » 14 mars : « Je t'envoie une fleur et une
pomme de notre Ami. Il considère que le général
Ivanov conviendrait bien pour le poste de ministre de
la Guerre[2]. » Raspoutine est l'ami intime du couple
impérial, son mentor, son directeur de conscience et
son censeur. Et le tsar est sous sa tutelle politique,
comme Alexandra lui est soumise par dévotion.

Seule la percée du général de cavalerie Broussilov
contre les Autrichiens en mai et juillet 1916 saura
faire, un moment, diversion ; mais, rapidement, il doit
battre en retraite, car l'intendance ne suit pas et il est
à court de munitions. La vérité est accablante, la
Russie n'était pas prête, Raspoutine avait raison...
L'armée manque de tout, les soldats ont froid et faim.
La propagande pacifiste est efficace dans l'hiver, très
rigoureux, de 1916-1917 ; les appels à la désertion
s'amplifient et ils sont entendus ; la guerre met en évidence les retards techniques, le manque de véhicules
automobiles – le cheval restant la principale force de
traction –, tandis que le charbon arrive irrégulièrement pour nourrir les chaudières des locomotives ;
les chars de combat et les avions se révèlent inexis-
tants. La Russie en paix était une grande illusion qui
s'épanouissait à crédit ; la Russie en guerre n'est

1. Trepov sera Premier ministre du 10 novembre au 27 décembre
1916, c'est-à-dire au moment de l'assassinat de Raspoutine.
2. Sur la Russie et la fin du tsarisme, on se reportera, avec le plus
grand profit, aux deux excellents numéros de *La Nouvelle Revue
d'Histoire* n° 5, mars-avril 2003, et n° 32, septembre-octobre 2007.

qu'une grande désillusion, pour elle-même et pour ses alliés.

La capitale, qui compte près de quatre cent mille ouvriers liés à l'industrie de guerre, semble soumise à l'influence, désastreuse, du guérisseur et de l'impératrice. On assure, de plus en plus, qu'Alexandra est entourée d'agents allemands – ce qui est faux – et que son mari est, par amour, soumis à sa volonté – ce qui est largement exact. Mais il y a un fait incontestable : sous l'influence de Raspoutine, Nicolas II a nommé un nouveau chef du gouvernement, Stürmer, le 20 janvier 1916. Or, même si son prénom est Boris, son nom est allemand. En ces temps de guerre contre le Reich et le Kaiser, ce choix ne peut qu'être une inconsciente provocation. Il aggrave la germanophobie, très répandue. « De véritables pogromes antiallemands ont eu lieu à Petrograd et à Moscou[1]. » Et, d'une façon particulièrement maladroite, Stürmer, politicien de soixante-dix ans corrompu et monarchiste autoritaire, refuse de russifier son nom. Alexandra intervient, d'abord pour effacer ce patronyme germanique puis, trois jours plus tard, pour faire exactement le contraire ! À son mari, elle écrit cette observation insensée et tristement révélatrice : « (…) Ne lui permets pas de changer de nom, cela lui nuirait. Tu te rappelles que Grigori a dit ainsi. Il apprécie énormément Grigori et c'est une grande chose. » Grigori, c'est évidemment le prénom de Raspoutine. On voit que le guérisseur a ses obligés qui chantent ses louanges, lui-même les recommandant aux plus hautes fonctions à un moment tragique… Le tsar est

---

1. Hélène Carrère d'Encausse, de l'Académie française, *Nicolas II, la transition interrompue*, Fayard, 1996.

aussi dans la plus grave erreur en estimant sans effet ce nom germanique « auquel ils se feront tous » !

On s'interroge : Stürmer est-il secrètement chargé de négocier une paix avec l'Allemagne ? Ou bien est-il un traître qui va saboter l'action du gouvernement et des armées ? Il ne reste au pouvoir que jusqu'au 1er novembre, mais Raspoutine est tellement vénal qu'il a pu se laisser soudoyer par Guillaume II et proposer ce choix désastreux au tsar. Partout, on débusque l'esprit maléfique du gourou de la tsarine. Même l'impératrice douairière, la veuve d'Alexandre III, essaie, à plusieurs reprises, de prévenir son fils qu'il est trop faible et doit réagir sans tenir compte des conseils permanents du mage. On supplie Nicolas II de décider lui-même, de juger par lui-même, d'avoir de l'autorité. Cette démarche, délicate, vise à écarter l'impératrice des décisions politiques et militaires puisque elle-même n'a pas son libre arbitre et n'a aucune compétence. La famille échoue à raisonner Alexandra. Au contraire, cette dernière se cabre et menace tous ceux qui en veulent à Raspoutine – et donc à elle – de la déportation en Sibérie… À partir de la fin 1916, il est clair que l'impératrice, politiquement et psychologiquement séduite par les manœuvres de son conseiller universel, est capable des pires folies. Raspoutine lui répète qu'elle a le vrai pouvoir. Et si, dans sa vision totalement déséquilibrée et coupée de toute réalité, Alexandra se prenait pour une réincarnation de la Grande Catherine, « une seconde Catherine », comme le lui a fait miroiter le faux vénérable ?

Raspoutine étend son influence ; il intervient dans les affaires de l'État, de l'Église, se livre à des opérations commerciales douteuses. On l'accuse de débauche, d'orgies, on dénonce ses appétits sexuels, la police le surveille… pour le protéger. En cette même année, la Russie a déjà perdu deux millions d'hommes, ce qui constitue le plus accablant des constats. Et dans Petrograd figé par l'hiver – on dirait que cette saison a signé un contrat avec la guerre –, dans cette ville où tout est cher et rationné, le régime politique est chaque jour plus déconsidéré et le moine lubrique haï.

Il faut redire combien Alexandra est passée de l'observance religieuse à la superstition maladive. Les effets de l'absence d'héritier mâle pendant dix ans puis la révélation, au bout de dix mois, de la maladie du tsarévitch avaient plongé sa mère dans un état de quasi-prostration. On avait bien vu, dans l'entourage du tsar, à quel point Alexandra se sentait coupable. L'hémophilie avait fait mourir son frère, l'un de ses oncles et deux de ses neveux. Et on avait assisté aux appels du couple aux puissances surnaturelles. À la Cour, on avait vu passer, pour des consultations mystiques, un mage français et un moine tibétain. On s'était habitué à ces conciliabules dans des vapeurs d'encens, avec prières et baisers aux icônes, démarches plus pathétiques qu'inquiétantes mais qui ne grandissaient pas la réputation de l'impératrice. La tsarine avait même fait canoniser un ermite mort un siècle plus tôt. Douze mois après la grandiose cérémonie qu'elle avait imposée à sa mémoire en 1903, elle accouchait d'Alexis.

Et puis, était apparu Raspoutine, soutenu dans son attitude débauchée par quelques dignitaires de l'Église, en particulier l'archimandrite Théophane, confesseur de l'impératrice et recteur de l'Académie de théologie. L'ascendant de ce « saint homme », affirmant que les vices rapprochent l'homme de Dieu, était sans faille. Stolypine, nommé Premier ministre, qui avait ordonné une enquête de police complète sur ce personnage envahissant et sûr de ses appuis, voulait éloigner Raspoutine de la

Cour et du gouvernement ; il avait préconisé son exil en Sibérie, ce qui avait provoqué les hurlements de l'impératrice. Alexandra s'était mise à détester ce politicien qui compromettait une destinée divine. Et Stolypine, disgracié, avait été assassiné peu de temps après. Son ou ses assassins savaient ce qu'ils faisaient ; seul, sans doute, Stolypine aurait pu sauver la Russie. On peut admettre qu'il avait été éliminé à cause de Raspoutine. Quiconque critiquait le *starets* ne pouvait qu'être malfaisant...

Lorsque le guérisseur, dont la clientèle est un harem caquetant de femmes mariées qui ne peuvent lui résister, attendant des jours d'être reçues par le seul homme capable de les « aider », avait demandé à visiter l'état-major du grand-duc Nicolas, commandant en chef au début de la guerre, l'oncle du tsar lui avait répondu : « Viens au plus vite... pour que je te pende ! » Cette idée est devenue celle d'un des hommes les plus séduisants et les plus fortunés de Russie, le prince Félix Youssoupov, marié à une nièce de Nicolas II. Youssoupov est arrivé à la conclusion que cet imposteur qui se mêle de tout est le vrai responsable des malheurs de l'empire. Nicolas II est loin, aveugle et sourd. Face à la situation militaire et au drame privé qui le mine, il ne voit ni n'entend que Raspoutine n'a qu'une ambition : montrer sa puissance en récompensant ceux qui lui cèdent, en particulier des incapables et des corrompus, tout en écartant les gens utiles et désintéressés. Youssoupov en est certain, pour sauver le tsar et la Russie, il faut tuer Raspoutine ! Ce prince et son épouse forment un très beau couple. Lui, les traits un peu asiates et fins, que sa mère aimait habiller en fille, est homosexuel ; sa femme, magnifique et prestigieuse héritière, lui a permis d'être très

386

proche de la famille impériale. N'ayant pas été appelé sous les drapeaux mais s'apprêtant à suivre une rapide formation militaire, il éprouve un complexe de ne pas servir son pays. Éliminer celui qui, depuis dix ans, nuit à la Russie lui semble être une forme de devoir de salut public.

Il prépare donc un plan. Cette affaire a suscité bien des interrogations et des fantasmes, alimenté des himalayas de littérature, rigoureuse ou non, et une dizaine de films, y compris soviétiques. L'événement, sur lequel une explication inédite a été apportée récemment, intrigue encore et intéresse les nombreux visiteurs du palais Youssoupov, superbement restauré, théâtre d'un fait divers rocambolesque qui a achevé de plonger le pays dans un climat révolutionnaire. Avec des personnages en cire, on a même reconstitué, dans le sous-sol, l'atmosphère de complot de cette soirée incroyable du 16 décembre 1916. Le prince a pensé que son immense palais (cent quarante-trois pièces dont un ravissant petit théâtre de deux cents places, édifié en 1899, où Nicolas II a chanté des airs de l'opéra *Eugène Onéguine* !) serait le lieu idéal pour mettre fin aux agissements de cet esprit diabolique. Son exécution est, a priori, minutieusement préparée. Pendant des semaines, Félix a surveillé sa cible. Raspoutine ne fréquente pas l'aristocratie qui le méprise. Pour l'attirer chez lui, le prince lui fait savoir qu'il y aura de jolies femmes, lesquelles manquent d'hommes en ces temps de guerre. Un argument décisif. Mais qui va entrer dans cette conspiration justicière ? Cinq hommes. Le grand-duc Dimitri Pavlovitch, qu'Alexandra apprécie mais qu'elle n'a pu convaincre des bienfaits raspoutiniens ; le député Pourichkevitch qui, dans un discours à la Douma, avait dénoncé « les forces de l'ombre » n'attirant que des calamités ; Soukhotine, un officier, et un jeune médecin militaire, le docteur Lazovert et Félix. On doit tout prévoir car une légende, tenace, veut que Raspoutine soit invincible ; il a – c'est exact – déjà échappé à plusieurs attentats. Un poison semble préférable, et Lazovert est chargé de l'opération. Les conjurés ne sont guère discrets, assurant dans Petrograd que l'heure du châtiment va bientôt sonner. On en informe – la police ? – Raspoutine qui, plus méfiant que jamais, limite ses sorties, surtout le soir. Mais il ne résiste pas à l'invitation du prince. Et surtout à l'idée d'être présenté à sa ravissante épouse, Irina. Pour l'occasion, il s'est parfumé et a revêtu une blouse rose propre.

Le 16 décembre, Félix Youssoupov va chercher son invité en voiture chez lui, dans cet antre où, pendant la journée, des femmes attendent longtemps avant de recevoir des conseils chèrement tarifés pour les nanties, gratuits pour les autres. Voici les deux hommes dans la pièce voûtée, aménagée en petit salon dans les soussols du palais. La princesse ne paraît pas et pour cause, elle est fort loin, dans une des propriétés familiales en Crimée. On entend de la musique qui provient du rez-de-chaussée. Le maître de maison prétend que son épouse reçoit quelques amies de la bonne société et qu'elle viendra les rejoindre un peu plus tard. En réalité, il a congédié tous ses domestiques, et c'est un gramophone qui égrène une mélodie pour donner l'illusion sonore d'une petite réception. Les autres conspirateurs, angoissés, attendent. En principe, ils ne doivent pas intervenir.

Sur la table ronde, le prince a disposé un plateau de petits gâteaux et un flacon de vin. Avec une seringue, le docteur Lazovert a injecté du cyanure dans les pâtisseries et en a déposé sur les bords d'un verre. L'effet devrait être foudroyant. Youssoupov demande à Raspoutine de renoncer à ses interventions. Le visiteur refuse, en absorbant les premiers gâteaux. Catastrophe : le poison n'agit pas, c'est à peine si le gourou se racle la gorge... Le prince est affolé, la résistance surhumaine de l'invité n'était pas une légende... Cet homme est le diable ! Question : pourquoi le cyanure est-il inefficace ? Deux réponses : soit la dose calculée par le médecin était trop infime, soit, ayant percé les intentions de ses ennemis et du prince, Raspoutine était immunisé, mithridatisé. Pis, il est tellement vivant qu'il propose d'aller finir la soirée chez les tsiganes, puisque la princesse est retenue par ses invitées !

La suite, assez confuse, peut être résumée ainsi : le prince, en uniforme, décharge son revolver sur l'invincible... qui vacille et tombe enfin. Au bord de la folie, Félix Youssoupov bondit dans le petit escalier, rejoint ses complices effarés. Le diable est mort ! Il n'était qu'un homme... Puis, ils enroulent le corps dans une peau d'ours et essaient de reprendre leurs esprits. Il va falloir se débarrasser du cadavre.

Lorsqu'ils redescendent, le spectacle est hallucinant ! Le mort est vivant ! Tout en hurlant, la rage décuplant ses forces, Raspoutine essaie d'étrangler le prince puis parvient à s'enfuir. Alerté, Pourichkevitch se lance à sa poursuite et tire quatre balles sur le fugitif hurlant. Cette fois, il s'effondre dans la neige. Il ne bouge plus... Ficelé dans des rideaux, le corps est emporté loin du palais, jusqu'à la Neva où il est jeté dans l'eau quasiment gelée... Le cauchemar est fini, la Russie et les Romanov sont délivrés d'un pervers qui les conduisait vers l'abîme. Et pourtant... Les coups de feu entendus dans la nuit, dans ce quartier désert, ont attiré la police. La réponse est qu'on a tiré sur des loups affamés qui se sont échappés. La vérité, macabre, est connue trois jours plus tard lorsque le corps est repêché dans la Neva. Selon cette thèse, le poison n'a pas pu agir, on n'en trouve pas de trace à l'autopsie. Le médecin, apeuré par son geste, a-t-il fait semblant de verser le cyanure ? Voulait-il vraiment tuer Raspoutine ? En revanche, les balles sont bien réelles, mais leur impact n'a pas été mortel. Toujours selon cette thèse, le visiteur est mort noyé et gelé. Mais, récemment, les services secrets britanniques ont rendu publiques des archives qui relancent cette affaire rocambolesque. Le gouvernement de Londres, convaincu que Raspoutine était à la solde de l'Allemagne, avait désigné un de ses agents pour l'exécuter. Des documents montrent que si Raspoutine est bien sorti vivant du palais, c'est, en fait, le tir précis du tueur envoyé par Londres qui aurait abattu définitivement le blessé et, en tout cas, l'aurait achevé.

Youssoupov, qui n'était pas bon tireur, et Pourichkevitch étaient persuadés que leurs armes l'avaient atteint...

Deux remarques complémentaires doivent être ajoutées. Le prince Youssoupov avait voulu multiplier les précautions. Entre le salon et l'escalier de bois conduisant à la cave, il avait fait aménager un passage avec six portes identiques à miroirs masquant la sortie, au cas où Raspoutine survivrait. De cette façon, il ne trouverait pas le moyen de fuir. Ce piège fut inefficace, mais il prouve combien les conspirateurs pressentaient une résistance chez leur victime. Par ailleurs, on a eu la preuve que Raspoutine avait deviné qu'on voulait l'assassiner. Avant de se rendre au palais Youssoupov, il avait rédigé un testament prémonitoire. Une véritable prophétie, dans laquelle il maudissait le tsar : « Si je suis tué par des hommes ordinaires, par mes frères, toi, Tsar Nicolas, tu vivras. Tu resteras sur le trône et tes enfants vivront. Si je suis tué par des seigneurs, des aristocrates, mon sang coulera sur toute la Russie, et ils devront quitter le pays qui basculera et sera vaincu. »

Deux mois plus tard, la révolution éclatera à Petrograd.

Que la tsarine soit effondrée, pleurant celui qui soulageait les souffrances du tsarévitch, « un saint » qu'elle a fait enterrer dans le parc de Tsarskoïe Selo, on pouvait s'y attendre. Que Nicolas II envoie le grand-duc à la guerre et Youssoupov au loin, assigné à résidence sur ses terres, est normal, même si le tsar n'est pas aussi atteint par le drame que son épouse. Les conjurés espéraient beaucoup de leur action, si pitoyablement réalisée. Les conséquences de l'événement sont multiples. Il divise la Russie. En ville, on crie son soulagement, l'imposteur n'humiliera plus personne. Le général Janin, chef de la mission militaire française, constate, surpris, que « la nouvelle a excité chez les officiers une joie débordante et bruyante. Une bataille gagnée avec cent mille prisonniers n'en eût pas excité davantage ». L'état-major ne décolérait pas contre les nominations et mesures qu'il avait imposées au tsar. Dans les campagnes, au contraire, on est scandalisé. Un prince a tué un moujik, un homme venu du fond de la Russie, avec ses croyances et ses visions. Grâce à lui, Alexis était en vie ; un homme guérissant un enfant ne pouvait pas être mauvais… Disparu, il avive une haine sociale qui était déjà implacable. On ne saura jamais si, survenue plus tôt, la mort de Raspoutine aurait été profitable à la Russie ; en revanche, il est certain qu'elle intervient beaucoup trop tard. Elle ne sauve ni le régime ni la dynastie et contribue au contraire à discréditer les deux ; elle ne fait que mettre en évidence la solitude de Nicolas II, le vide au sommet du pouvoir. Mal conseillé, mal entouré, le souverain est seul, marié à une étrangère déséquilibrée, et il est incapable d'affronter l'adversité. Délaissant le quartier général de Moghilev, il s'enferme, désespéré, à Tsarskoïe Selo pendant plusieurs semaines. Nicolas II ne saisit pas ce qui aurait pu être sa dernière chance, écouter la Douma et admettre le principe d'une monarchie constitutionnelle. Deux mois plus tôt, par l'intermédiaire de son ambassadeur à Petrograd, sir George Buchanan, le roi George V d'Angleterre avait adressé un message secret au tsar, son cousin. Respectueusement, le diplomate lui avait suggéré de regagner la confiance populaire. De toute urgence... Mais Nicolas II n'avait pas compris. Étonné, il avait posé cette question confondante :

— Voulez-vous dire qu'il me faut regagner la confiance de mon peuple ou qu'il faut qu'il regagne ma confiance ?

Un malentendu de plus. Nicolas II est otage de son immobilisme. À Paris comme à Londres, on suit, avec inquiétude, la situation qui se détériore en Russie. L'allié est non seulement défaillant mais encore dans l'impossibilité d'assurer sa propre survie. Face aux lourdes et inutiles pertes humaines, à la paralysie économique et à la propagande pacifiste, le pouvoir devrait être ferme et lucide. Il n'est que dépassé. Dix jours après l'assassinat de Raspoutine, le souverain se borne à changer le Premier ministre Trepov ; il n'est resté en fonction que cinq semaines. Sans en être conscient, le tsar abandonne son ultime autorité au Parlement. En attendant la colère de la rue...

La mémoire sanglante de la capitale est réveillée le 9 janvier 1917, quand trois cent mille personnes commémorent le « Dimanche rouge », ce qui était inconcevable deux ans et demi plus tôt. Des pancartes hostiles à l'empereur sont brandies. Des grèves sont organisées à la même heure, y compris à Moscou. Sans paraître inquiet ni soucieux, le tsar quitte Petrograd le mercredi 22 février pour suivre, dans son train spécial, les opérations militaires le plus près possible du front ; son quartier général est en pleine forêt, à Baranovitchi, où il préside le Conseil des ministres. Nicolas II répète ainsi l'erreur fatale de Napoléon III en juillet 1870, il organise et amplifie le vide politique. Le tsar ne s'enfuit pas, il ne comprend pas qu'il a encore en main la possibilité, de plus en plus hypothéquée, de lancer, lui aussi, son appel au peuple. Dès le lendemain, dans la ville qu'il a quittée, les prix s'envolent brutalement ; les files interminables et maintenant les magasins vides qui ferment leurs rideaux attisent l'atmosphère révolutionnaire. La municipalité décide de rationner le pain, en accord avec le commandant de la place. La mortalité des civils augmente à cause de la malnutrition, du froid et de l'humidité contre lesquels on ne peut pas lutter car le charbon manque. L'interdiction de se réunir, ne serait-ce que pour organiser une cantine de misère, tout pousse le prolétariat au désespoir. Le malheureux Nicolas II réunit tous les mécontents contre lui, des monarchistes libéraux aux républicains socialistes. Le tsarisme est en perdition. Nicolas le Sanglant est devenu Nicolas la Guerre… perdue. Maintenant, il faut renverser le tsar ; le « fusible » Raspoutine ne l'a pas protégé.

Les manifestations se succèdent en direction de l'hôtel de ville puis de la perspective Nevski. Les rangs grossissent avec les femmes des faubourgs ouvriers, mères de famille épuisées réclamant du pain pour leurs enfants. Depuis les journées d'octobre 1789 en France, il n'y a pas de révolution sans femmes. Samedi 25, des manifestants n'ont pas que des banderoles hostiles au tsarisme et à la poursuite de la guerre. Ils sont armés, certes faiblement – quelques revolvers, des barres de fer, des bouteilles, des moellons –, mais ils le sont, ce qui est nouveau. Nouveau aussi est le sentiment que l'insurrection a le soutien de l'armée ; la garnison de Petrograd n'est ni brillante ni sûre, principalement composée d'éléments qui ont réussi à échapper au front.

Lundi 27 février. Deux cent mille ouvriers en grève défilent. Ils fraternisent avec la troupe et se dirigent vers l'Arsenal et le palais d'Hiver, qu'ils envahissent. Le lendemain, les éléments mutinés s'avancent dans le centre de la ville. Plus de portraits du tsar, des drapeaux rouges. Les cosaques, ces soldats prestigieux de la Garde, sont en tête. Le nouveau « souverain » auquel l'armée et le peuple veulent jurer leur soutien est la Douma, mais tout n'est pas aussi clair. Lorsque la foule se dirige vers le palais de Tauride, où siège le Parlement, certains députés se demandent si les insurgés viennent pour les acclamer ou pour les massacrer. Seul un brillant avocat de trente-six ans, élu en 1912, ose se porter au-devant de la foule et saluer son arrivée. C'est Alexandre Kerenski. Il annonce la constitution d'un soviet qui, avec un gouvernement provisoire, négocierait l'instauration d'un nouveau régime. Le tsar avait abandonné sa capitale ; il est, à son tour, abandonné.

Mardi 28 février, à l'aube, le président de la Douma envoie un télégramme au quartier général de Nicolas II : « Les institutions gouvernementales ont cessé de fonctionner à Petrograd. Le seul moyen d'éviter l'anarchie est d'obtenir l'abdication de l'empereur en faveur de son fils. » Quelques heures plus tard, le train spécial du tsar repart en direction de Tsarskoïe Selo. Le retour de l'empereur ? Pour se présenter à la Douma ? Instituer une régence en faveur de son frère cadet le grand-duc Michel, ancien héritier du trône jusqu'à la naissance d'Alexis ? Cet autre fils d'Alexandre III est général depuis 1916. Non. Nicolas II espère reprendre le contrôle de la situation par l'autoritarisme, en ordonnant à quatre régiments de marcher sur Petrograd pour mater l'insurrection et en suspendant la Douma.

Tous ses ordres sont non seulement inutiles et obsolètes mais inappliqués ; en effet, même si la monarchie existe encore, elle n'est plus obéie. Ici, intervient une raison technique aux conséquences imprévues. Pour ne pas gêner la marche des unités envoyées sur Petrograd, Nicolas II accepte, comme on le lui demande, de modifier son itinéraire en direction de Tsarskoïe Selo. Il est otage de quelques aiguillages, enfermé dans ce convoi qu'il ne contrôle plus. Réalité ou piège, le résultat est que son train est détourné vers Pskov, à environ deux cents kilomètres au sud-ouest de Petrograd. À six heures de chemin de fer... Encore un éloignement révélateur. L'ancienne rivale de Novgorod est le quartier général du front nord. À huit heures du soir, le convoi impérial s'immobilise en gare de Pskov. Sur le quai, le général Rousski, commandant en chef du front nord, supplie Nicolas II de faire des concessions. L'officier ne croit guère à leur efficacité, et il explique à celui qui est encore l'empereur qu'il serait vain de résister à l'immense mouvement. Alexeïev, le chef d'état-major, pour qui l'autocratie est condamnée depuis la veille, envoie une dépêche aux quatre commandants des autres fronts. Le texte devrait être une question décisive, mais il est une affirmation. Le général assure ses subalternes que « l'abdication de Nicolas II est indispensable pour rétablir le calme dans le pays et permettre de continuer la guerre ». Cette motivation illustre le fossé qui sépare encore Petrograd des armées autour de la ville. Celle-ci veut et l'abdication du tsar et la paix immédiate, tandis que les généraux les plus proches de l'empereur, débarrassés de lui, entendent poursuivre les combats. Jusqu'à présent, il est encore impossible de prévoir lequel des deux camps, des alliés de la Russie ou de la coalition menée par Berlin et Vienne, va l'emporter.

Les réponses arrivent en début d'après-midi, le 2 mars, unanimes. Elles ont un caractère d'ultimatum. Rousski y joint la sienne. L'armée demande à son chef – c'était une illusion de plus – d'abdiquer. Nicolas II reste silencieux dans sa voiture-salon. Puis, d'une voix ferme qu'on ne lui soupçonnait plus, il annonce à l'état-major au garde-à-vous :

— Je me suis décidé. Je renonce au trône en faveur de mon fils.

Enfermé dans son cabinet de travail au milieu de sa voiture, le tsar établit un texte avec son chambellan. Un silence total accompagne ces dix minutes historiques. Officiellement, d'après le document, il est trois heures de l'après-midi. Le texte – une page – est dactylographié sur une feuille de papier ordinaire, sans monogramme, dans le compartiment des aides de camp. Avant de le lire et de le parapher, le tsar se signe plusieurs fois, selon la tradition orthodoxe. Pense-t-il aux icônes protectrices qu'Alexandra lui envoyait de la part de Raspoutine pour bénir les déplacements de son convoi ? Ce 2 mars 1917, personne à l'extérieur ne peut voir le malheureux empereur accomplir ce geste de foi, les rideaux de la voiture-salon sont baissés. Comme pour un convoi funèbre... Nicolas II, dix-neuvième tsar de la dynastie, a cessé de régner après vingt-trois ans de pouvoir. Fataliste, résigné, il semble indifférent. Nicolas Romanov est l'otage de ses généraux.

Cependant, après une conversation avec son médecin qui lui a rappelé que le mal dont souffre le tsarévitch est incurable et que – prémonition – la famille impériale risque d'être séparée, ce père attentif et aimant a modifié sa décision finale, pour ne pas être privé de la présence d'Alexis. Le calvaire sera familial. Par une entorse juridique aux traditions, Nicolas II abdique donc une deuxième fois au nom de son fils et en faveur de son frère, le grand-duc Michel. Ce dernier était, en réalité, le fils préféré d'Alexandre III. Lorsque la naissance d'Alexis l'avait déchargé du titre de tsarévitch, en 1904, cet homme au visage ne portant qu'une fine moustache, jovial, de caractère léger, simple, passionné de musique, s'était placé en dehors des affaires de l'État. De dix ans le cadet de Nicolas, ses relations avec son frère et sa mère n'étaient pas faciles car, en 1912, il s'était marié contre leurs volontés avec une femme ravissante, Natalia Cheremetievska. Célèbre et ambitieuse beauté de Saint-Pétersbourg, elle était deux fois divorcée. La famille, furieuse, ne voulait plus voir ce couple à l'union morganatique. Le grand-duc, écarté de la succession au trône, et sa femme avaient quitté la Russie pendant quelque temps. Au début de la guerre, Michel était revenu pour faire son devoir ; il avait commandé la division dite *Sauvage*, puis le 2e corps de cavalerie.

Il faut souligner que Nicolas n'a pas fait de choix déterminé mais par défaut, n'ayant pas d'autre possibilité ; il est très amer que son fils ne puisse lui succéder. Tant d'amour, d'angoisses et de sacrifices pour en arriver à l'élimination forcée du tsarévitch le plongent dans un chagrin insoutenable. Et, contrairement à ce que l'on aurait pu penser, de nombreux députés regrettent aussi que la couronne ne soit pas placée sur la tête d'Alexis avec une régence. Le parlementaire monarchiste Goutchkov, dépêché spécialement de Petrograd pour être l'un des témoins de l'abdication, l'avoue même à Nicolas :

— Nous comptions sur la personne du jeune Alexis pour aider à une transmission du pouvoir en douceur...

Un enfant, très beau, même affaibli par une santé précaire et bénéficiant de la sympathie qu'attire le malheur, aurait été un signe de continuité dans la nouveauté. Mais la réalité est bien différente ; par la volonté de son frère, le grand-duc Michel succède au tsar et à son fils, ce qui le place dans une situation perturbante. Sur ces instants dramatiques, il reste un détail à considérer. Comme le relève Hélène Carrère d'Encausse : « L'acte d'abdication final est daté du 2 mars et porte une indication horaire fausse : quinze heures, alors que tout n'a été parachevé que le soir. Mais, par ce tour de passe-passe, l'empereur a tenu à marquer que la décision a été prise par lui seul et que les pressions de la Douma n'y ont point eu de part[1]. » Depuis des mois, le souverain se savait condamné ; il en était conscient et s'est sacrifié, mais il y a mis une forme qui ne manque pas de grandeur. Dans le silence de son train immobile devenu une prison, ce fut la dernière volonté politique de l'autocrate. Combien d'aiguilles de pendules et d'horloges ont été retardées pour convenir à l'histoire officielle ? Tous les hommes présents sont émus ; les deux envoyés de la Douma peuvent à peine parler. Toujours impassible et aimable, comme il l'était lors de ses audiences et dans sa vie privée, l'ex-tsar leur serre la main et ils descendent. Le train repart immédiatement en direction de Moghilev, le quartier général au sud, en direction de l'Ukraine.

L'ambassadeur de France, Maurice Paléologue, note fort justement : « L'histoire compte peu d'événements aussi solennels, d'une signification aussi profonde, d'une portée aussi énorme. Mais, de tous ceux qu'elle a enregistrés, en est-il un seul qui se soit accompli en des formes aussi simples, aussi ordinaires, aussi prosaïques, et surtout avec une pareille indifférence, un pareil effacement du héros principal[2] ! »

Lorsqu'elle est connue à Petrograd le lendemain, la nouvelle déchaîne la joie populaire. Les soldats jettent leurs toques et bonnets en l'air tandis que sur la perspective Nevski, des autodafés brûlent les emblèmes tsaristes. À la Bourse de Paris, le cours du rouble et des

---

1. *Nicolas II*, *op. cit.*
2. *Le Crépuscule des tsars*, collection « Le temps retrouvé », dirigée par Evelyne Lever, édition annotée et présentée par Nicolas Mietton, Mercure de France, 2007.

valeurs russes remonte. La situation reste compliquée, car la Douma a constitué un gouvernement provisoire présidé par le prince Lvov, lié à la franc-maçonnerie, qui se heurte au Soviet de Petrograd, dont les mots d'ordre sont repris dans tout le pays. Ce double pouvoir ne parvient pas à définir la politique à suivre. Maintien de l'empire ou adoption d'un autre système ? Paix avec l'Allemagne ou poursuite de la guerre ? Et cette question, délicate : que va-t-on faire des « citoyens Romanov » puisqu'il n'est plus question d'une « famille impériale » ? Le Soviet est déchaîné contre elle et ne veut plus entendre parler de ce régime qui a conduit au malheur et à l'oppression du peuple. Dans les rues, des musiciens de fortune interprètent une *Marseillaise ouvrière*... En ville, les références à la Révolution française sont nombreuses.

Le samedi 4 mars, il neige sur Petrograd. Avant onze heures du matin, dans un hôtel particulier de la rue des Millionnaires qui longe le Nouvel Ermitage, douze hommes sont réunis pour connaître la décision du grand-duc Michel. Le frère de l'ex-tsar s'y est installé. Accepte-t-il de succéder à son frère et à son neveu ? La Douma et le Soviet peuvent-ils permettre cette solution ? Le patriotisme a-t-il besoin d'une couronne ? Pour les uns, comme Kerenski, brillant orateur, l'avènement d'un nouveau tsar ne ferait que déchaîner la haine, justifiée, des révolutionnaires. Pour d'autres, tel Goutchkov, le grand-duc ne peut se soustraire à son devoir, mais il faut consulter le peuple réuni en Assemblée constituante. Une solution provisoire est avancée, sous deux titres possibles, soit celui de Régent de l'Empire soit celui, plus en vogue, de Protecteur de la Nation. De toute façon, cette hypothèse ne serait retenue que pour la durée de la guerre. Un des témoins rapportera à l'ambassadeur de France que « cette idée ingénieuse, qui pouvait encore tout sauver, provoqua chez Kerenski une crise de fureur, un déchaînement d'invectives et de menaces, dont tous les assistants furent terrifiés ».

Confusion, désarroi, affrontement violent... le grand-duc se lève et se dirige vers la chambre voisine du salon. Kerenski bondit, lui barrant presque le passage :

— Promettez-nous, Monseigneur, de ne pas consulter votre femme !

— Rassurez-vous, ma femme n'est pas ici en ce moment. Elle est restée à Gatchina.

La grande-duchesse, ex-comtesse Brassow, passe pour dominer son mari et se mêler de tout. Kerenski et les autres n'avaient pas envie qu'une femme, encore une fois, influence cet homme dont la légitimité ne tient plus qu'à un fil.

Cinq minutes plus tard, revenu au salon, le grand-duc, très calme, digne, patriote, élégant et courageux – toutes qualités qu'on lui refusait jusqu'alors... – déclare :

— J'ai résolu d'abdiquer.

Et il rédige une page manuscrite, d'une écriture régulière et penchée. On obtient de lui que son abdication soit provisoire et conditionnelle, le dernier mot devant revenir au peuple russe, dès que possible. Le 4 mars 1917, l'Empire russe a cessé d'exister. La Russie n'est plus une monarchie. Chassons une idée reçue : on doit préciser que, juridiquement, le dernier tsar n'est pas Nicolas II mais son frère, qui n'a régné... qu'un jour et dont la seule décision a été son renoncement. Étrange est le destin qui avait fait de lui l'héritier de la Couronne tant que son frère n'avait pas un enfant mâle et qui, treize années plus tard, l'avait de nouveau désigné comme successeur à cause de ce même enfant ! En trois cent quatre ans, les Romanov, toutes branches confondues, ont donné vingt souverains aux Russes. Par une coïncidence, le premier et le dernier Romanov, considérés comme dépositaires du pouvoir, portent le même prénom, Michel... On songe à Marie Stuart, avant d'entendre siffler la hache du bourreau : « En ma fin est mon commencement[1] »...

Alexandre Kerenski est lyrique. Il ignore à quel degré le Soviet ne cessera de s'opposer au gouvernement provisoire dont il est le ministre de la Justice. Une lutte fratricide est engagée entre les deux organismes, chacun rêvant d'éliminer l'autre.

Même jour, au palais Alexandre de Tsarskoïe Selo. Accaparée par la rougeole de ses enfants, Alexandra vient seulement d'apprendre, dans la soirée, qu'elle n'est plus impératrice. Depuis deux jours, les communications étaient coupées, elle n'avait aucune nouvelle du pauvre Nicky. Elle crie :

— Ce n'est pas possible !... Ce n'est pas vrai ! C'est encore une invention des journaux !... Je crois en Dieu et j'ai foi dans l'armée. Ni l'un ni l'autre n'ont pu nous abandonner dans une heure aussi grave !

Elle se trompe. La religion – disons l'Église – ne joue aucun rôle visible dans cette révolution. Cette

1. Le dernier empereur, Michel Alexandrovitch, qui n'a sans doute jamais été dupe que la rénovation était en fait une révolution, se rend ensuite auprès de son épouse, à Gatchina. Il y est bientôt arrêté. Exilé à Perm, sur le flanc ouest de l'Oural, il sera conduit dans une forêt et fusillé par les bolcheviks le 13 juillet 1918, trois jours avant l'exécution de son frère.

absence est d'autant plus surprenante qu'elle rythme de façon essentielle la vie des Russes, mais peut-être les compromissions de hautes figures orthodoxes avec Raspoutine ont-elles atteint son autorité spirituelle. Plus tard, Alexandra prétendra que, si elle avait été auprès de Nicky, elle aurait empêché une telle issue. Par son mysticisme hystérique, sa présence aurait, sans doute, alourdi l'atmosphère et rendu encore plus pénible ce qui, somme toute, resta digne. Car la haine populaire explose ; après Marie-Antoinette l'Autrichienne et Eugénie l'Espagnole, Alexandra l'Allemande l'emporte sur la femme Romanov. Des civils « suspects » sont fouillés dans la rue, la psychose de l'ennemi se répand.

De toutes les questions, urgentes et dramatiques, posées à ceux qui ont pris le pouvoir, il en est une délicate : que faire des Romanov ? Soviet et gouvernement provisoire se heurtent. En ce début mars 1917, ce dernier ne songe qu'à les faire partir à l'étranger et à garantir leur intégrité physique. Une destination est toute trouvée, l'Angleterre, le roi George V étant un cousin de Nicolas, affable et timide comme lui et, par ailleurs, son sosie. Le cabinet du Premier ministre, Lloyd George, manifeste un enthousiasme… limité. Et précise, avec délicatesse, que les frais d'exil devraient être assurés par… la Russie, quel que soit son gouvernement ! Le Soviet ne veut rien entendre de cette solution. Nicolas est un « tyran », comme l'était Louis XVI. Il faut donc l'emprisonner, le juger et, puisqu'il est coupable, le condamner à mort et l'exécuter. De plus, laisser les Romanov hors de Russie serait très imprudent. Qui sait si le tsar déchu ne reviendrait pas, comme Louis XVIII, dans les fourgons de l'étranger ? Pour éviter tout risque, Nicolas ayant regagné le palais Alexandre, le Soviet vérifie, le 9 mars, que l'ancien autocrate y est bien gardé. Toujours en uniforme, Nicolas Romanov est aux arrêts ; toute la famille et ses proches sont assignés à résidence. Pour l'envoi en prison et le procès, on verra plus tard. Une évasion restant possible, le Soviet fait bloquer, par les cheminots, la voie ferrée conduisant jusqu'à Mourmansk, au-delà du cercle polaire. La ligne, mise en service au début de la guerre, permet à la Russie d'être ravitaillée par ses alliés. De là, par la mer de Barents, les Romanov, que Kerenski aurait accompagnés jusqu'à Mourmansk, espéraient gagner l'Angleterre… Encore une illusion ! Que le Soviet refuse tout exil pour satisfaire la justice du peuple avec le châtiment capital n'est pas surprenant. Mais que le roi George V adresse, par son secrétariat, cette note à son ministre du Foreign Office relève de la plus haute et la plus distinguée des hypocrisies : « Sa Majesté ne peut s'empêcher de penser, en tenant compte des dangers du voyage, mais aussi de considérations plus générales, qu'il ne serait pas raisonnable que la famille impériale soit installée dans notre pays. » Lloyd George, qui se serait laissé convaincre d'accueillir les Romanov dans le malheur, n'est pas gêné pour adopter ensuite, avec une concision très *british*, la position de son souverain : « Le gouvernement de Sa Majesté n'insiste pas sur son offre première d'hospitalité à la famille impériale. » Oscar Wilde l'avait déjà noté, dans *Le Portrait de Dorian Gray* : « Tartuffe a émigré en Angleterre où il a ouvert boutique. » Michelet avait raison, « l'Angleterre est une île » et ne veut pas de soucis familiaux avec son… allié. Et du côté du Danemark, de la famille d'Alexandra, y aurait-il plus de compassion ? Il faut constater que non. Le père de George V avait épousé

Alexandra de Danemark mais ces parentés croisées ne sont d'aucun secours, Copenhague refuse de recevoir les Romanov sur le sol danois.

Nous sommes fin mars. La résidence forcée se transforme en une captivité. Elle va durer cinq mois, Kerenski s'assurant régulièrement que les Romanov sont au complet avec leur suite, dont deux demoiselles d'honneur et le précepteur suisse du tsarévitch, Pierre Gilliard. Une personne en a été éliminée et conduite au bastion Troubetskoï de la forteresse Pierre-et-Paul, Anna Wyroubowa, la femme qui avait introduit Raspoutine auprès de l'impératrice[1]. Ces visites sont des contrôles que le ministre de la Justice est obligé de faire, le Soviet se méfiant de sa sympathie monarchiste. Et il est vrai que le même Kerenski est sous le charme du citoyen Romanov avec lequel il s'entretient souvent. Il lui arrive même, dans un lapsus, de s'adresser à l'ex-souverain en lui disant « Sire… ».

Que fait-il de ses journées ? Il lit les journaux qu'on lui permet de recevoir, se promène sous bonne escorte, fume ses cigarettes, passe des heures à compléter des puzzles et ramasse la neige. On le dirait presque soulagé de ne plus avoir à prendre de décision. Mais, soudain, au détour d'un couloir, un garde s'oppose à son passage, ou l'officier qui a partagé son déjeuner lui donne l'ordre de regagner sa chambre. Alexandra est

1. Cette femme, dont la responsabilité dans la tragédie impériale ne peut être minimisée, sera libérée. Elle tentera d'entrer en contact avec Alexandra. Ayant miraculeusement échappé aux bolcheviks, elle mourut en Finlande, totalement oubliée, en 1964, âgée de quatre-vingts ans.

plus que jamais soumise au destin, dans une exaltation mystique permanente. Elle répète :

— C'est Dieu qui nous inflige cette épreuve. Je l'accepte pour mon salut éternel.

Mais cette expiation ne s'accompagne pas toujours de résignation. Sur un ordre, éventuellement mesquin, d'un de ses geôliers, elle devient encore plus pâle et siffle entre ses dents comme au bord d'une explosion de rage puis, portant sa croix, elle parvient à se maîtriser :

— Cela aussi, nous devons l'accepter... Le Christ n'a-t-il pas bu le calice jusqu'à la lie ?

Nicolas Romanov, sa famille et leurs fidèles sont les otages de la révolution. Jamais elle n'aurait éclaté sans la guerre. Et sans la guerre et surtout ses revers stratégiques, jamais Lénine ne serait revenu de son exil suisse à Petrograd le 17 avril, grâce à l'efficace et perfide complicité de l'Allemagne ; le Kaiser a laissé passer le révolutionnaire sur le territoire allemand « comme le bacille de la peste ». Et sans le retour de Lénine, comme le reconnaîtra Trotski en 1935, pas de révolution d'Octobre, pas de pouvoir aux bolcheviks...[1]

Fin juillet 1917, la débâcle des armées russes est totale devant l'avance allemande. Début août, un télégramme envoyé par le soviet de la 9e armée résume la panique : « L'offensive tourne à la catastrophe sans précédent, qui menace de perdre la Russie révolutionnaire. » Kerenski, devenu chef du gouvernement

---

1. Sur ce voyage dans un faux « wagon plombé », voir, du même auteur, le *Dictionnaire amoureux des Trains*, Plon, 2007.

provisoire après les émeutes bolcheviques, s'efforce de poursuivre la lutte aux côtés des Alliés ; il est toujours garant de la sécurité de l'ex-tsar et de sa famille. Inquiet de l'agitation et du recul bolchevique, il décide de transférer les Romanov à Tobolsk, vers l'est, loin du front. Kerenski pense, aussi, consolider son autorité. À son tour, l'empereur déchu va prendre le chemin de la Sibérie. Pour déjouer toute tentative anarchiste ou contre-complot monarchiste, Kerenski fait mettre sous pression deux trains de la Compagnie internationale des wagons-lits affectés, avant la guerre, au trafic du Trans-sibérien. La famille est regroupée dans un seul convoi, sans que l'on puisse savoir lequel ; les tsars, au temps de leur pouvoir, voyageaient ainsi. Une impression-nante escorte (trois cent vingt-sept hommes) surveille les otages. Les toits et les flancs des deux rames sont recouverts d'emblèmes de la Croix-Rouge japonaise, le Japon étant, par une volte-face de l'histoire, allié de la Russie. Les trains quittent Tsarskoïe Selo le 1er août, à six heures du matin, et se suivent à une heure de temps. La tragique odyssée des Romanov commence. À Tioumen, après l'Oural, première ville fondée par les Russes en Sibérie en 1586 et qui avait été le point de départ de la colonisation, les voyageurs prennent un bateau sur la rivière Tobol ; le 5 août, ils passent devant Pokrovskoïe, le village natal de Raspoutine, ce qui bou-leverse Alexandra. Le lendemain, ils atteignent Tobolsk et sont détenus dans l'ancienne résidence du gouverneur, une maison délabrée au bord de l'eau. Une semaine a été nécessaire pour parcourir les quelque mille cinq cents kilomètres du trajet. Avec le bref automne sibérien et l'arrivée de l'hiver, les conditions de la captivité sont très rudes : la température descend à... – 38°C ! C'est là que Nicolas et les siens apprennent la révolution d'Octobre, la prise du palais d'Hiver, la chute de Kerenski et la volonté de Lénine de signer la paix au plus vite ; puisque la révolution a définitivement triomphé, poursuivre la guerre est devenu inutile. L'armistice est signé à Brest-Litovsk le 3 mars 1918 ; les hostilités continuent sans la Russie des soviets. Terribles et inquiétantes nouvelles pour Nicolas, mais tant qu'ils sont tous réunis, avec leur petite suite de fidèles, n'est-ce pas l'essentiel ? Des paysans leur apportent des compléments de nourriture, gestes chaleureux alors que les gardes multiplient les vexations, les humiliations et les grossièretés.

Un mois plus tard, il est décidé de transférer les otages dans un nouveau lieu, secret. Le bolchevik Iakovlev voudrait ramener toute la famille à Moscou, qui est redevenue la capitale. Mais Alexis est très malade, paralysé des deux jambes couvertes d'hématomes. Son transport est impossible dans l'immédiat, il faut attendre une rémission. La famille est, pour la première fois, séparée, en larmes. Le précepteur Gilliard, qui parvient à tenir son journal – fort précieux –, décrit l'angoisse la veille du départ : « Le soir, à dix heures et demie, nous montons prendre le thé. L'impératrice est assise sur le divan, ayant deux de ses filles à côté d'elle. Elles ont tant pleuré qu'elles ont le visage tuméfié. Chacun de nous cache sa souffrance et s'efforce de paraître calme. Nous avons le sentiment que si l'un de nous cède, il entraînera tous les autres. L'empereur et l'impératrice sont graves et recueillis. On sent qu'ils sont prêts à tous les sacrifices, y compris celui de leur vie, si Dieu, dans ses voies insondables, l'exige pour le salut du pays. Jamais ils ne nous ont témoigné plus de bonté et de sollicitude. Cette grande sérénité, cette foi merveilleuse qui est la leur, s'étend sur nous. »

Le lendemain à l'aube, Nicolas, Alexandra et Maria partent, croient-ils, pour Moscou. On les installe dans de méchantes *tarantass*, ces charrettes de paysans sans sièges ni ressorts que Michel Strogoff avait dû prendre. Sur la neige molle, escortés de cavaliers muets, ils reviennent à Tioumen et montent dans un train. Ils pensent toujours être dirigés vers Moscou. Alexis, Olga, Tatiana et Anastasia restent à Tobolsk. Finalement, le premier groupe se retrouve à Ekaterinbourg, une cité minière sur le versant oriental de l'Oural. Pourquoi Ekaterinbourg ? Parce que lorsque leur train transite par cette ville, le 30 avril, le soviet local, « très rouge », s'en empare. Entièrement acquise aux bolcheviks, la ville détient désormais des otages de choix, une monnaie d'échange en cas d'attaque contre-révolutionnaire. Jusqu'ici, on ne savait pas exactement quel sort réserver à Nicolas Romanov. Maintenant, les extrémistes le savent. Les arrivants sont conduits vers une colline, au centre-ville. Une demeure blanche, à deux étages, les attend, très surveillée. Une maison dite « à destination spéciale », la maison Ipatiev, du nom de son ancien propriétaire, un capitaine du génie. La nouvelle prison des Romanov. La dernière bientôt, entourée de palissades de bois, flanquée de guérites. On les fouille, on les menace de travaux disciplinaires. Le pire est d'être séparés…

Enfin, quelques semaines plus tard, ils sont réunis. Leur joie est immense, comme si leur tribu reconstituée pouvait encore les protéger. Hélas ! ce soulagement ne dure pas car, fin mai, le précepteur Gilliard a été éloigné. Il ne reste plus dans la maison, outre les

Romanov (sept personnes) que le docteur Botkine, le cuisinier Kharitonov, le marmiton Siednev, le valet de pied Troupp et la femme de chambre Demidova (cinq personnes). Le reste de la suite a été réexpédié à Tioumen ou emprisonné en ville.

L'atmosphère devient vite insupportable sous l'autorité du commandant Avdeïev, un alcoolique violent et borné qui traite l'ex-tsar de « buveur de sang ». Celui-ci reste aimable, courtois, muré dans une carapace de dignité. Lorsqu'elles ont besoin de se rendre aux toilettes, les grandes-duchesses ont droit aux commentaires les plus abjects. Alexis ne pouvant toujours pas marcher, son père le tient dans ses bras lors des brèves promenades dans le jardinet. Alexandra, elle, déplaît à ses gardes-chiourme. Elle a toujours été hautaine, pleine de morgue, et ne parle presque pas. Amaigrie, elle n'absorbe que des macaronis et une bouillie blanche. Un des gardiens, un contremaître qui apprécie le maintien de Nicolas Romanov dans ses vêtements usés et rapiécés, a laissé sur la fière Alexandra ce jugement négatif : « Elle n'avait pas l'air d'une impératrice russe, elle ressemblait plutôt à une générale allemande. » Les quatre grandes-duchesses sont aimables, font leur lit, le ménage, et veillent à être le mieux habillées possible. Olga, vingt-deux ans, est douce et lit tout ce qu'elle peut. Tatiana, vingt ans, grande et svelte, se déplace avec grâce, comme une danseuse. Elle commande à ses sœurs qui l'ont surnommée, en riant, « la gouvernante ». Maria, dix-huit ans, est la plus potelée, avec de très grands yeux. Anastasia, seize ans, est un vrai garçon manqué, farceuse, avec un don pour les imitations. Alexis, treize ans, est entouré d'un immense amour. Il est si fragile… Curieusement, le courrier qui arrive irrégulièrement n'est guère censuré. De cette façon, par des lettres mais aussi par les conversations de leurs geôliers, Nicolas est plus ou moins informé de la situation extérieure.

Pour la Russie, la guerre mondiale est finie, mais la guerre civile lui a succédé. En face des « Rouges », il y a des « Blancs », ce qui est nouveau. Un espoir ? Peut-être. Il est question de généraux courageux. Depuis novembre, Dénikine a réuni des volontaires dans le sud et, en avril, il a pris leur tête. On dit qu'il marcherait sur Ekaterinbourg, lui qui avait vu l'abdication de Nicolas II sans chagrin mais que les excès des bolcheviks révulsent. On parle aussi de l'amiral Koltchak, un Tchèque passé au service de la Russie tsariste. En Sibérie, il a constitué une légion de quarante mille anciens prisonniers de guerre et déserteurs austro-hongrois. Il contrôle la partie orientale de la ligne du Transsibérien et avancerait, lui aussi, vers Ekaterinbourg. Les rumeurs de projets d'évasion s'ajoutent à ce que l'on suppose, au hasard. La nervosité et l'agressivité des gardiens s'en ressentent. Il n'est plus question de conduire Nicolas Romanov à Moscou pour le juger. De ce point de vue, la révolution est en échec. De l'Oural à la Volga, les bolcheviks sont balayés. Et les puissances étrangères alliées, ont-elles oublié tous leurs engagements ? On apprend que les Japonais ont pris Vladivostok, que quinze mille Britanniques ont débarqué à Mourmansk et que Moscou n'est plus ravitaillé. L'étau se resserre, Ekaterinbourg est son centre… Seule Alexandra pressent que la famille ne sera jamais libérée à temps. Otage, elle sera massacrée. Dans son journal, cette femme qui se dit souvent en communication avec le Très-Haut et subit, avec une froide lucidité, son calvaire, annonce que la mort est proche. Elle écrit : « L'Ange approche… » Si Ekaterinbourg est menacé, les Romanov sont perdus.

Dans l'été 1918, les partisans du tsar sont engagés dans une exténuante course contre la montre, l'épisode le plus poignant de l'effroyable guerre civile.

Mardi 16 juillet. Le nouveau commandant de la maison Ipatiev, Yourovski, est un homme aussi méticuleux que féroce. Moscou, c'est-à-dire Lénine, peut lui faire confiance. Dans la soirée, Tatiana lit la Bible à sa mère. La famille soupe à huit heures, Alexis peut manger quelques œufs. À minuit, Yourovski surgit. Prétextant une insurrection en ville, il veut mettre ses otages à l'abri. Tout le monde, domestiques compris, s'habille en hâte. Personne ne parle. La barbe de Nicolas est grise. Il porte son fils comme une croix de tendresse. Le commandant fait descendre ses prisonniers au sous-sol. Vingt-trois marches d'un petit escalier. La pièce est vide, sale, ornée d'un papier peint défraîchi. Que doit-on attendre ? « Des automobiles », répond sèchement Yourovski. Nicolas demande des chaises, on en apporte trois. Nicolas, sa femme et leur fils s'y assoient. Anastasia tient dans ses bras un chien, le petit épagneul de Tatiana. La femme de chambre serre un oreiller sur son ventre. Le silence. Une attente atroce, à la lueur vacillante d'une lampe à huile. À trois heures quinze, un bruit de véhicules dehors, et des voix parviennent du débarras voisin.

Onze hommes entrent, armés. On apprendra qu'ils sont, en majorité, des Lettons et des prisonniers austro-hongrois.

Le commandant, qui a tout préparé depuis la veille, annonce :

— Nicolas Alexandrovitch, vos amis ont essayé de vous sauver, mais ils n'y ont pas réussi. Nous sommes dans l'obligation de vous fusiller. Votre vie est terminée.

Alexandra se signe. L'ex-tsar a mal entendu :

— Quoi ?

Son dernier mot. Il est le premier exécuté. À bout portant, le chef des tueurs tire sur Nicolas et Alexis qui glissent de leurs chaises. Des cris, des coups de feu, tous les otages sont assassinés. S'ils respirent encore, ils sont transpercés à coups de baïonnette. Alexis n'est pas mort. Yourovski ajuste son revolver Nagan et tire encore deux balles sur l'enfant qui gît dans une mare de sang. C'est fini.

En deux minutes, sur ordre de Lénine, le pouvoir bolchevique, aux abois, a réglé ses comptes avec les Romanov, le symbole de l'ancienne Russie. Raspoutine l'avait prédit : « Quand je serai mort, la Russie tombera dans les griffes du diable[1]. »

---

1. De début juillet 2008 jusqu'au 10 septembre, à Moscou, une exposition sans précédent a été organisée au musée de la Cathédrale du Christ Saint-Sauveur, reconstruite après sa dénaturation puis sa destruction par Staline. Titre : « Courone du tsar ». Selon le directeur des archives d'État de Russie, M. Sergueï Mironenko, il s'agit d'un « témoignage émotionnel mais rigoureux sur Nicolas II. » Deux cents pièces (notamment des photos, dessins et billets de la famille impériale) ont été rassemblées. On peut aussi y voir l'ordre, signé le 17 juillet 1918, du commissaire Piotr Voïkov, ayant participé à l'assassinat, qui autorise la délivrance de cinq pouds (le poud est une unité de poids russe, de 16 kilos environ, soit près de 80 kilos en tout) de vitriol japonais pour faire disparaître les restes des victimes. Sont également exposées deux des baïonnettes avec lesquelles les tueurs de la Tchéka, la police politique de Lénine, achevèrent les sept Romanov, leur médecin, leur cuisinier et deux autres serviteurs. Un sondage, organisé par la télévision publique Rossia, donne ce résultat étonnant : dans le cœur des Russes, en 2008, Nicolas II arrive en premier et Staline… en deuxième !

16

La mémoire retrouvée
ou les derniers voyages des Romanov

Ekaterinbourg, mercredi 17 juillet 1918, vers quatre heures trente du matin. L'aube commence à dorer les reliefs de l'Oural. En pleine forêt, à moins de trente kilomètres de la maison Ipatiev où vient d'être massacrée la famille impériale, un camion s'arrête. L'endroit, isolé, s'appelle Les Quatre Frères et un puits de mine, bien qu'abandonné depuis longtemps, est ouvert[1]. Ce lieu a été choisi par Medvedev, le chef des sentinelles qui gardaient la demeure, et Yourovski, qui a dirigé l'exécution avec une insoutenable sauvagerie.

1. À partir d'une forteresse et d'une ébauche d'usine installée en 1721, la ville reçut son nom, en 1723, en l'honneur de la seconde épouse de Pierre le Grand, Catherine Ire. La cité était devenue la capitale de l'Oural minier et industriel, également réputée pour la taille de ses pierres fines et semi-précieuses. À l'Exposition universelle de Paris, en 1900, la production de la Manufacture impériale était représentée par une carte de France en pierres de l'Oural, qui fut ensuite exposée au musée du Louvre. À 1 818 km de Moscou par le *Transsibérien*, Ekaterinbourg est, dans le sens ouest-est, la porte de la Sibérie et le début de sa plaine occidentale.

Une dizaine d'hommes descendent du véhicule, armés de revolvers Nagan et de fusils à baïonnettes. Les armes de la tuerie. Ils déchargent les onze corps, chairs sanguinolentes en lambeaux dans des vêtements éclatés, arrachés. Les doublures déchirées laissent apparaître des bijoux : des pierres précieuses et des perles étaient cachées dans les ourlets et les corsets de l'impératrice et des grandes-duchesses, destinées à « financer » une éventuelle évasion. Les bourreaux sont-ils ivres ? D'alcool, peut-être. De fatigue, certainement. De rage aussi, sans doute, car ils découpent leurs victimes dénudées en morceaux. Une barbarie innommable. À coups de crosse, certains des assassins défoncent les visages creusés de regards d'horreur à l'instant de la mort. Les instructions données depuis Moscou par le dirigeant communiste local Sverdlov, un homme de trente-trois ans fier de ce qui restera son plus célèbre exploit, sont claires : on ne doit rien retrouver des corps des Romanov et de leurs valets. Et on ne doit même pas savoir ce qui s'est passé… Depuis hier, Yourovski avait prévu des quantités d'acide sulfurique et de chaux de façon à dissoudre chair et ossements. Un bûcher est allumé, les cadavres suppliciés brûlent ; ce qui ne se consume pas est jeté dans le puits de mine. Le camion repart ; dans la forêt, au lever du jour, la vie reprend ses droits, loin de la guerre, loin de la haine. Un mystère, d'une densité et d'une portée exceptionnelles, est né lors de cette aube de l'Oural. Il va en générer d'autres.

Moscou, 18 juillet 1918. Au Kremlin, une séance du Conseil des commissaires du peuple se poursuit. Sverdlov, d'un ton neutre, annonce que Nicolas Romanov et les siens voulant fuir et les Tchèques contre-révolutionnaires approchant, le soviet d'Ekaterinbourg a pris la décision d'exécuter les prisonniers. Une sage décision… Une voix intervient, c'est celle de Lénine, quarante-huit ans. L'événement ne semble pas concerner le révolutionnaire au gilet. Que la famille impériale ait disparu est non seulement une heureuse nouvelle mais aussi la preuve que la révolution ne saurait s'arrêter, encore moins faire marche arrière. Les Romanov ? Le passé, qui n'intéresse plus personne. La Russie qu'ils représentaient était au musée. D'ailleurs – et il faut le savoir –, à l'inverse de la Révolution française, la Révolution russe ne s'accompagne d'aucun vandalisme contre le patrimoine. D'abord, parce que, en raison de la guerre, beaucoup de choses ont été protégées et cachées, plus ou moins bien, cela va de soi. Ensuite, parce que l'essentiel de ce qui concernait la dynastie a été conservé, depuis les carnets à dessin des enfants jusqu'aux vêtements en passant par les photographies et les films dont Nicolas II était grand amateur. Le passé est mis de côté, sous séquestre sociologique, ce qui a permis de l'étudier et de le faire renaître jusqu'à aujourd'hui. Les véritables victimes sont les êtres humains ; leurs décors, leurs goûts et leurs façons de vivre sont, en quelque sorte, épargnés[1].

20 juillet. La presse, évidemment sous contrôle, divulgue l'information à Moscou. La nouvelle ne fait

1. Dans les jours qui précèdent et suivent le massacre d'Ekaterinbourg, plusieurs membres de la famille Romanov, éparpillés, sont exécutés, ce qui prouve la volonté d'éliminer la dynastie par des actions concertées.

pas sensation dans l'immédiat en raison d'un mensonge – il y en aura beaucoup dans cette histoire – qui est l'œuvre de Sverdlov. En effet, les journaux n'annoncent que la « mort du tsar », précisant que seul Nicolas Romanov a été passé par les armes car il allait s'enfuir, mais qu'Alexandra Fedorovna et ses filles sont vivantes, en lieu sûr. Pas un mot sur Alexis qui, pour les Blancs et les monarchistes, pourrait être la raison principale de se battre. Où sont les survivants car, pendant cet été, on fait croire qu'il y en a ? À l'étranger ? Puis, dans le chaos de la guerre civile, les Russes, quels qu'ils soient, ont d'autres soucis. Cependant, lorsque les détails sont connus, ils provoquent une indignation mondiale. Certains des tueurs livrent des confidences, parfois invérifiables telle l'affirmation d'un des tireurs prétendant avoir violé l'impératrice… On s'interroge sur l'ordre d'exécution. Qui l'a donné ? Le soviet local ? En vérité, c'est Lénine, qui n'était pas à l'aise de le reconnaître et l'a nié longtemps. L'image de la révolution ne sortait pas grandie de la mise à mort des quatre jeunes filles et surtout de l'enfant Alexis, si faible. Ce n'est qu'un an plus tard que le pouvoir bolchevique avouera que tous les prisonniers de la maison Ipatiev étaient morts.

Ce délai explique que des rumeurs incroyables commencent à circuler, sans pouvoir être maîtrisées. Qu'avait-on voulu cacher ? Pour comprendre la fameuse et retentissante « énigme Anastasia », et surtout pourquoi elle a enflammé si longtemps les imaginations, on doit admettre que certains contemporains – et non des moindres – ont hésité à croire à l'abomination de ce crime collectif. Et cela en dépit de l'enquête, extrêmement rigoureuse, du juge d'instruction Nicolas Sokolov[1]. Pour les sceptiques, la vérité devait être autre.

Tout commence au soir du 17 février 1920, en Allemagne. À Berlin, au bord d'un canal, un policier voit une jeune femme qui se jette dans l'eau glacée. Une tentative de suicide. Repêchée, elle est conduite aux urgences. Transie, pauvrement vêtue, elle est couverte de cicatrices et sa tête porte des traces de coups violents. On la soigne et on l'interroge. Ne portant sur elle aucun papier, on ne peut établir son identité. Elle ne répond à aucune question. Indigente, elle est transférée à l'asile de Dallforf. Lorsque, enfin, au bout de deux ans de silence, elle se met à parler, ce qu'elle dit est ahurissant : elle affirme être la grande-duchesse Anastasia ! Par miracle, elle aurait survécu au massacre. Or, ce n'est pas la première fois que cette « révélation » apparaît. En effet, dans la semaine qui avait suivi l'assassinat, une armée blanche était enfin arrivée à Ekaterinbourg et s'était emparée de la ville, comme le craignaient les bolcheviks. Conduits vers le puits de mine, les soldats monarchistes ne trouvent d'abord qu'un tas de boue et de cendres. Mais quelques menus objets qui n'ont pas été entièrement brûlés sont identifiés. Le magistrat Sokolov enregistre plusieurs témoignages. Et déjà, certains habitants prétendent qu'il manquait un corps... Comment la jeune fille aurait-elle pu survivre à la boucherie ? Parce qu'elle aussi portait des bijoux cousus dans son corset, ils l'auraient protégée ; elle n'avait été que très grièvement

1. *Enquête judiciaire sur l'assassinat de la famille impériale russe*, Payot, 1924.

blessée et sauvée par un de ses bourreaux, pris de pitié. D'après elle, c'était un Polonais et il avait vu que, malgré l'acharnement des assassins, elle respirait encore. L'hypothèse est peu convaincante et l'amiral Koltchak, qui était à la tête de troupes blanches ayant remporté des succès dans l'Oural, n'y croit pas.

Pourquoi l'inconnue a-t-elle soudain parlé ? Parce que sa voisine de chambre lisait un journal illustré relatant les événements du 16 au 17 juillet 1918. Les photographies de la famille montraient, entre autres, le visage d'Anastasia. Il y avait, en effet, une ressemblance entre l'inconnue et la grande-duchesse. Ses yeux étaient les mêmes que ceux du tsar. Des contradictions, énormes, sont alors relevées dans les assertions de la jeune femme. Elle ne parle ni russe, ni français, ni anglais. Elle ne s'exprime qu'en allemand alors que, au grand désespoir de l'impératrice, sa dernière fille n'avait jamais voulu l'apprendre. Il est vrai que la famille s'exprimait dans toutes les langues mais... pas un mot de russe ? Une amnésie à la suite du choc ? Médicalement, c'était possible bien que peu probable. En revanche, à la stupéfaction des médecins et des policiers, elle fournit des détails intimes sur la vie des Romanov, raconte des contacts secrets de l'état-major russe avec celui de Guillaume II. Il est exact que dès 1916, malgré le chaos russe, le Kaiser savait qu'il lui serait impossible de gagner la guerre. Et elle ajoute, de temps en temps, des précisions que seule une familière de la Cour pouvait connaître. Mais comment était-elle arrivée à survivre pendant un an et demi et jusqu'à Berlin ? Elle livre un récit rocambolesque : son sauveur l'aurait emmenée dans une brouette puis, après l'avoir soignée comme il le pouvait, l'aurait... violée. Enceinte, elle aurait été recueillie par un jeune monarchiste et tous deux, la plupart du temps à pied, se seraient réfugiés en Roumanie. Là, comme dans le pire – ou le meilleur ? – des feuilletons, elle aurait accouché puis abandonné son enfant âgé de trois mois dans un orphelinat. Ce genre de drame était courant dans l'Europe bouleversée de l'après-guerre. Mais, tout de même, comment l'ancienne jeune fille radieuse et cette femme édentée, tenant des propos stupéfiants, pourraient-elles être la même personne ? Des proches des Romanov défilent. Une de ses cousines, Xenia, la reconnaît formellement. Les enfants du docteur Botkine, tué à Ekaterinbourg, l'identifient aussi. Beaucoup plus troublante est sa réaction lorsqu'un certain Philippe Dassel, blessé français auquel la grande-duchesse avait rendu visite pendant la guerre, se trouve devant « l'inconnue de Berlin ». Elle s'exclame :

— Mais c'est l'homme aux poches !

C'était, effectivement, le surnom que la jeune fille avait donné à son protégé… Peu à peu, la légende de la survivante prend une ampleur inouïe. Le contexte s'y prête : l'importante diaspora de Russes blancs réfugiés en France, au Royaume-Uni et aux États-Unis ne peut que soutenir la cause de la soi-disant Anastasia. Remarquons que le lendemain du massacre, Yourovski avait envoyé un télégramme chiffré à Moscou : « Dites à Sverdlov que la famille entière a subi le même sort que son chef. » Comme pour s'opposer à une autre version.

Partisans et adversaires s'affrontent. Les confrontations se multiplient, majoritairement défavorables. Ainsi, deux des tantes d'Anastasia et le précepteur Pierre Gilliard – il avait passé treize années dans l'intimité de la famille – ne la reconnaissent pas dans cette jeune femme. La princesse Tatiana de Metternich, née Wassiltchikoff, dont le père fut le dernier chambellan de Nicolas II, m'a précisé que la grand-mère de la véritable Anastasia, l'impératrice Maria Feodorovna, mise en présence de l'inconnue, lui avait dit, immédiatement : « Vous n'êtes pas la grande-duchesse Anastasia. » Dix-sept grands-ducs et princes de la Maison impériale de Russie signent une déclaration commune négative. Pour eux, l'inconnue est une fabulatrice, toute cette histoire n'est qu'un mensonge, indécent et scandaleux. Il faut noter que la famille de Hesse, donc celle d'Alexandra, observe alors un silence total, ne voulant pas s'en mêler. Pour certains, ce silence vaut approbation... En secret, des descendants des Romanov engagent un détective privé. Il établit que la jeune femme se nomme en réalité Franziska Schwanzkowska. Ouvrière polonaise en Russie pendant la guerre, elle a été blessée par une explosion en 1916, a eu des troubles de mémoire avant d'être internée... Son ancienne logeuse la reconnaît !

L'agitation continue dans certains milieux monarchistes. La possibilité de la survie de la grande-duchesse est un réconfort dans l'horreur. Beaucoup de sympathisants, bouleversés par l'obstination de la jeune femme, se raccrochent à ce miracle. Et si c'était vrai ? Les Russes émigrés rappellent combien l'histoire de leur pays a été secouée de légendes qui n'étaient pas toutes fausses, depuis le temps des troubles, les faux tsars et autres usurpateurs. Mais « l'affaire Anastasia » prend une nouvelle consistance lorsque, en 1926, la tombe d'Alexandre Ier est ouverte et qu'on découvre, comme cela était avancé depuis plus d'un siècle, qu'elle est vide ! Donc, des histoires de ce genre ne sont pas impossibles en Russie. C'est une façon de retenir un temps, une époque, un monde. Et il faut reconnaître que si l'affaire est une invention, elle est organisée par des gens fort bien renseignés, nécessairement proches de la Cour et des autorités ; certains détails ne trompent pas, d'autres sont contraires à la réalité. Des souscriptions, aux résultats confortables, sont lancées en sa faveur. Pourtant, même d'anciens domestiques refusent de voir en elle la grande-duchesse. Qui croire ? Le doute l'emporte, mais la conviction des uns ou des autres manque de preuves ; la science reste encore muette sur ce genre de problème.

On aurait pu penser que les malheurs du monde – la crise des années 1930, la Deuxième Guerre mondiale – allaient dissoudre l'affaire dans l'incertitude et qu'on n'entendrait plus parler de cette énigme suspecte. Mais des historiens, des écrivains et des journalistes de renom s'enthousiasmèrent encore en sa faveur, en particulier en France, peut-être par romantisme. Elle a même une sorte de cour qui instruit, en son nom, plusieurs procès. Des reporters de *Paris Match* la retrouvent après 1950, ayant pris – provisoirement – l'identité de Mme Anderson, dans une cabane de la Forêt-Noire où elle vit entourée d'une meute de bergers allemands. Elle est soutenue par une « communauté spiritualiste ». Si, d'un côté, un courant « intellectuel » persiste à défendre sa cause (« Elle a les yeux du tsar », écrit Michel de Saint-Pierre), de l'autre, les procédures la déboutent toujours de sa demande en reconnaissance d'identité, en particulier deux jugements du tribunal de grande instance de Hambourg en date du 15 mai 1961 et du 17 février 1970. En Allemagne, on ne croit pas à ce roman. Ses partisans ne désarment pas. La Cour de Karlsruhe, juridiction suprême d'Allemagne fédérale, rend peu après un arrêt (Chambre des affaires civiles) qui s'apparente à un déni de justice dans la mesure où la plaignante n'apporte aucune preuve de ce qu'elle affirme mais où il n'est pas impossible qu'elle soit effectivement Anastasia ! C'est le dernier acte judiciaire du vivant de celle qui se trouve au cœur d'une polémique commencée cinquante ans plus tôt... Si la Cour européenne des droits de l'homme avait existé, que se serait-il passé ?

Son dernier domicile est aux États-Unis. En Virginie, elle épouse, à Charlottesville, un M. Manahan, professeur de l'université, son ultime défenseur. Elle meurt le 12 février 1984. Son secret – la vérité – va-t-il être emporté dans sa tombe ? Non, parce qu'elle est incinérée. Je puis témoigner que les passions étaient encore vives à l'époque. Ayant consacré à cette affaire un grand dossier dans *Le Figaro Magazine*, avec un réel souci d'objectivité, j'ai été copieusement pris à partie par les deux camps, les nostalgiques de la Russie impériale se cramponnant à une thèse romanesque et les autres, rationnels et sans romantisme, considérant qu'il s'agissait d'une insupportable imposture. Or, la clé de la longévité de l'affaire était... dans un coffre de la Banque d'Angleterre. En effet, dès le début du mystère, il fut, secrètement, question d'argent. Beaucoup de gens s'intéressaient à la fortune du tsar, aussi bien des Russes blancs que des Soviétiques. Les uns comme les autres avaient intérêt à entretenir ce fantasme de la miraculée d'Ekaterinbourg. Mettre la main sur de l'or, des bijoux, voire des valeurs encore cotées, était un mobile suffisant pour continuer à soutenir la pauvre inconnue en mal d'identité impériale. Le 8 septembre 1933, un tribunal de Berlin avait examiné sa demande d'entrée en possession des biens de la princesse Irène de Hesse dont Mme X. se disait l'héritière légitime pour un sixième du montant. Demande rejetée au motif – essentiel ! – que la demanderesse ne peut établir formellement son identité et son lien de parenté. Les partisans de Mme X. étaient bien informés. Ils savaient que le tsar avait déposé, entre 1905 et 1906, des portefeuilles d'actions au nom de chacun de ses cinq enfants – Alexis avait un an – à la banque berlinoise Mendelsohn et Cie. C'était après le « Dimanche rouge », et cette précaution prouve que Nicolas II était moins inconscient qu'on ne le croyait et qu'il était même inquiet. À la fin des années 1970, une rumeur continuait de circuler sur « les millions du tsar » conservés et placés à Londres, chez les cousins qui avaient, il faut bien le dire, abandonné les Romanov. Mais dans ce cas, les fanatiques d'Anastasia étaient mal renseignés. En effet, agacé par ces insinuations, le gouverneur de la Banque d'Angleterre demanda à la reine, Sa Majesté Élisabeth II, l'autorisation de lever le voile sur ces assertions, ce qui lui fut accordé. Catastrophe pour les amis de Mme X. : les coffres étaient vides et les comptes soldés depuis… 1916 ! Nicolas II, patriote, et son épouse avaient rapatrié leurs avoirs afin de soutenir l'effort de guerre russe. Ils avaient même refusé d'être exilés en Allemagne et soutenus par l'adversaire. Outre la déconvenue des partisans de Mme X., *alias* Anderson puis Manahan, cette révélation contribua à réhabiliter la mémoire, tachée, de Nicolas le Sanglant…

Le tsar, dépassé et faible, avait aidé son pays en guerre… L'information est alors peu reprise ou commentée ; pourtant, elle est essentielle ! Plus d'argent, plus de partisans, l'invraisemblable roman s'achevait dans un parfum d'escroquerie.

Depuis longtemps, des scientifiques soviétiques pensaient que le mystère de la fosse de l'Oural n'avait pas livré tous ses secrets. Dans les années 1960, un géologue réputé, Alexandre Avdonine, ose s'attaquer à ce sujet tabou. Sa démarche est dangereuse et ne va sûrement pas plaire aux dirigeants de l'URSS. Dans la plus grande discrétion, il se consacre à cette mission : retrouver les restes des Romanov fusillés et brûlés. À force de patience et de prudence, il recueille, à longueur d'années, des indices et recoupe des confidences. Les gens osent à peine parler, il lui faut briser une terreur figée mais, à l'évidence, certains habitants en savent long. Puis un autre homme, également passionné par la tragédie impériale, intervient, en 1976. Il se nomme Gueli Ryabov. Écrivain et cinéaste célèbre à Moscou, il a ses entrées au ministère de l'Intérieur. Pour lui, des archives, jusque-là farouchement protégées, sont accessibles. Unis par une même démarche, les deux hommes se complètent parfaitement, le géologue sondant le terrain centimètre par centimètre, l'écrivain épluchant des piles de vieux papiers. Un nouveau Sherlock Holmes, un nouveau docteur Watson. Entêtés, se méfiant de la surveillance du Kremlin de Leonid Brejnev agacé de cet intérêt latent pour les maudits Romanov, ils brouillent les pistes mais avancent. Après une invraisemblable enquête, ils établissent que les fameux restes ont été déplacés – donc déjà retrouvés – pendant la guerre civile. Le 30 mai 1979, munis d'instruments bizarres qu'ils ont fabriqués en secret, les deux détectives du tsar dénichent, à une faible profondeur, des restes humains. Dans une fosse, sous une petite route, après avoir retiré un vague coffrage en bois, trois crânes émergent de la terre. Les inventeurs et leurs épouses sont pétrifiés. La peur... la panique.

Soixante ans après et tant de guerres, est-ce possible ? Dans une atmosphère de film d'épouvante et avec les précautions qui s'imposent, les découvreurs de l'impossible emportent leur sinistre moisson, après avoir effacé toute trace de leur passage et de leurs excavations.

Avdonine et Ryabov détiennent un fantastique secret d'État, une bombe historique dans un pays qui n'a cessé de rejeter et de condamner le passé impérial, sauf rarissimes exceptions. Pendant dix ans – dix ans ! –, rien ne filtre. La petite équipe est soudée, liée par un pacte, décidée à attendre une éventuelle évolution du climat politique. Et, après avoir tenté de faire analyser leurs découvertes par des gens sûrs et compétents, ils finissent par replacer les mystérieux ossements là où ils les avaient déterrés. Seul le silence de la forêt accompagne cette nouvelle inhumation, à la fois sauvage et respectueuse.

Avec Mikhaïl Gorbatchev, le régime soviétique s'assouplit ; *perestroika* et *glasnost* sont les nouveaux mots d'ordre. Peu à peu, les interdits sont levés. Pour Ryabov, le moment est opportun. L'entretien qu'il accorde à un journal de Moscou – en soi, un événement – provoque une onde de choc. C'est l'époque où Gorbatchev, commis voyageur d'une URSS lézardée et qui vend son or à Londres, déclare, dans une boutade pour avouer que rien ne marche comme il le faudrait dans son pays : « Et si on essayait avec un tsar ? » En vérité, le Kremlin est plutôt embarrassé par cette révélation : on a retrouvé les restes des Romanov ! Alors que deux ans plus tard l'URSS se dilue puis disparaît, enterrée par le même Gorbatchev, en Oural, des ossements sont, officiellement cette fois, découverts à proximité du puits de mine où avaient été jetés les restes des victimes. Cet événement, survenu le 11 juillet 1991, est suivi d'une analyse fort sérieuse par Alexandre Avdonine, les fragments étant enfermés dans la morgue voisine. Des moyens sont fournis pour de premières analyses. Des échantillons sont prélevés et envoyés, pour expertise poussée, en Russie, au Royaume-Uni et aux États-Unis. Sur une base de la Royal Air Force, un avion militaire russe atterrit ; à son bord, dans des caissons spécialement confectionnés auxquels les honneurs sont rendus, le précieux chargement. Le premier résultat est fourni par le laboratoire britannique d'Aidermaston, à l'ouest de Londres. Les tests ADN sont formels, le sang est bien celui des Romanov ; en particulier, il présente le même code génétique que celui du duc d'Édimbourg, petit-neveu de l'impératrice Maria Feodorovna. Grande est l'émotion chez ceux qui s'intéressent à l'histoire de la dynastie ; les descendants de la famille impériale, comme les nostalgiques de la monarchie, sont partagés. Certains sont très prudents, soupçonnant une manipulation comme le KGB en avait le secret. L'Église orthodoxe est également plus que réservée. Les cours européennes, qui ont des liens avec les Romanov, restent discrètes, encore marquées par le discrédit que « l'affaire Anastasia » avait jeté sur quelques personnalités. D'autres s'impatientent, et le dossier ressemble au serpent de mer dont on parle mais qu'on ne voit jamais. De 1993 à 1995, une « Commission d'enquête criminelle » (on admet donc l'assassinat un temps réfuté), dirigée par le juge d'instruction Vladimir Soloviev, peaufine ses investigations avec le concours de médecins légistes, d'ethnologues, de thanatologues et d'historiens. Le plus grand sérieux caractérise ces travaux alors que la Russie post-soviétique, choquée par l'éclatement de « l'Empire rouge », se débat entre la dégringolade du rouble et l'emprise de la mafia.

Un illustre scientifique, Pavel Ivanov, confirme le verdict. Le résultat est identique pour l'Institut de pathologie des Forces américaines. Le vice-Premier ministre de Russie, Boris Memtsov, annonce, le lundi 12 janvier 1997 : « Aucun doute ne peut subsister à ce sujet », déclaration qui... le sauve d'un limogeage ! La presse mondiale se rue sur l'affaire. Depuis 1918, en dehors du méli-mélo d'Anastasia, tous les restes de la famille fusillée étaient, officiellement, impossibles à retrouver, selon la volonté même des autorités de l'époque. Le président Boris Eltsine nomme une commission complémentaire d'experts réputés, laquelle rend son avis le 27 janvier 1998 après un rapport de mille cinq cents pages : ce sont bien les restes de Nicolas II, d'Alexandra, de leurs enfants et des fidèles les ayant accompagnés jusqu'à la mort. Les reconstitutions par une informatique sophistiquée sont spectaculaires. On « voit » les visages des disparus... Après trois heures de débats au Kremlin, le gouvernement confirme la date de la cérémonie d'inhumation ; elle aura lieu le 17 juillet. Et le président Eltsine ajoute un commentaire explosif :

— Les Romanov sont des martyrs.

Pour Boris Eltsine, ce feuilleton dérangeant est tout de même un comble. En effet, dans les années 1970, la sinistre maison Ipatiev était devenue l'objet d'un pèlerinage discret. Des passants déposaient des fleurs devant la bâtisse en contrebas de la chaussée, d'autres se signaient. Pour le secrétaire du Parti communiste de l'Oural du temps de Leonid Brejnev, cette vénération était insupportable. Il s'appelait... Boris Eltsine ! Pour être bien vu de Moscou, il prit la décision de faire raser la maison. Mal lui en prit, car l'arrivée des pelleteuses et des bulldozers fut très mal interprétée par les habitants. On insultait la mémoire des morts, on effaçait l'histoire. À sa grande confusion, cet *apparatchik* fut obligé de faire édifier un monument commémoratif à la place de la maison Ipatiev. Très modeste, c'est une petite chapelle de rondins coiffée de six croix orthodoxes où l'on brûle des cierges et où l'on vend quelques portraits de la famille. Il n'y a pas foule, mais les habitants sont satisfaits. Et voilà que le même Boris Eltsine, soudain tolérant et sentant que le vent de l'histoire avait tourné, annonça qu'il organiserait le transfert des « restes d'Ekaterinbourg », devenus ceux des « martyrs d'Ekaterinbourg », à Saint-Pétersbourg ! Au passage, signalons que la ville avait perdu son nom impérial en 1924. Elle s'appelait Sverdlovsk, en souvenir du révolutionnaire ayant supervisé l'opération macabre. On l'avait récompensé. Le discipliné et zélé Sverdlov avait même eu droit à sa statue dans un jardin public, au milieu de l'avenue Lénine, ce qui était cohérent. Depuis, Sverdlovsk s'est effacé devant le retour de l'ancien nom. Et, dans la préparation de l'événement si souvent annoncé, la mairie de Saint-Pétersbourg annonce que Mikhaïl Gorbatchev pourrait assister à la cérémonie. Le dernier président de l'URSS aux funérailles du dernier tsar de Russie ? Décidément, le passé envahissait le présent. N'oublions pas que c'est le président Gorbatchev qui avait autorisé la reprise de la célébration des offices dans les églises du Kremlin, interdites depuis 1917, après que sa mère lui eut rappelé qu'il avait été baptisé...

Saint-Pétersbourg, vendredi 17 juillet 1998. Hélène Carrère d'Encausse et moi animons, avec l'agence de notre ami Denis Plé, un voyage exceptionnel pour un groupe de Français. Je couvre aussi l'événement pour France-Soir et Europe 1. Nous n'oublierons jamais ces moments véritablement historiques. La veille, un avion militaire a décollé d'Ekaterinbourg avec les petits cercueils contenant les précieux ossements. Les honneurs de l'armée ont été rendus au dernier souverain (si l'on excepte son frère et son règne de vingt-quatre heures). Une femme en larmes, une habitante, dit : « L'atmosphère était si tendue, si dramatique qu'on pouvait croire que la famille Romanov était morte hier... »

On se demande si le président Eltsine, imprévisible, sera là. Viendra ? Ne viendra pas ? Il arrive, avec son épouse, suivis, fort discrètement, du très populaire général Lebed en civil qui saute, sportivement, une barrière de sécurité. Boris Eltsine regarde sa montre. Il attend midi et le coup de canon, traditionnel, tiré depuis la forteresse, comme au temps de Pierre le Grand. Le président russe entre dans la cathédrale Saint-Pierre-et-Saint-Paul, qui est un peu, à quelques exceptions près, le Saint-Denis russe, mais ne peut recevoir que quatre cents personnes au maximum, toutes debout, selon l'usage. On se frotte les yeux car ce qu'on voit est fantastique. Boris Eltsine et sa femme (sa tête est couverte) se prosternent et se frappent la poitrine. La main sur le cœur, ils demandent pardon pour « les crimes du bolchevisme, du stalinisme et de leurs successeurs ». Si on enterre, enfin, Nicolas II, on assiste aussi à l'enterrement de l'idéologie communiste, déjà très malade depuis la chute du Mur de Berlin et dans un pays en plein désordre, cautionné par un chef d'État plus que contesté. Nicolas Romanov étant mort alors qu'il ne régnait plus, les cercueils ne sont pas déposés dans la nef de la cathédrale mais dans la chapelle Sainte-Catherine, à droite en entrant.

La télévision retransmet en direct la cérémonie et je peux assurer un reportage, également en direct, pour Europe 1, dans le journal de la mi-journée. C'est très impressionnant, mais ce qui est également remarquable est que cet hommage, avec honneurs militaires, se déroule sous les yeux du prince Nicolas Romanov, considéré comme le chef de la Maison impériale, du prince Michel de Kent, (dont la ressemblance avec Nicolas II est frappante) représentant personnel de SM la reine d'Angleterre et d'un personnage moins connu, le Français Constantin Melnik, descendant du docteur Botkine. Le lendemain, les foules commencent à défiler devant la chapelle. En silence, avec des bouquets et beaucoup de respect. Face à la polémique sur le coût de la cérémonie alors que des fonctionnaires, y compris l'armée, ne sont pas payés depuis des mois et que le géant énergétique Gazprom n'a toujours pas réglé ses arriérés d'impôts, le maire de Saint-Pétersbourg, Vladimir Iakovlev, précise : « Il n'y a pas de grandes dépenses. Nous enterrons un tsar qui n'était peut-être pas le meilleur, mais nous fermons une page historique[1]. » Aucun faste, de l'émotion, de la dignité et une leçon de courage politique.

Dépassant les querelles dynastiques entre descendants qui contestaient cette décision, au-delà des réserves du patriarche Alexis II (qui a singulièrement révisé sa

1. Le budget alloué par le gouvernement était de cinq millions de roubles, soit, à l'époque, environ cinq millions de francs.

position depuis), l'hommage a réuni cinquante-quatre membres de la famille et vingt-trois ambassadeurs, spécialement venus de Moscou. En quarante minutes, Nicolas II prend une revanche posthume avec cette « inhumation chrétienne ». Je regarde la chaire, rare dans le rite orthodoxe, d'où avait été jeté l'anathème contre Léon Tolstoï à cause de son « inconvenant » livre *Anna Karénine*, et la tombe de Pierre le Grand, qui n'a cessé d'être fleurie, y compris sous le régime soviétique. Le pardon ? Impossible. L'oubli ? Impossible. La réconciliation ? Voulue et plutôt réussie.

Ce n'était, si j'ose dire, qu'un début dans cette reconquête du passé. Tout n'était pas encore clair. En effet, dans les corps retrouvés et identifiés, il en manquait… deux ! Ceux du tsarévitch Alexis et d'une grande-duchesse, Maria ou… Anastasia ! Encore Anastasia ? L'énigme rebondissait… Un vieux rapport du KGB a permis d'en savoir plus. Logiquement, les soldats avaient d'abord voulu éliminer les corps les plus petits, ceux du tsarévitch et d'une de ses plus jeunes sœurs. Mais, à l'aube, les corps n'étaient pas dissous malgré l'acide. En hâte – les Blancs arrivaient et il faisait jour –, ils enterrèrent ces cadavres dans une fosse tandis que les neuf autres – du moins ce qu'il en restait – furent jetés dans le puits de mine. C'est seulement la nuit suivante – contrairement au télégramme de Sverdlov – que les fossoyeurs étaient revenus, ensevelissant les premiers corps sous le talus d'une ancienne voie ferrée. Cet intervalle d'une journée est à la base de l'affaire Anastasia. Dans une réflexion sommaire, il rendait crédible cette possibilité. Mais depuis 1993, l'énigme est définitivement résolue. Grâce à l'incinération, Mme Manahan et ses amis avaient cru rendre impossible une réponse imparable. Elle ignorait que lors d'une opération qu'elle avait subie aux États-Unis, le FBI, qui enquêtait sur son entourage douteux, avait secrètement prélevé sur elle ce qu'il fallait pour entreprendre des tests ADN. L'examen révéla qu'elle ne pouvait pas être, génétiquement, une Romanov. On en revenait à l'identité de la Polonaise.

Le 29 juillet 2007, de nouvelles recherches dans la forêt de l'Oural ont mis au jour les restes des deux corps absents de la cérémonie de 1998. Dans une fosse profonde d'environ soixante centimètres, ont été découverts des dents, des fragments de boîte crânienne, d'os du bassin, d'os tubulaires de deux personnes. « Trois balles, une partie d'un récipient en céramique, une grande quantité de charbon de bois et de petits bouts de tissus osseux carbonisés ont aussi été trouvés. Les morceaux de la boîte crânienne portaient des traumatismes ressemblant, à première vue, à des impacts de balles », a précisé le parquet général d'Ekaterinbourg. Le procureur général déclare que les fouilles « ont permis de retrouver les fragments de deux corps humains portant des traces de mort violente. Ces restes sont ceux d'un enfant de quatorze ans et ceux d'une jeune femme d'une vingtaine d'années ». Minutieusement, le gouverneur de la région avait fait ratisser la zone où les fragments de corps auraient dû tous disparaître. En février 2008, les laboratoires russes ont démontré qu'ils étaient bien de la famille Romanov, après comparaison avec l'ADN du duc d'Édimbourg, époux d'Élisabeth II, descendant en ligne maternelle directe de la sœur aînée de la tsarine Alexandra. Anastasia, la vraie, avait été retrouvée, et cette incroyable affaire résolue grâce à la science qui démasque les faussaires. Si les analyses ADN avaient été fiables en 1930 ou en 1950, la supercherie n'aurait pas duré plus d'un demi-siècle. Qui était la soi-disant Anastasia ? Une pauvre femme traumatisée physiquement et moralement par la guerre, à qui des escrocs avaient fait croire à son identité prestigieuse, totalement inventée, dans le but d'émouvoir, de convaincre et surtout de capter le magot impérial. À partir de sa ressemblance, ils lui ont fabriqué une mémoire avec assez d'habileté pour que certaines personnalités succombent et valident l'invraisemblable. La malheureuse, en partie amnésique, avait sans doute fini par y croire elle-même, victime d'une monstrueuse manipulation, la pire puisque, à elle aussi, on répétait une supercherie. D'autres laboratoires spécialisés, au Royaume-Uni, notamment celui d'Aidermaston, sont occupés, au printemps 2008 et dix ans après leurs conclusions, à des analyses complémentaires. On peut penser que leur verdict ira dans le même sens, avec une probabilité dépassant les 99 %. Il ne restera plus qu'à inhumer ces ultimes restes, ceux d'Alexis et de Maria, à Saint-Pétersbourg, peut-être le 17 juillet 2008, pour le quatre-vingt-dixième anniversaire de leur mort. Alors, les Romanov massacrés à Ekaterinbourg seront réunis. Comme ils l'avaient été dans leur vie, jusqu'à la fin...[1]

1. Pour les questions généalogiques, on lira avec grand intérêt l'étude pertinente du docteur Jean-Marie Thiébaud, *Les Romanov* (Éditions Christian, 1998), mais qui ne pouvait, évidemment, tenir compte des découvertes postérieures à cette date.

Depuis cette journée de l'été 1998 – beaucoup, qui n'y croyaient pas, furent désorientés par la sincérité de la démarche –, la machine à remonter le temps n'a cessé de fonctionner en Russie. À la place de la maison Ipatiev, une cathédrale a été élevée dans un délai très court, dite « Notre-Dame-des-Saints-Martyrs ». Achevée en 2003, consacrée par le patriarche Alexis II, elle fut visitée par le chancelier allemand Gerhard Schröder en compagnie du président Poutine. L'Église orthodoxe, après bien des circonvolutions qui rappelaient ses inévitables arrangements avec le régime soviétique, a canonisé la famille impériale, en raison de son « comportement chrétien ». Aucune allusion politique, seulement une reconnaissance spirituelle. Plus récemment, un monument, très réaliste, a été édifié devant la cathédrale. Il s'agit d'un groupe de statues représentant la famille quelques instants avant de périr. Nicolas II tient son fils, en costume marin, dans ses bras. Le tsar, l'impératrice et leurs quatre filles descendent jusqu'au sous-sol tragique. L'escalier en colimaçon qu'ils empruntent est reconstitué dans le métal ; il compte vingt-trois marches, comme dans la maison Ipatiev, mais aussi comme un symbole du règne de Nicolas II qui a duré vingt-trois ans. Le groupe, en bronze, est dominé par une haute croix orthodoxe, à doubles croisillons obliques. L'évocation a été inaugurée en présence d'une foule dense, tous les âges y étaient représentés. Des roses, rouges et blanches, furent déposées sur les marches. Une précision : le sculpteur était déjà l'auteur d'un immense monument, également à Ekaterinbourg, à la mémoire des soldats soviétiques morts en Afghanistan. Il n'y a plus de différences parmi les morts, russes ou soviétiques.

Toujours à Ekaterinbourg, il faut s'intéresser à la gare. Elle est somptueuse comme le sont souvent celles de la ligne transsibérienne, avec des colonnades, des halls immenses, des lustres, du marbre. Un palais des transports, rivalisant avec le métro de Moscou, un opéra ferroviaire. Montons au deuxième étage, jusqu'à la vaste salle d'attente. Sur la gauche, en entrant, on reste stupéfait. Une immense fresque, peinte en 2000, montre trois groupes. Au centre, les Romanov massacrés s'élèvent de la maison Ipatiev vers le ciel et une église qui ne peut qu'être le paradis. À gauche, au sol, un groupe de révolutionnaires avec drapeaux rouges et leur cavalerie qui charge. À droite, un groupe monarchiste, avec drapeaux de l'empire et aussi une cavalerie qui charge. Les deux clans sont vaillants, courageux, à égalité de traitement par l'artiste. Imagine-t-on, par exemple dans la gare de Nantes, une pareille œuvre avec Louis XVI, Marie-Antoinette et leurs enfants, entre la prison du Temple et le ciel, avec à gauche les Bleus et à droite les Chouans ? Dans une salle d'attente, au-dessus de la tête de millions de voyageurs...

Trois mille kilomètres à l'est, à Irkoutsk, en Sibérie, sur une place le long de l'Angara, j'ai assisté, un dimanche d'octobre 2003, à une cérémonie encore plus imprévisible : on a remis en place la statue d'un tsar et pas n'importe lequel, Alexandre III ! Le premier Transsibérien avait atteint Irkoutsk le 16 août 1898. En hommage au monarque promoteur de l'impulsion définitive du chantier, Nicolas II, son fils, avait inauguré une statue, imposante, de l'ennemi des nihilistes. La statue, déboulonnée en 1917, fut remplacée en 1964 par un obélisque à la gloire des « explorateurs de la Sibérie et des travailleurs du Transsibérien ». Le monument, qui était triste et froid, a été remplacé par la statue d'Alexandre III (elle avait donc été conservée...), inaugurée une deuxième fois, en présence du ministre russe des Chemins de fer. Imagine-t-on une statue de Louis XVI, par exemple à Paris devant le musée de la Marine puisque le roi avait soutenu les expéditions maritimes ? À Irkoutsk, la population contemple, avec bonhomie et curiosité, ce retour à l'ancienne histoire, celle d'avant 1917, et la statue du colosse autocrate est fleurie...

Depuis 2005, la mémoire est aussi retrouvée pour les proches de Nicolas II et de ses partisans. Une extension de la réconciliation encore plus inattendue puisqu'il s'agit de chefs militaires. En octobre, par accord entre la présidence américaine et son homologue russe, Vladimir Poutine fait rapatrier à Moscou les restes du général Dénikine depuis le cimetière russe de Saint-Vladimir, à Jackson (État du New Jersey). Le général y reposait depuis le 7 août 1947. Né la même année que Raspoutine, Anton Dénikine avait été le chef légendaire de la Division de Fer qui, de l'avis de Churchill, avait contribué à la survie des Alliés pendant la Grande Guerre. Si, à l'abdication du tsar, il avait partagé les vues d'une certaine intelligentsia libérale, il s'était très vite opposé aux désordres et à la cruauté bolcheviques. De janvier 1919 à avril 1920, il commanda les armées blanches du Sud, puis fut régent de Russie. Il fut le plus célèbre des généraux blancs, rebelle à la politique. Finalement réfugié aux États-Unis, d'abord dans le Michigan, lorsqu'il disparut, un détachement de l'US Army lui avait rendu les honneurs. Le président Poutine tenait à honorer ce prestigieux officier. Lors de sa visite à Paris en février 2003, il reçut la fille de Dénikine, Marina, historienne sous le nom de Marina Grey, épouse de l'historien Jean-François Chiappe. Le chef de la Fédération de Russie promit à Marina d'organiser cette cérémonie au plus vite. Et il l'invita à y assister au cimetière Donskoï de Moscou, avec honneurs militaires et très grand cérémonial orthodoxe. Mon amie Marina, bouleversée et qui n'osait espérer un tel hommage, a pu s'y rendre et constater la réhabilitation du général blanc ; elle est décédée deux mois plus tard. Elle me répétait la conviction de saint Paul que n'avait cessé de formuler son père en exil : « J'ai mené le bon combat, j'ai achevé la course, j'ai gardé la foi[1]. » De même, l'amiral Koltchak, qui avait dirigé à Omsk, en Sibérie, un improbable gouvernement antibolchevique, était devenu, le 18 novembre 1918, le chef suprême des armées blanches. Mais ayant subi de graves revers et une effroyable retraite en Sibérie, il fut remplacé par Dénikine. Livré aux bolcheviks par le général français Janin, il fut fusillé à Irkoutsk le 7 février 1920. Aujourd'hui, à l'endroit où il est tombé, sa statue domine une stèle de combattants. Elle aussi est

1. Marina Grey a publié plusieurs ouvrages passionnants sur la Russie en guerre et la famille impériale, en particulier *Mon père, le général Dénikine* (Perrin, 1985), *Enquête sur le massacre des Romanov* (Perrin, 1987) et, en collaboration avec Jean Bourdier, *Les Armées blanches* (Stock, 1968).

fleurie. Imagine-t-on, en France, des initiatives officielles comparables à la mémoire des généraux vendéens ?

Mais la plus grandiose cérémonie récente est celle qui a duré du samedi 23 septembre au mercredi 27 septembre 2006. Elle a commencé au Danemark, près de Copenhague, et s'est achevée à Saint-Pétersbourg. Par accord entre la reine de Danemark et le président russe, le cercueil de Maria Feodorovna, née princesse Dagmar de Danemark, veuve d'Alexandre III et mère de Nicolas II, a pris le chemin de la Russie pour y reposer définitivement. Ayant échappé à la Révolution, elle avait pu quitter la Crimée à bord d'un bâtiment de la Royal Navy, puis s'était réfugiée dans son pays natal ; elle y était morte en 1928, âgée de quatre-vingt-un ans. C'est en la cathédrale royale de Roksilde, à trente kilomètres de Copenhague, que lui est rendu le dernier hommage de la cour danoise, retransmis par la première chaîne de télévision publique, en présence de huit cents invités dont quarante-cinq Romanov. Le cercueil, de bois clair et de plomb, est drapé de l'étendard impérial avec l'aigle russe à deux têtes. Margrethe II, en noir, fait une révérence, sans doute douloureuse car elle venait de subir une opération au genou. Puis, un grand landau, tiré par quatre chevaux, est escorté de huit officiers de la Garde royale et autant de la Garde présidentielle russe. Au palais d'Amalienborg, où elle était née en 1847, des milliers de Danois disent adieu à la fille du roi Christian IX, puis le cercueil est monté à bord d'un bâtiment de guerre, le L17, baptisé *Esbern Snare*. Vingt-sept coups de canon sont tirés, et la musique interprète *Danmark jeg er fodt* (« Au Danemark je suis née »).

Après son arrivée à Saint-Pétersbourg le mardi 26, plus de cinq mille Russes défilent dans la chapelle du palais de Peterhof que Staline avait transformée en... bureau de poste. On entend des commentaires nostalgiques, comme celui-ci, formulé par une vieille femme aux yeux rougis :

— C'est notre tsarine. Notre âme nous amène ici car nous nous sentons coupables. Si l'impératrice est revenue en Russie, c'est par la volonté de Dieu. Nous voulons un nouveau tsar.

Sa voisine, venue en curieuse et qui n'est pas d'accord avec elle, réplique :

— Une page de l'histoire se tourne, et il faut connaître son passé.

Un jeune homme intervient, d'une voix douce :

— Il faut renouer le fil entre le passé et le présent, rompu depuis quatre-vingt-dix ans. Je suis monarchiste, pas par nostalgie mais parce que je crois que c'est le meilleur régime possible.

Dans la foule, on remarque Xenia Cheremetiev-Sfiri, petite-fille du prince Youssoupov. Plusieurs personnes rappellent que Peterhof était la résidence favorite de la défunte ; elle priait souvent dans la chapelle Alexandre-Nevski.

Jeudi 28 septembre. La foule est massée sur le trajet de la cathédrale Saint-Isaac à la cathédrale Saint-Pierre-et-Saint-Paul. À Saint-Isaac, l'office dure deux heures. Le patriarche Alexis II – qui n'était pas présent à la cérémonie de 1998 – exprime un sentiment très partagé :

— Nous assistons au triomphe de la justice historique. Au nom de tous les Russes, je demande pardon à l'impératrice Maria Feodorovna pour toutes les souffrances qu'elle a endurées.

Depuis 1998, Sa Sainteté, convaincue par le sérieux des investigations scientifiques, admet l'authenticité des résultats. Alexis II, rappelons-le, a canonisé les Romanov retrouvés en l'an 2000[1].

Puis, le cercueil est conduit jusqu'à l'île qui fut le berceau de Saint-Pétersbourg. Il est porté par huit officiers, quatre Russes et quatre Danois. S'avançant du parterre riche en grands noms du Gotha, le prince Michel de Kent, qui représente, de nouveau, la reine Élisabeth II, s'incline, suivi des princes héritiers de Danemark. À quinze heures, le canon de la forteresse tonne trente et une fois. Cette fois, les Romanov, toutes branches réunies, se sont retrouvés. Et la veuve d'Alexandre III, cent quarante ans après son arrivée en Russie, repose enfin auprès de la tombe de son mari, dans un sarcophage de marbre blanc, à gauche dans la nef. Le maire de Saint-Pétersbourg offre ensuite un déjeuner de cinq cents couverts, dans l'ancien musée d'Ethnographie des peuples de l'Union soviétique. Autre cérémonie symbolisant la réunion de toutes ces Russies : pour le premier anniversaire de la mort de Boris Eltsine, Vladimir Poutine, encore Président, a fait interpréter par l'orchestre de sa garde l'hymne choisi par le défunt puis l'hymne soviétique, toujours officiel... en 2008.

---

1. La mémoire d'un deuxième empereur impliqué dans la Première Guerre mondiale – qu'il n'avait pas déclarée puisque son grand-oncle, François-Joseph, régnait toujours – et lui aussi contraint d'abdiquer, a connu une reconnaissance chrétienne comparable. Charles Ier de Habsbourg-Lorraine (qui était également Charles IV de Hongrie), souverain de la fin de 1916 à 1918, fut béatifié à Rome par le pape Jean-Paul II, le 3 octobre 2004.

À la veille du Noël orthodoxe 2008, célébré le 7 janvier, un très ancien contentieux franco-russe a été réglé. L'affaire se situe en France, au sud de Paris, autour du célèbre cimetière russe de Sainte-Geneviève-des-Bois (Essonne). Vingt mille personnes reposent dans cette nécropole créée en 1927. Depuis la fin des années 1950, les concessions de six cent quarante-huit sépultures n'étaient pas payées, faute d'héritiers ou de contacts avec les familles, explique le maire socialiste, Olivier Léonhardt. Or, c'est un lieu unique au monde par son importance. Son intérêt historique et patrimonial est incontestable. On y trouve un trône d'Alexandre II et le tombeau de plusieurs personnalités : le danseur étoile et chorégraphe Rudolf Noureev (qui avait fait le grand saut vers l'Ouest en 1961), le cinéaste Andreï Tarkovski, le peintre Constantin Korovine et le prix Nobel de littérature Ivan Bounine. Des milliers de Russes blancs, aristocrates, ouvriers, étudiants, commerçants qui avaient fui l'horreur et trouvé asile en France ont voulu être inhumés dans ce qui est presque devenu un morceau de la terre russe.

La discussion avec les services de l'ambassade a duré plus de dix ans. Le maire faisait valoir que l'ambassade de Russie devait régler une dette russe. « Il s'agit d'un cimetière communal, et je ne vois pas pourquoi les habitants n'ayant aucun lien avec la Russie paieraient les concessions et pas les familles d'immigrés russes. » En fin de compte, le président Poutine, après de laborieuses négociations, a débloqué la situation. Le 11 janvier, lors de la cérémonie des vœux, l'ambassadeur de la Fédération de Russie, SE Alexandre Avdeev, a annoncé qu'une somme de

692 700 euros était versée[1]. « Une partie de la somme servira à valoriser le cimetière », s'est réjoui le maire qui entend transformer l'endroit en véritable monument touristique avec des circuits de visite et des audio-guides. « Tous les Russes se réconcilient enfin. Ce geste historique clôt enfin la guerre civile entre le pays et ses immigrés qui ont fui la révolution de 1917 », dit Nicolas de Boishue, descendant de la princesse Met-cherski et directeur de la Maison russe de Sainte-Geneviève-des-Bois. Il n'en revient pas de la décision, sans précédent et prise au plus haut niveau, avec le concours de l'ambassade de son pays d'origine.

La Russie vit à l'heure d'un grand pardon[2].

1. L'ambassadeur Avdeev a quitté son poste à Paris en juin 2008 : le Premier ministre Poutine l'a nommé ministre de la Culture.

2. Le 17 juillet 2008, plus de 20 000 personnes se sont rendues sur les lieux où ont été découverts les derniers corps identifiés de la famille impériale. Ce défilé, en tête duquel se trouvaient de nombreux popes, démontre l'ampleur de l'hommage populaire rendu par la Russie d'aujourd'hui à celle d'hier.

Table des matières

Avant-propos :
À la recherche du passé perdu 11

1. En attendant Pierre le Grand 29
2. Le tsar Pierre Ier réveille la Russie 54
3. Catherine Ire ou la transition forcée 92
4. Pierre II ou la revanche de Moscou 100
5. Anna, la tsarine des bouffons
   et des nains 106
6. Élisabeth Petrovna, la Vénus autocrate 118
7. Pierre III, le cauchemar de Catherine 137
8. Catherine la Grande 148
9. Paul Ier, le fils humilié 173
10. Alexandre Ier, le sphinx du Nord 199
11. Nicolas Ier, le tsar de fer 239
12. Alexandre II, le réformateur
    condamné 277
13. Alexandre III, le colosse de la paix 307
14. Nicolas II, le tsar bourgeois 326
15. Les otages 374
16. La mémoire retrouvée ou les derniers
    voyages des Romanov 414

Composé par Nord Compo
à Villeneuve-d'Ascq (Nord)

Imprimé en France par

Maury-Imprimeur
à Malesherbes (Loiret)
en octobre 2010

POCKET – 12, avenue d'Italie - 75627 Paris cedex 13

N° d'impression : 159562
Dépôt légal : novembre 2010
S19165/01